U0947004

澳大利亚文学经典

Australian Classics

Birds of Passage • After China

Brian Castro

候鸟 • 萦系中国

（澳）布莱恩·卡斯特罗／著

李尧／译

青岛出版社
QINGDAO PUBLISHING HOUSE

鸣谢

WESTERN SYDNEY
UNIVERSITY

Foundation for Australian
Studies in China

本译文集荣获北京外国语大学、内蒙古师范大学、西悉尼大学、在华澳大利亚研究基金会的大力支持，特此感谢！

总序 ❶

General Preface

I am pleased to introduce this important collection of Australian literature translated by Li Yao.

The 40th anniversary of Li Yao's career as a translator is a timely occasion to revisit some of Australia's great literary works.

Thanks to Li Yao's unwavering commitment to translating Australian literature into Chinese, works by Alexis Wright, Patrick White, Thomas Keneally, and Colleen McCullough, among others, will continue to delight readers in China.

We can see in this collection the uniqueness of Indigenous stories and writing that reflects Australia as a contemporary, diverse society.

The breadth of this collection and the interest in China in Li Yao's translation of Australian works reflect both the richness of Australian literature and the depth of the ties between Australia and China.

The publication coincides with the 45th anniversary of the establishment of diplomatic relations between Australia and China in December 1972, providing an opportunity to celebrate what has already been achieved and to consider how we can further enrich each other's societies, including through literary exchange.

The many partnerships between authors, translators, editors, publishers and readers that have made this collection a reality form an important part of the great fabric of the Australia-China relationship,

I congratulate the Editorial Board, in particular Professors Sun Youzhong, Zhang Haifeng and Li Jianjun; Beijing Foreign Studies University, Inner Mongolia Normal University, Western Sydney University and the Foundation for Australian Studies in China, as well as the publisher of the collection, Qingdao Publishing Group.

I am sure these stories will continue to inspire interest in Australia and in Australian literature in China.

Jan Adams

Jan Adams Ao PSM
November, 2017

总序 ❶

General Preface

我很高兴在此向大家介绍李尧翻译的这套重要的澳大利亚文学作品选集。

在李尧翻译生涯进入第四十个年头的时候，重温澳大利亚一些伟大的文学作品可谓正逢其时。

正是由于李尧对澳大利亚文学作品中译的不懈努力，亚力克西斯·赖特、帕特里克·怀特、托马斯·肯尼利和考琳·麦卡洛等人的作品将继续给中国读者带来愉悦。

从这部译文集里，我们既能看到澳大利亚独特的原住民故事，也能读到反映澳大利亚现代、多元社会的作品。

译文集的跨度以及李尧译作中的中国兴趣既反映了澳大利亚文学的丰富性，也体现了中澳两国关系的深度。

中澳两国 1972 年 12 月建立外交关系，译文集的出版正值建交四十五周年。这也为我们提供了一个契机，庆祝所取得的成就，并思考如何通过文学交流等方式丰富彼此的社会。

作者、译者、出版社和读者之间的诸多伙伴关系促成了这部译文集的完成，这也是构成中澳关系丰富肌理的一个重要部分。

我祝贺编委会，特别是孙有中教授、张海峰教授和李建军先生，也要祝贺北京外国语大学、内蒙古师范大学、西悉尼大学、在华澳大利亚研究基金会以及这部译文集的出版方——青岛出版集团。

我相信译文集中的故事将继续在中国唤起人们对澳大利亚及其文学的兴趣。

澳大利亚驻华大使 安思捷

2017年11月

总序 ❷

General Preface

德国文学、法国文学、英国文学、俄罗斯文学、美国文学和日本文学介绍到我国已经有了很长一段历史，从十九世纪末到二十世纪初期出现了大量各国文学译本。特别是日本文学，据查，在明代已经有李言恭、郑杰编纂的日本短歌39首被译为中文。澳大利亚文学进入中国则是比较近期的事。1953年上海出版公司出版了詹姆斯·阿尔德里奇(James Aldridge)的小说《外交官》(*The Diplomat*)的中文译本，这是我国出版的第一部澳大利亚小说。1954年出版了弗兰克·哈代(Frank Hardy)的《幸福的明天》(*Journey into the Future*)和《不光荣的权力》(*Power Without Glory*)，此后又陆续出版了一些长篇和短篇小说以及一些诗集和剧本，包括凯瑟琳·苏珊娜·普里查德(Katharine Susannah Prichard)的《沸腾的九十年代》(*The Roaring Nineties*)，朱达·沃顿(Judah Waten)的《不屈的人们》(*The Unbending*)等。[①]但是，总的来说，在二十世纪五十至七十年

①陈弘：《20世纪我国的澳大利亚文学研究述评》，《华东师范大学学报（哲学社会科学版）》2012年第6期。

代，我国的澳洲文学翻译不仅数量很少，而且，由于当时的时代背景，翻译的选题范围狭窄，作品内容单一。

这一局面的改变得益于1978年我国开始实行的改革开放政策。在这一年，发生了一些对澳洲文学翻译具有深远意义的事情。安徽大学成立了大洋洲文学研究所，推出《大洋洲文学》期刊，翻译出版了澳大利亚、新西兰的一些文学作品。人民文学出版社出版了刘寿康翻译的《劳森短篇小说集》。这一年年底，教育部将全国选拔出的9位中年教师集中于北京，准备派往悉尼大学。这就是日后人们戏称“九人帮”的一批学者。在悉尼大学，他们虽然分属英文系和语言学系攻读硕士学位，但多数都选学了澳大利亚文学课程。这一批学者在学成归国后，在推动澳大利亚研究方面发挥了重要的作用。也就是在这一年，李尧先生开始了他漫长的文学翻译之旅。

二十世纪八十和九十年代是一个热气腾腾的时代。澳大利亚文学翻译呈现出勃勃生机。在这一时期出版的澳大利亚文学作品包括艾伦·马歇尔(Alan Marshall)的《我能跳过水洼》（*I Can Jump Puddles*），罗尔夫·博尔德沃德(Rolf Boldrewood)的《空谷蹄踪》（*Robbery Under Arms*），帕特里克·怀特(Patrick White)的《风暴眼》（*The Eye of the Storm*）、《人树》（*The Tree of Man*）、《探险家沃斯》（*Voss*）、《树叶裙》（*A Fringe of Leaves*）和《镜中瑕疵》（*Flaws in the Glass*），迈尔斯·弗兰克林(Miles Franklin)的《我的光辉生涯》(*My Brilliant Career*)，兰道夫·斯托(Randolph Stow）的《归宿》（*To the Island*），托马斯·肯尼利(Thomas Keneally)的《辛德勒的名单》（*Schindler's List*）和《内海的女人》（*Woman of the Inner Sea*），彼得·凯里(Peter Carey)的《奥斯卡和露辛达》（*Oscar and Lucinda*）以及一批短篇小说集和诗集。

杰克·希伯德(Jack Hibberd)的剧本《想入非非》(*A Stretch of the Imagination*)不仅翻译出版，而且在京沪两地公演。综前所述，可以看出我国译者不断拓展澳大利亚文学翻译的范围，将不同背景、不同流派的作家纳入自己的视野，使得澳洲文学翻译在我国不仅数量激增，而且内容也发生了实质性的变化。

致力于翻译和介绍澳大利亚文学的中国学者是一个群体，既包括早期的马祖毅、刘寿康等，也包括八十年代初从澳大利亚归来的留学学者黄源深、胡文仲等，他们一直处在澳大利亚文学翻译、教学和研究的第一线。译者中还包括朱炯强、叶胜年、曲卫国、欧阳昱、李尧等。这一大批译者在介绍和推广澳大利亚文学方面成绩显赫。其中李尧的贡献尤为突出。除了文学翻译，还应该特别提到黄源深教授撰写的《澳大利亚文学史》以及王国富教授主编翻译的《麦夸里英汉双解词典》，这两部巨著对于澳大利亚文学研究和翻译都起了重要的作用。

李尧先生致力于文学翻译四十年，主要从事澳大利亚文学翻译，也翻译出版了部分英美文学作品，总计52部，字数逾千万，在我国翻译界如此多产的译者实属少见。李尧翻译的作品涵盖澳大利亚作家老中青三代，既包括老一代作家帕特里克·怀特，托马斯·肯尼利，亚历克斯·米勒等，也包括中年作家彼得·凯里，尼古拉斯·周思等，还包括一些年轻的儿童文学作家。从文学流派看，现实主义、现代主义和魔幻现实主义都囊括其中。此次出版的《李尧译文集》只占他翻译的澳大利亚文学作品的约三分之一。收入集子的作品大部分获得过文学大奖，在澳洲文学中具有一定的代表性，有些则是考虑到作家在中国的影响或者题材与中国有关。这一译文集集中反映了李尧在澳大利亚文学翻译方面的成就。

李尧先生1966年毕业于内蒙古师范大学外语系，从事记者工作和文学创作二十余年，发表过报告文学、散文、小说等近百万字，1986年成为中国作家协会会员。正是由于李尧的作家背景，他翻译的文学作品具有一个突出特点：文字优美，行文流畅。阅读他翻译的作品，给人以欢畅淋漓的感觉。李尧回忆说："我翻译小说的时候，常常是从一个写小说的人的角度出发，像我自己写小说一样，体会、捕捉作者的思路，创作的技巧，注意人物性格化语言的翻译。不是只从字面上去对应。我看懂原文，就用自己的语言而不是字典上的意思去翻译。这样译出来的东西就比较鲜活，可读性强。"翻译亚历克西斯·赖特(Alexis Wright)的《卡彭塔利亚湾》(*Carpentaria*)难度很大。作者是澳大利亚当代最有成就的原住民作家。小说涉及澳大利亚原住民的宗教信仰、部族矛盾、生产生活方式、风土人情、历史渊源等，而且写作方法也比较独特。李尧在翻译这部小说前，大量阅读了有关澳大利亚原住民历史文化的著作，同时不断和作者联系，取得她的帮助。悉尼大学在授予李尧荣誉文学博士学位时指出："《卡彭塔利亚湾》是李尧毕生从事文学翻译和四十余年来中澳文化交流的巅峰之作。"有评论指出："《卡彭塔利亚湾》是纯文学性文本，李尧先生翻译策略的选择，让译文洋溢着一种梦幻般的抒情色彩，充满文学情调，让读者感受到澳大利亚古老土地的荒芜。"①

翻译从来都不是简单地把一种语言变成另一种语言的过程。王佐良先生对于翻译，特别是文学翻译，曾经发表过许多重要的论述。他指出："因为有翻译，哪怕是不免出错的翻译，文化交流才成为可能。

①张华：《纽马克文本翻译理论与李尧文学文本翻译策略》，《安徽工业大学学报（社会科学版）》，2016年第5期。

语言学家、文体学家、文化史家、社会思想家、比较文学家都不能忽视翻译。这不仅是因为通过翻译者的辛勤劳动才使得一国的文化遗产能为全世界的人所用，还因为译者做的文化比较远比一般人要细致、深入。他处理的是个别的词，他面对的则是两大片文化。”[①]李尧正是通过他的文学翻译将独特的澳洲大陆文化介绍给了拥有悠久历史文化传统的中国人民。

李尧先生几十年来耕耘在澳大利亚文学翻译这片土地上，他的勤奋努力非常人所可比拟，他经常夜以继日地工作，节假日也很少休息。他在澳大利亚文学翻译方面的成就获得了广泛的认可，于1996、2008、2012年三次获得澳中理事会颁发的澳大利亚文学翻译奖。2014年被悉尼大学授予荣誉文学博士学位。表彰词指出，李尧“在中国，在文学翻译和澳大利亚研究方面作出了杰出的贡献。他把许多澳大利亚作家介绍给中国读者，包括帕特里克·怀特，托马斯·肯尼利，亚历克西斯·赖特，为中国读者更好地了解澳大利亚和澳大利亚人民提供了丰富的资源”。

澳大利亚文学翻译在中国的成功首先是由于译者的努力和奉献，但与澳大利亚作家们对中国的友好感情也紧密相关。许多译者都与澳大利亚作家有过密切而友好的交流，从他们那里得到了无私的帮助。澳中理事会在推动澳大利亚文学翻译和澳大利亚学术研究方面也起了至关重要的作用。最后，还应该提到中国出版界对于澳大利亚文学翻译的兴趣和关注。没有他们一以贯之的支持就不可能有今天澳大利亚文学翻译在中国的丰收。

---

①王佐良：《翻译中的文化比较》，《王佐良全集》第8卷252页，外语教学与研究出版社，2016年。

2018年适逢中国澳大利亚学会成立三十周年，也恰是李尧先生从事文学翻译四十周年。北京外国语大学、内蒙古师范大学、西悉尼大学和在华澳大利亚研究基金会共同发起出版的十卷本《李尧译文集》既是对于李尧几十年来从事澳大利亚文学翻译的充分肯定，更是繁茂的中澳文化交流之见证。我们相信，澳大利亚文学翻译事业今后在我国必将取得更长足的进步，在促进中澳文化交流方面也必将起到更大的作用。

胡文仲

2017年8月27日

General Preface

It is my great honour to have been asked to write a General Preface for this important series of award-winning translations of Australian literature by Professor Li Yao, to be published by Qingdao Publishing House. The series is in celebration of Professor Li Yao's 40th Anniversary as a translator of Australian literature, which coincides with the 45th Anniversary of the establishment of diplomatic relations between our two countries. As I will explain, these two anniversaries are closely connected.

The Australian Labor Party, led by Gough Whitlam, had recognised the Peoples' Republic of China as early as 1955, but it was another seventeen years before it was elected into government, on 2 December 1972. Less than three weeks later, on 21 December 1972, Prime Minister Gough Whitlam signed the joint communique establishing diplomatic relations between Australia and The Peoples' Republic of China. Under the terms of the Communique, the two Governments agreed to "develop … diplomatic relations, friendship and co-operation between the two countries on the basis of the principles of mutual respect … equality and mutual benefit, and peaceful coexistence".

The Australian Embassy in Beijing was opened on 12 January 1973, and later that year Gough Whitlam became the first Australian Prime Minister to visit China, holding historic meetings with Zhou Enlai and Mao Zedong. Whitlam's establishment of diplomatic relations between Australia and China has been described as the single most important event in relations between our two countries in the twentieth century, and remains the foundation of the relationship today.

In addition to trade and tourism, cultural and educational exchanges have been of increasing importance to the relationship between our two countries. Since the 1970s, these links have included the study of Australian literature. The first five Chinese students to study in Australian universities after the establishment of diplomatic relations arrived in 1975, and the number increased rapidly from the late 1980s. Professor Li Yao's career in translating Australian literature for generations of Chinese readers has been central to this story of cultural exchange.

After graduating from Inner Mongolian Normal University in 1966, Li Yao worked as a writer and editor for journals in Inner Mongolia until his appointment as Professor of English at the Training Centre of the Ministry of Commerce in Beijing in 1992. He became a member of the Chinese Writers' Association in 1986, specialising in literary translation. At that time, he started collaborating with Professor Hu Wenzhong at Beijing Foreign

Studies University on the translation of Australian literature. Professor Hu is a graduate of the University of Sydney, a member of the so-called "Gang of Nine", who were among the first students from China to undertake graduate study in Australia after the Cultural Revolution of 1966 to 1976. In 1979, the "Gang of Nine" studied under my predecessor as Professor of Australian Literature at the University of Sydney, Professor Dame Leonie Kramer. I was then a young tutor in the English Department researching my own PhD thesis, and I well remember the presence of our Chinese visitors in the Department. The "Gang of Nine" proved influential in developing Australian Studies in China after their return. Since that time, over 30 Australian Studies Centres have been set up across China. A number of these centres have courses on Australian literature, and have people working on translating and introducing Australian literature to Chinese readers. They include Peking University and Beijing Foreign Studies University, where Professor Li Yao teaches advanced translation studies, as well as, Shanghai's East China Normal University, Renmin University, Anhui University, Suzhou University, Inner Mongolia University and Inner Mongolia Normal University.

It was Professor Hu Wenzhong who first encouraged Li Yao to make his career in the study and translation of Australian literature. When they met in Beijing in the mid 1980s, Professor Hu explained that Australian literature was still an untouched field in China, and he encouraged Li Yao to devote himself to this area and make a contribution to it as a translator. Before the Cultural Revolution, Chinese readers had some familiarity with American, British, Russian, French, German and other European literatures, but they knew little about Australian literature. At that time, only Henry Lawson, Frank

Hardy and a few other "social realist" writers were known through translation. Collaborating together, Professor Hu and Li Yao translated Patrick White's The Tree of Man, which was published by Shanghai Translation Publishing House in 1991. Patrick White was Australia's most famous writer, having won the Nobel Prize in 1973. Unlike the earlier realist writers, he was significant because his novels mediated Australian experience and the Australian landscape through the stylistic innovations of international modernism.

After collaborating with Professor Hu, Li Yao continued to translate Australian literature, carrying on the tradition that he had initiated. Li Yao today has translated a staggering total of 35 titles. The list of his translations includes novels by Brian Castro, Richard Flanagan, Anita Heiss, Colleen McCulloch, David Malouf, Alex Miller, and Kim Scott, as well as important works of history and non-fiction. Most of Li Yao's translations were generously supported by funding from the Australia-China Council, the Literature Board of the Australia Council and FASIC, the Foundation for Australian Studies in China. The works selected for re-printing in the 45th Anniversary series include many of the novels that have gone on to achieve fame both in Australia and internationally through their winning of prizes such as the Miles Franklin Literary Award, the Commonwealth Writers Prize, and the Man Booker Literary Award. His translations include Patrick White's novels, The Tree of Man and A Fringe of Leaves, and his autobiography, Flaws in the Glass; two of the earliest novels about Australian-Chinese relationships, Brian Castro's Birds of Passage, and Alex Miller's The Ancestor Game; and Avenue of Eternal Peace, by academic and former cultural officer in Beijing, Nicholas Jose. The list also includes titles by the three Australian authors who have won the prestigious Man Booker Literary Prize: Peter Carey's True History of the Kelly Gang, Tom Keneally's Woman of the Inner Sea and Richard Flanagan's Gould's Book of Fish. In addition to The Ancestor Game, which won both the Miles Franklin Literary Award and the Commonwealth Writers Prize, there are two other novels by Alex Miller, Landscape of Farewell and Coal Creek. In addition to works of fiction, Li Yao's translations of important works of non-fiction include David Walker's memoir Not Dark Yet, and Mara Moustafine's Secrets and Spies: The Harbin Files, both of which in different ways touch on people-to-people Chinese-Australia links.

In more recent years, Li Yao has continued to provide leadership and innovation by keeping up with the latest developments in Australian literature, and continuing to introduce new works by Australian writers to Chinese readers. He has recently shown a particular interest in the areas of Australian children's literature, and writing by Australia's Indigenous authors, and there are examples of these works also included in the Anniversary series. Sponsored by the Australia-China Council, from 2010 Li Yao worked to select and translate 10 Australian children's books, including such well-known and loved classics as Ethel Pedley'sDot and the Kangaroo, May Gibbs' Tales of Snugglepot and Cuddlpie, Ethel Turner's Seven Little Australians, Dorothy Wall's Blinky Bill, Ruth Park's The Muddle-Headed Wombat, and Colin Thiele's Storm Boy. These books were published by People's Literature Publishing House and have become very popular in China. New editions of Dot and the Kangaroo and Seven little Australians are to be published by China Youth Publishing House. Li Yao has reaffirmed his commitment to promoting Australian children's books in China, and will introduce more titles into this series, which is to be called his Koala Books series.

Since 2006, with the help of his great friend, the novelist, academic, and former cultural counsellor, Professor Nicholas Jose, Li Yao has been researching and translating Australian Aboriginal Literature. His translations include Kim Scott's Benang: From the Heart, Alexis Wright's Carpentaria, and Anita Heiss' Who Am I. He is currently working on a translation of Alexis Wright's The Swan Book. He hopes that these books will expand Chinese understanding of Australia, aware that Australian Aboriginal literature has not been introduced to China systematically so far, and so to most Chinese readers this is still an unfamiliar field.

In addition to his translation and teaching at PKU, Li Yao has served as a council member of the Chinese Association for Australian Studies since it began in 1988. He won the Australia-China Council's inaugural Translation Prize in 1996 for his translation of Alex Miller's The Ancestor Game, in 2008 for Nicholas Jose's The Red Thread, and again in 2012 for his translation of Alexis Wright's Carpentaria. He was awarded the Council's gold medal in 2008 for his distinguished contribution in the field of Australian literary translation in China.

Perhaps because of White's own fame as Australia's only Nobel Prize winning writer, Li Yao is known especially in Australia as a champion of Patrick White in China. His translation of The Tree of Man has been reprinted three times in the past twenty five years, selling over 20,000 copies. White's autobiography, Flaws in the Glass, has also been reprinted three times, seeling more than 12,000 copies. His translations of The Tree of Man, Flaws in the Glass, The

Ancestor Game, True History of the Kelly Gang, and Carpentaria have been well reviewed and well received in China, and many students have gone on to write their Masters and PhD dissertations on these world-class Australian novels, having been first introduced to them by Li Yao.

Li Yao's translation of Carpentaria perhaps deserves special comment as the culmination of a lifetime's work, and some forty years' cultural exchange between the two countries. The novel imagines Australian life from an Aboriginal perspective; it is written from within the Aboriginal life world, in a unique style that might be described as a kind of Aboriginal magical realism. Among Chinese translators of Australian literature, only Li Yao had the depth of experience to take on the challenging task of translating such a masterwork from another culture into Mandarin. He saw it through to publishing with the prestigious People's Literature Publishing House and gathered support from leading Chinese writers, including Nobel literature laureate Mo Yan, who launched it at the Australian Embassy in Beijing.

Today Li Yao remains very actively engaged with Australian literature. Most recently, he was an honoured guest of the 2017 Conference of the Association for the Study of Australian Literature (ASAL) in Melbourne, where he addressed an interested and appreciative audience of Australian scholars about his life's work. Li Yao is always open to advice on new titles of interest. Chinese readers are currently very interested in Tom Keneally's works, for example, and he plans to translate Shame and the Captives. He remains interested in Australian Indigenous Literature and Children's books, and plans to translate further new novels by his friend Alex Miller. He is also co-writing, with Professor David Walker, a memoir about his and his family's experiences in and after the War of Liberation and in the early years of New China and in the Cultural Revolution. This is a book that will be eagerly read by his many friends in Australia.

Li Yao has shown extraordinary dedication in his sustained commitment to the translation of Australian literature in China. No one in China knows more about Australian writing today than Li Yao, who has many friends among authors and literary scholars in Australia. In 2014, I attended a ceremony in the University of Sydney's historic Great Hall in which Li Yao was awarded an Honorary Doctorate for his services to Australian literature. It was a proud moment for the University that had played so foundational a role in Australian literary studies, both in Australia and China. "I love Australian literature', Li Yao has said. "It is an important pillar of world literature. Over the past four decades, I have nurtured great friendships with many outstanding authors from Australia. In translating their works, my own life has changed immensely". In retrospect, we can see that Li Yao's career in literary translation has been exemplary in fulfilling the terms of the 1972 Communique, with which it is approximately contemporary: that is, to "develop … diplomatic relations, friendship and co-operation between the two countries on the basis of the principles of mutual respect … equality and mutual benefit, and peaceful coexistence".

Professor Robert Dixon, FAHA

Professor of Australian Literature

The University of Sydney

July 2017

总序❸

General Preface

我十分荣幸地应邀为李尧教授这套重要的澳大利亚文学优秀翻译作品写序。这套书为庆祝李尧教授从事澳大利亚文学翻译四十周年，由青岛出版社出版，恰逢我们两国建立外交关系四十五周年。我要指出的是，这两个周年纪念日密切相关。

高夫·惠特拉姆领导的工党早在1955年就承认了中华人民共和国。可是直到十七年之后，1972年12月2日，该党才成为执政党。1972年12月21日，高夫·惠特拉姆就任总理不到三个星期，便与中国政府签订了澳大利亚与中华人民共和国建立外交关系的联合公报。根据《公报》，两国政府同意“在互相尊重……平等互利、和平共处的原则基础之上，发展两国间的外交关系、友谊和合作”。

1973年1月12日，澳大利亚驻华大使馆在北京正式开馆。同年晚些时候，高夫·惠特拉姆成为第一位访华的澳大利亚总理，并且与周恩来、毛泽东进行了历史性的会晤。惠特拉姆创建的澳大利亚与中国的外交关系一直被描绘为二十世纪我们两国之间发生的最重要的事件，时至今日，仍然是两国关系的重要基础。

除了贸易和旅游业，文化教育交流对于我们两国关系的发展起到越来越重要的作用。从二十世纪七十年代起，这种交流便将澳大利亚文学研究囊括其中。建立外交关系之后，1975年，第一批五位中国学生到澳大利亚大学学习。李尧教授为几代中国读者翻译澳大利亚文学的生涯一直以这种文化交流为中心。

1966年，李尧从内蒙古师范大学毕业之后，作为作家和文学杂志编辑一直在内蒙古工作，直到1992年到北京商务部培训中心任英语教授。他1986年加入中国作家协会，专事文学翻译。从那时起，开始和北京外国语大学胡文仲教授合作翻译澳大利亚文学作品。胡文仲教授是悉尼大学的研究生，所谓“九人帮”之一。“九人帮”是1966到1976年“文革”之后，第一批从中国到澳大利亚攻读硕士学位的学者。1979年，他们师从我的前辈——悉尼大学澳大利亚文学教授雷欧妮·克雷默爵士。我那时是英语系一个年轻的辅导员，正在做博士论文。时至今日还清楚地记着活跃在系里的这几位中国访问学者。

“九人帮”学成回国之后，对推动中国的澳大利亚研究起到很大的影响作用。从那时候起，在中国各地已经建立起三十多个澳大利亚研究中心。许多学者把澳大利亚文学翻译介绍给中国读者，不少“中心”开设澳大利亚文学课程。包括北京大学、北京外国语大学——李尧教授在这两所大学教授澳大利亚文学翻译——华东师范大学、人民大学、安徽大学、苏州大学、内蒙古大学、内蒙古师范大学。

最初，是胡文仲教授鼓励李尧从事澳大利亚文学研究与翻译。二十世纪八十年代，他们在北京相识。胡教授说，澳大利亚文学在中国还是一块未开垦的处女地。他鼓励李尧作为翻译者致力于这一领域，作出贡献。“文革”前，中国读者对美国、英国、俄罗斯、法国、德国和其他欧洲国家的文学比较熟悉，但是对澳大利亚文学知之甚少。那时候，只有亨利·劳森、弗兰克·哈代和少数几位“社会主义现实主义”作家通过翻译为中国读者所知。1991 年，上海译文出版社出版了胡教授和李尧合作翻译的帕特里克·怀特的《人树》。帕特里克·怀特是澳大利亚最著名的作家之一，1973 年获得诺贝尔文学奖。他之所以影响深远，是因为和早期现实主义作家不同，他的小说通过国际现代主义文体创新，展示了澳大利亚社会与澳大利亚风土人情。

和胡教授合作之后，李尧坚持翻译澳大利亚文学，把他已经继承的传统传承下去。迄今为止，他已经翻译了多达三十五部的澳大利亚文学作品，其中包括布莱恩·卡斯特罗、理查德·弗兰纳根、阿尼塔·海斯、考琳·麦卡洛、大卫·马鲁夫、亚历克斯·米勒和金姆·斯科特等多位作家的小说。还有历史与非小说译作出版。李尧大多数翻译作品的出版都得到澳中理事会、澳大利亚理事会文学委员会、在华澳大利亚研究基金会的资助。为纪念中澳建交四十五周年重新选择出版的这套译著包括业已在澳大利亚和世界范围内赢得盛誉的作品。这些作品有的获得“迈尔斯·富兰克林文学奖”，有的获得“英联邦作家奖”，有的获得“布克国际文学奖”。他的译著还包括帕特里克·怀特的长篇小说《人树》《树叶裙》、自传《镜中瑕疵》；表现澳中关系最早的两部小说：布莱恩·卡斯特罗的《候鸟》和亚历克斯·米勒的《浪子》；著名学者、前澳大利亚驻华大使馆文化官员尼古拉斯·周思的《长安大街》。还有赢得“布克国际文学奖”的三位作家的作品：彼得·凯里的《凯利帮真史》、托马斯·肯尼利的《内海的女人》、理查德·弗兰纳根的《古尔德鱼书》。除了获得“迈尔斯·富兰克林文学奖”和“英联邦作家奖”的《浪子》之外，李尧还翻译了亚历克斯·米勒的《别了，那道风景》和《煤河》。还有一些重要的非小说类作品，包括大卫·沃克的家族史《光明行》

和马拉·穆斯塔芬的《哈尔滨档案》。这两本书都从不同的角度记录了中澳两国普通人之间的关系。

最近几年，李尧紧跟澳大利亚文学的最新发展，继续把澳大利亚作家的新作品介绍给中国读者。他对澳大利亚儿童文学和澳大利亚原住民作家的作品特别关注。这个纪念译文集也收入了相关作品。从2010年起，李尧在澳中理事会的支持下，选择并组织力量翻译了十本澳大利亚儿童文学经典，包括深受几代读者喜爱的埃塞尔·帕德利的《多特和袋鼠》、梅·吉布斯的《小胖壶和小面饼》、埃塞尔·特纳的《七个澳大利亚小孩儿》、多萝西·沃尔的《眨眼睛的比尔》、鲁斯·帕克的《糊里糊涂的树袋熊》和科林·蒂勒的《暴风雨中的男孩》。这些书由人民文学出版社出版，在中国很受欢迎。《多特和袋鼠》《七个澳大利亚小孩儿》新版将由中国青年出版社出版。李尧决心为推动澳大利亚儿童文学作品在中国的翻译出版作出更大的贡献。他将翻译介绍更多的儿童文学作品，收入他的“考拉丛书”。

自从2006年起，在他的好朋友——学者、作家、前文化参赞尼古拉斯·周思教授的帮助下，李尧一直在研究、翻译澳大利亚原住民文学。已经出版的作品有金姆·斯科特的《心中的明天》、亚历克西斯·赖特的《卡彭塔利亚湾》和阿尼塔·海斯的《我是谁》。他目前正在翻译亚历克西斯·赖特的《天鹅书》。鉴于澳大利亚原住民文学到目前为止还没有被系统地介绍到中国，对大多数中国读者而言，那还是一个不熟悉的领域，李尧希望这些书能使中国读者对澳大利亚有更多的了解。

除了从事文学翻译以及在北京大学、北京外国语大学教授澳大利亚文学翻译之外，李尧从1988年中国澳大利亚研究学会成立以来，一直担任学会理事。1996年，他因翻译亚历克斯·米勒的《浪子》获得澳中理事会首次在中国颁发的翻译奖，2008年因翻译尼古拉斯·周思的《红线》、2012年因翻译亚历克西斯·赖特的《卡彭塔利亚湾》又连续两次获此殊荣。2008年因其在澳大利亚文学翻译领域的杰出贡献，获澳中理事会颁发的金奖章。

也许因为怀特作为澳大利亚唯一的诺贝尔文学奖获得者享有盛名，李尧也因其在中国翻译介绍帕特里克·怀特的作品在澳大利亚广为人知。在过去的二十五年里，他和胡文仲教授合作翻译的《人树》先后印刷三次，销售量超过20000册。怀特的自传《镜中瑕疵》也被印刷三次，销售量超过12000册。他翻译的《人树》《镜中瑕疵》《浪子》《凯利帮真史》和《卡彭塔利亚湾》在中国受到好评和欢迎。不少学生依据李尧第一次介绍到中国的这些世界第一流的澳大利亚文学作品，撰写硕士和博士论文。

李尧的译作《卡彭塔利亚湾》作为他毕生从事文学翻译以及四十多年来两国文化交流的巅峰之作，也许特别值得一提。这部小说从原住民的视角出发，以一种也许可以称之为原住民魔幻现实主义的独特风格想象了澳大利亚的生活。在中国的澳大利亚文学翻译者中，也许只有李尧因其具有丰富的经验，可以接受挑战，将这样一部杰作从一种完全不同的文化翻译为中文。2012年，他克服了重重困难，在久负盛名的人民文学出版社出版此书。该书翻译出版过程中，得到多位中国著名作家的支持。诺贝尔文学奖获得者莫言在澳大利亚驻华大使馆为《卡彭塔利亚湾》举行的新书发布会揭幕，并做了热情洋溢的发言。

今天，李尧依然活跃在澳大利亚文学研究的舞台上。最近，作为在墨尔本召开的“澳大利亚文学研究会2017年会”（ASAL）的贵宾，他对兴趣盎然、不无赞赏的澳大利亚学者讲述了自己毕生的工作。李尧总是乐于倾听同事们对新的、有趣的选题的建议。比如，最近中国读者对托马斯·肯尼利的作品很感兴趣，他就计划翻译这位文学大师的《耻辱和俘虏》。他对澳大利亚原住民文学和儿童文学依然表现出浓厚的兴趣，计划翻译他的朋友亚历克斯·米勒的新小说。他与大卫·沃克教授正在合作撰写关于他和他的家族在解放战争前后、新中国建立初期以及“文革”中经历的纪实文学作品。这是一本令他许多澳大利亚朋友热切期待的书。

李尧在中国长期致力于澳大利亚文学翻译，表现出非同寻常的献身精神。在中国，没有人比李尧对澳大利亚文学作品更了解。他在澳大利亚作家和文学工作者中有许多朋友。2014 年，我在悉尼大学历史悠久的大会堂参加了授予李尧荣誉文学博士的典礼。对于这所无论在澳大利亚还是中国都在澳大利亚文学研究领域起到基础性作用的大学来说，这是一个骄傲的时刻。“我热爱澳大利亚文学。”李尧说，“它是世界文学的重要支柱。在过去的四十年里，我和许多澳大利亚优秀作家结下了深厚的友谊。在翻译他们作品的过程中，我自己的生活也发生了巨大的变化。”回顾往事，我们可以看到，李尧的文学翻译生涯，堪称实现 1972 年《公报》初衷的楷模。今天，我们依然为之努力，那就是“在互相尊重……平等互利、和平共处的原则基础之上，发展两国间的外交关系、友谊和合作”。

罗伯特·迪克逊
澳大利亚人文科学院院士
悉尼大学澳大利亚文学教授
2017 年 7 月

目录

CONTENTS

萦系中国

候鸟

第一章 别样人生

广东，1856 年。

我叫罗云山，是从大帽山得名，那座山也叫大雾山。按照中国人的标准，它不能算高，可是终年云雾缭绕，即使最晴朗的日子，也没有人从远处看到过它的山顶。村里人都说，佛祖就住在山顶，在那里淡然地注视着山下的村落。如果你从东面爬山，就会看见岩石上有座庙宇兀然而立。庙里有座巨大的石雕佛像。谁也不可以爬到比这座庙更高的地方，否则就是对神的不敬，更糟糕的是，这会带来厄运。

我爬到过比那座寺庙更高的地方，还一直爬到山顶，感受了云彩的潮湿。年轻的时候，我一次又一次地爬到山顶，在那里找到宁静。我还发现过别的攀登者留下的踪迹：吃了一半的用香蕉叶子包起来的米饭和蔬菜、鱼骨头，还有冻结在一起的人的粪便。

那时候我是个年轻的教师，对于生活我有某种离经叛道的理解。那个年代，成为教师就意味着你和上天之间有着某种精神联系。在无知者的眼里，你的话就是金科玉律。因为你有知识、有力量，大家便指望你能够挑战那些禁锢蒙昧者的规矩。我是介乎于僧人和办事员之间的一个角色——在村公所代理父亲处理一些鸡毛蒜皮的民事纠纷。庙里的僧人教过我如何修行，我们家是省里的名门望族之一。

我的父亲是那种身穿长衫的小知识分子，他靠从村民那里收取地租过活，我便成了他的收租人。天气好的时候，我就徒步来往于村庄之间的块块农田；下雨的时候便坐在轿子里，耳边是轿夫呱唧呱唧的脚步声。和外面浓重的潮气相比，轿子里散发的那股陈腐的香味儿算不上难闻。长长的轿杆和轿夫们一颠一颠的光脊梁上水珠闪闪，汗味扑鼻。轿子后面是一辆独轮车，满载着一袋袋稻谷、吱哇乱叫的猪和拍打着翅膀的鸭子。

父亲怀抱烟枪坐在家里。还没进门，就能闻见从他房间里飘出一股甜丝丝的烟味儿。夏天，微风吹过，门上挂着的铃铛发出丁零丁零的响声，系在上面细长的符瑟瑟抖动。

父亲身穿精工绣制的长袍，伸出一只手打个手势叫我进去。有时候则把手心对着我，示意不要说话，咂着嘴，拿出烟枪，深深地吸一口气。烟枪嗞嗞啦啦地响着，他会说：

“茉莉凋零，花落无声。”

我对他的癖好表示接受。我没有时间吟诗作赋，也没有其他类似的雅兴。在这方面我具有广东人的禀性。我们喜欢做生意，希望发迹。我们为贸易、买卖、稻谷的斤数而生存——

这是大社会和小社区的基础。像父亲这样的诗人是个例外。这是命运对他的偏爱。食不果腹的农民很少有人成为诗人。

在等父亲沉默半分钟之后，我便开始报账：地租每亩收回二十斤稻谷，此外还有六只鸭子，两口小猪。

父亲听了总是点头微笑，我也总是随即退下，去做别的事情。

我每两个月都要到海边去玩一次。我总是满怀热情盼望这样的旅行。我爱大海。山峦连绵逶迤，光秃秃的岩石星罗棋布，一直延伸到海面。海风吹拂着海岬，海水刺痛我的面颊。我把这种种感觉都珍藏在心底。这是我的财富，宛若容纳着新奇与喜悦的密室。可是现在我意识到，曾经教给我那么多生活真谛的大海，最终扼杀了我的好奇心，把我引向一种毫无意义的生活，使我相信尽管人类试图理解世界的终极本质，然而其认知却总是无法超越自身的局限。

悉尼

姓名：西默斯·欧阳

出生时间与地点：

身高：

眼睛的颜色：

头发的颜色：

明显特征：

我的护照放在桌子上面，几页白纸上印着 VISAS 的字样。这几张纸激起我无穷的想象，手里的铅笔微微颤抖，旅行就要从这里开始了！

我旁边还放着一本残缺不全的日记，是我很久以前发现的。它像深藏在记忆里残留的梦。我曾经一遍又一遍地读这本日记，一遍又一遍地翻译那些文字，一笔一画地辨认那些中国字，猜测其中的意思，琢磨潜藏的含义。我觉得作者笔下描写的环境那么亲切，我简直就是一百多年前写下这一切的那个人的翻版。他不但和我的处境相似，而且，令我深感不安的是，我们的文风、遣词造句的习惯以及文章的节奏感也几乎完全相同。唯一的不同是，与我的狂热和焦虑相比，他表现得更加淡定。当然，这也许只是蕴含在他那清秀的毛笔字中一种虚假的冷静。也许这得归咎于那种正在衰退的语言所经历的岁月的磨蚀和翻译的欠缺。

然而，为什么因为他的风格对我产生了影响我就焦灼不安？为什么随身携带这本纸张已经发黄并且磨得薄如蝉翼的日记我会生出负疚之感？（我已经用塑料薄膜把它小心翼翼地包了起来。）也许因为这些昔日的纸片使我对另外一种生活产生了责任感，要求我老老实实把一切都写出来。可是当那么多幻觉——因为强加给自己孤独而产生的幻觉——已经把我搞得心烦意乱的时候，又怎能做到这一点呢？有时候被 Doppelganger[①] 困扰时，我也试图将它驱出体外。我想象火焰吞没了那些发脆的纸片，这段历史随着烟雾缭绕盘桓升至天际。可是那些发黄的纸张再一次拒绝消失。因此，我至今还像护身符一样，把它带在身边，同我一起开始人生的另一段旅程。

---

① Doppelganger: 德语，活人的魂魄。

黄昏，从玻璃窗那边传来孩子们叽叽喳喳的说话声。树影和光斑在窗帘上摇曳，强风一个劲儿地吹。我希望不要下雨。凉爽中有一种陌生：那树叶、那准备揭示其奥秘的夜色，那庄严气氛中所有的芳香。在这傍晚的凄凉之中，我感觉到远行的梦已然栩栩如生。

日记写到这里，我想起那个大旱之年第一次到海边游玩的情景。直到那次远足之前，我的思想一直被我们那座小村庄禁锢着，像落入陷阱的老虎，只能在笼子里转来转去。有时晚上回家，在屋子黑魆魆的角落，常看见母亲的身影。自从生病，她总是一个人孤零零地坐着，等待自己的思想重新组合，再表达出来，探寻何处是孤独的尽头。我的心常常因痛苦而怒吼——世界竟然会把她这样严密地封闭起来！

我永远不会忘记第一次看见大海的情景。它那柔和的绿色像田野一样伸展到远方的地平线。以前，我这双眼睛从来没有见过如此的辽阔的景象。我相信自己找到了通往另外一个世界的大门。然后我看见下面的港口，就像被大海吐出来又扔在海滩上的什么玩意儿。小镇是由层层叠叠的窝棚、简陋的小屋、年久失修的二层木头小楼组成的“大杂烩”。狭窄的小巷和大街毫无规则地交错着。有的巷子拐来拐去又拐回到原来的地方，就像倒着走路的人一样。这里的居民被贫穷困扰，好斗、多疑。小孩子在大街上到处拉屎撒尿。老头子因为年事已高，更肆无忌惮地站在墙角撒尿，黄颜色的细流从作成筒状的手掌间流出。

每到港口一次，我都注意到人们脸上的表情显得愈发绝望。以前他们总爱盯着陌生人看，现在却回避和我的目光接触。他们低着头、弓着腰，只管想自己的心事。

一个下雨天，我正从轿子里看过往的行人，一个乞丐走了过来，伸出脏兮兮的手扯住我的袖子，磕磕绊绊地跟在轿子旁边，一只瞎眼睛泪水迷离，盯着我的脸。我甩开他的手，让轿夫快走。乞丐也加快脚步，秃脑袋在我旁边一颠一颠。我向后仰了一下身子，想找一枚铜钱。可是后来又犹豫了，内心陷入矛盾。乞丐叫骂着，秃脑袋消失了。

湿漉漉的大街上到处都是水洼。轿夫甩掉大声叫骂着的乞丐，避开潮湿的墙壁，把我抬到一座木头房子前面。这便是我此行的目的地。这座房子坐落在小城尽头一堵红石头墙下，门脸儿上用红油漆写着父亲的生意合伙人的名字：

船具商店

业主：索阿发

黑魆魆的店铺里，有什么东西在晃动——墙角，人的肌肤发出幽幽的光。一个身影从一盘盘巨大的绳索中间向我走来。等我的眼睛渐渐习惯了黑暗，才看出是一个怀里抱着孩子的女人。她那乌黑的头发梳成两条很粗的辫子，像蛇一样垂在胸前。一个婴儿蜷缩在“蛇”的中间，紧贴一只下垂的乳房睡着了。红肿的乳头闪着微光。这是阿发的妻子。她朝我点了点头，微微一笑，双唇绽开一弯“新月”，露出一溜金牙。

“哎哟，云山，你来的可不是时候。”

我不知道她这话什么意思。

“那么，我一会儿再来。”

她不是说我打搅了正在睡觉的婴儿。她朝门外努了努嘴。

“城里出事了，来了些洋鬼子兵！”

婴儿扭动着身子哭了起来。外面，轿夫们正在下棋。他们蹲在地上，叫喊着，互相拍打着脊背。

“你母亲怎么样？”

“还是老样子。”

“父亲呢？”

“他挺好，让我问候你们。”

我想办完事马上就走。她那雪白的乳房把我惊呆了，乳头像落日照耀着我的一双眼睛。她走到柜台后面，拿出两个布包，用一只手替我打开。我取出一点鸦片，嗅了嗅。

“这是最后一点儿了，”她说，“他们打算关闭港口，严禁走私。”

“哎哟！将军！”轿夫们吵吵嚷嚷，那盘棋到了关键时刻。他们朝手心吐着唾沫，有的叫骂，有的嘟哝。孩子大哭起来。阿发的妻子来回摇晃着哄他。她冲我笑了笑。我把那袋子钱递给她，她也没数。道别之后，我便离开铺子。

任务完成了。我把布包放到轿子座位下面，告诉轿夫们等我一会儿，便信步向小镇走去，想看个究竟。

我看见几个中国士兵穿着古老的盔甲，在城里巡逻。一条小巷里，一个老头扔下箩筐和长长的竹扁担飞快地跑着，样子十分可笑，两条罗圈腿像马一样跑着。这时，小巷那边闪出两个士兵，切断他的退路。老头被士兵抓住，棍棒相加，倒在地上。我没有停下脚步多看。海岸上，一群脸色苍白的外国水手紧张地走来走去。几个中国官员身穿长袍，站在一条轻轻荡漾的小舢板上，极力保持身体的平衡，样子十分可笑。他们正向大河的入海口驶去。

我回到海边，海风阵阵，波涛滚滚，一双眼睛仿佛在燃烧，满心迷惘，突然间感到自己对这里的了解全部变成空白。

蒙蒙细雨中，在两条小帆船的映衬之下，出现了一艘大轮船。这轮船大得像一座庙宇，跟我们的渔船相比就好像沙丁鱼群中浮出的一条大鲸鱼。它标志着异族强有力的入侵。我立刻猜想到他们的工业要比我们强大一百倍，不多不少正好百倍。这一次他们对中国的侵略要更深入、更凶猛。

轮船抛锚，在海风中慢慢旋转。船工用力划桨，中国官员们乘坐着舢板向它飞快驶去。当他们登上跳板时，一面红、白、蓝相间的旗帜猎猎作响，从轮船的绳梯横索上升起。

我没有待在那儿看后来发生的事情，没有目睹中国官员降下英国国旗的情景，没有跟他们一起经历导致第二次鸦片战争爆发的那一瞬。回家的路上，坐在摇摇晃晃的轿子里，简直无法想象，我座位下的那玩意儿居然是给中国带来这么多麻烦的原因。我想起我们宗族间的长期不和，想起总打瞌睡的父亲，想起刚才挨打的老头，觉得我的忠诚在破碎。一时冲动，我朝山上那座俯瞰小城的寺庙的方向吐了一口唾沫。

西默斯·欧阳不是我的真名实姓。我不是爱尔兰人，事实上我是一个“ABC”，也就是“澳大利亚出生的中国人”。不过，不管我到底是什么人，这样的问题都让人生气。人们对别人的国籍总是非常好奇，不遗余力地给人家“分等论级”。好像知道他们的底细，自己就获得了力量。

我还记得在福克斯顿[1]渡口进入联合王国时的情景。海关办事员手里拿着我的护照，盯着我看了好大一阵子。排在后面的一位黑人姑娘又喊又叫。

“你这个可恶的家伙！” 她尖叫着。

海关关员朝叫喊的姑娘瞥了一眼，对我说：“这么说，你是那种令人讨厌的出生在中国的澳大利亚人了！”

我还没来得及纠正他的错误，他已经掉转头，挥了挥手让我进去。背后，叫喊声越发厉害了。

啊，ABC! 字母表里的头三个字母，代表了跨越两种文化的分类 。啊，ABC！我是难民，流放犯。我的心，我的头，长错了地方。我不知道从哪里来，也不知道到哪里去。我不会说中国话，可我正在学习。在我学中文的那个补习班，人们都觉得我有点儿怪。

我相信我的真名叫欧阳山墨，然而无法找到有关我过去的任何记录。我是个没有国籍的人。到了唐人街我觉得自己和那儿的人是一体的，可是他们说话时那种陌生的腔调又使我处于孤独的境地。

我是孤儿。我愿意相信自己是那种生性固执、感情冷漠的人，就像孩提时代人们对我评论的那样。我从来不在乎被人家划分类别。因为他们认为我智力低下，把我送进一所残障儿童学校。由于长相的原因，他们还给我贴上“蒙古人”的标签。后来随着我一天天长大，他们发现当初给我下的结论是错误的，于是我又转到一所普通学校。就在这时，我被格鲁夫夫妇收养。

①福克斯顿：英国肯特郡东部港市。

也是这时，我开始注意自己的长相。在这所普通小学，经常听到学生骂我。起初，我对这一点还挺得意，就像小丑因为取悦于别人而快活，并且因此而使那种嘲笑和讥讽得到升华。后来，我就开始编造关于自己过去的故事。

我想象——经常在课堂上——我的父亲是从满洲来旅行的一位海员（那时，这种一语双关的俏皮话[①]还没有为人们所注意）。他是清朝一位王爷的后裔。我想象他走下那艘按照中国精工建造的庙宇而设计和布置的平底远洋帆船，在悉尼登陆，受到北岸社交界所有太太小姐的欢迎和款待，还爱上其中一位富有的蓝眼睛女继承人。她的父母阻止他们的婚姻，于是双双私奔，住进派珀角一所十分漂亮的府邸。可是就在已经有了身孕的母亲整天躺在羽毛褥垫上的时候，那位清朝王爷的后裔起锚溜出悉尼港。绝望与羞愧之下，母亲把我送给一家孤儿院。

我总是在白日梦做到这儿的时候，脸上现出一丝痴痴的微笑。布拉德·皮由士便用他那根专门惩罚这种“白日梦”的戒尺使劲儿敲我的脑袋。“审讯官”布拉德·皮由士会用戒尺把男孩子们细嫩的手掌打个皮开肉绽，最多时会连打六下，为的就是把那些手淫的，或者只是因为无聊而搞小动作的男孩们拉回到现实世界。被“荷尔蒙”折腾得不能循规蹈矩的男孩子们制造着喧嚣，作为我们的历史教员和唱诗班领班，布拉德·皮由士因此继续受着折磨。布拉德·皮由士还是学校的业余图书管理员。可他拿来拿去，总是只拿切斯特顿[②]的书给我们看。他

①在英语中，海员 seaman 和精液 semen 发音相同，故有此说。

②切斯特顿（Chesterton,1874—1936）：英国散文作家，小说家。

说话时带着浓重的爱尔兰口音，散发着一股威士忌的气味。他向我俯下身，把戒尺放在我的鼻子底下。

“澳大利亚是在哪一年发现黄金的？”他用戒尺敲着我的脸问。我不知道在哪一年。

“欧阳？这是个什么名字？”他问。

你瞧，我长了一双蓝眼睛，所以算不上一个彻头彻尾的中国人。念小学的时候，我曾经长时间地挖空心思想这个问题。每天早晨我都对着镜子里面那双蓝眼睛发愣。我经常想自己怎么会生出这样一双眼睛。有一天，我在运动场上让我最好的朋友把我的长相描绘一番。下面便是他眼睛里的我。

“圆脸盘儿，”他说，“头顶上长着黑头发。眼睛是两条缝儿。黄皮肤，扁鼻子。”

我回到村子里的时候，母亲的这场大病已经进入了第三个月。她躺在她屋里的那张矮床上，憔悴的面容显露出生活的沉重和依然开始的对死亡的担忧。

母亲最后几年一直骨瘦如柴。她总是回避父亲和我。像任何一个女人，她怀着一种不安和焦虑生活着，而这是男人们在自己的世界里所无法理解的。男人靠实用主义生活，心灵完全被自我所封闭，很难理解一个女人为爱情的责任经受的痛苦。我听见过母亲夜半的哀叹。那是一种可以刺破苍穹的无声的悲鸣！

但我能回来还是很欣慰，至少村子里有秩序。这种秩序是一个尊重自然、尊重劳动和生命的社会框架所独有的。我庆幸自己不是生活在那座小城，也不是生活在渔民当中。在我看来，渔民从大海获得的收成完全是暴力、偷窃、掠夺的结果。因为他们没有给予大海些许恩惠，他们和大海没有和谐可言。他们并不养鱼。丰裕的大海似乎就是为了被掠夺、被破坏而存在。或许这就是渔民和农民从不通婚的原因。

母亲的弟弟阿发是个很古怪的人。他先前也是农民，后来在港口开了个杂货店。因为和一个城里的姑娘结了婚，就和我们家断绝了关系。可是我的父亲继续通过阿发的妻子做生意。自从阿发结婚，我一直没见过这位舅舅，可对关于他的一些笼罩神秘色彩的传言充满了好奇。有人说，他是几个秘密社团的成员。

父亲非要我再给他想办法买几包鸦片。阿发的妻子动了恻隐之心，对我说她将尽力而为。她收下父亲的钱，说我下次再来时便可以弄到鸦片。两个月之后，我再到这家船具杂货店时，阿发的妻子告诉我，阿发已经签名画押，把这个铺子的所有权移交到她的手里，他自己坐着一艘外国船走了。听话音儿，她也不知道他上哪儿去了。鸦片自然没有弄上，阿发把所有的钱都卷跑了。

我最后一次从港口回来，心里充满哀伤。快到家的时候，看见门上挂着白布条幅，上面写着黑字，说明家里正办丧事。我知道是母亲死了，她终于找到了安宁。我已经记不清楚当时的感觉。我想，自己是沿着内心深处那条感情的轨迹，去找寻这种感情因何而生。表面上，我按照家里人都能接受的规矩表示悲痛，哭泣自然是少不了的事情。我告诉自己要坦然面对这种悲伤，可是无法控制的感情还是不时地喷涌而出。现在想起来，我不觉得那是一种悲哀。那是一种幽闭恐惧症——希望到别的什么地方，或者更准确地说，希望立刻就走遍所有地方。那是一种痛苦的、让人连气都喘不过来的感觉，使我完全失去了行动的能力。从这幢房子里飘逸而出的气味、叹息和种种声响捆绑并挫败了我。然而和以往一样，那又是我得以逃过的唯一的方法，唯一的窗口。

还没走进母亲的房间，我在过道就听见和尚们敲锣、鸣钟的铿锵之声。我讨厌这群花钱雇来的哭丧人、悲哀感情的“代理供货商”。他们站在遗体旁边做完这场庄严、怪诞的表演之后，父亲将送他们红包。红包上印着将要飞上天堂的、金字写成的祈祷文。然后母亲才成为我们自己顶礼膜拜的对象。我们将按时把祭奠母亲的食品送到坟头，保证死者的精神永生。我们还要在山脚设宴来悼念亡魂。这当儿，一群顽童盯着坟头的贡品耐心地等待着。我们一走，他们便蜂拥而上，把留在那儿的东西抢个精光。

走进母亲的房间，闻见一股浓烈的焚香味儿。锣声和诵经声震耳欲聋。屋子里烟雾缭绕。七个和尚在通往母亲病榻的过道排成一行，剃得溜光的、汗津津的脑袋闪闪发光，身上的袈裟因为这场近乎狂乱的法事全都散乱开来。看见我进来，他们愈发大放悲声。我走到母亲床边，她的面孔和我离家时的样子差不多，也许只是多了几分“人工雕琢”的痕迹。她的哀伤是镂刻出来的，这表情将永远凝固在那儿，任“画廊”里的观众做各种各样的理解。

啊，母亲，我的母亲！和尚们越发大声祈祷起来。他们扯开嗓门儿，几近声嘶力竭。烟呛得我直流眼泪。透过烟雾，父亲在摇头晃脑的和尚们中间出现了。他身穿绣着银丝的黑色长袍，脚穿缎子面拖鞋，就像在云里行走。他的一双眼睛涂着油彩，指甲足有一寸长。画成饼状的白油彩下面的脸上是一副庄严的表情，嘴唇殷红，在一缕山羊胡子上方紧紧地抿着。他紧贴前胸拿着一把扇子，边走边十分优雅地搧着烟气。他弯下腰，吻了吻离他最近的那个和尚闪光的脑袋，然后向母亲走过去。他的脸显得高深莫测，又让人反感。对于那些有着精神世界的人士，这个社会对其异装癖有着一种默许。我感到一阵恐惧，转身离开了那个房间。

“欢迎你来这个家。”杰克·格鲁夫边说边伸出一只铲子一样大小的手，然后递给我一瓶威士忌，那时我才十二岁。

我是从一个专门收养男孩子的孤儿院来到格鲁夫夫妇在悉尼郊区的这幢平房的。那是一幢颜色灰暗的砖房子，屋顶的铁皮一溜铺下来，一直向房前栅栏附近的几株夹竹桃延伸过去。前门旁边钉着一块铜牌，上写“尼尔瓦纳” 四个大字。我不解其意，以为这是古巴的首都 。那时候新闻里经常提到古巴。

屋子里总是黑乎乎的。阳面有两间卧室，杰克和他的妻子各占一间，阴面那间归我。这间屋子墙壁色彩柔和，地板上铺着蓝颜色的亚麻油毡。起居室靠墙摆着杰克的猎枪架子和他妻子的玻璃门书橱。一溜瓷鸭子从瞄准器前面“飞过”。

杰克和伊迪娜·格鲁夫是一对用心良苦但不大胜任的养父母。杰克在一家鞋厂做矫形鞋。他会攥起拳头当锤子，把鞋跟敲到专供畸形脚穿的皮鞋上；会用手指裁出鞋面，绱到鞋底子上；会用牙齿拔出钉子——门牙上有几个豁口，正好干这活计。他早晨五点起床，六点开始工作，到十一点差不多就已经喝掉半瓶威士忌，酒瓶子就放在他那条长凳后面的架子上。到下午一点，已经开始喝第二瓶了。所幸老板和他一起喝。更幸运的是下午两点杰克就结束了一天的工作。他跌跌撞撞爬上438路公共汽车，到家之后一言不发，谁也不理，一副高深莫测的样子。

这当儿，伊迪娜满腔热情地干家务。她也不时呷上一口白兰地，酒瓶子放在卫生间的储水箱里。到下午三点，她已然面如桃花，满脸带笑了。作为一个醉鬼，她倒满快活。

我下午四点放学回家的时候，这二位都已入睡。如雷的鼾声从他们的房间传出。我只好自己动手做饭。因为杰克和伊迪娜很少吃什么东西。我到他们家的头几个月，伊迪娜总是给我准备一盘米饭。我回家前好几个小时，她便把米饭放在炉子上煨着。等我回家，那米饭早成了平底锅底儿的一层糊嘎巴了，而伊迪娜却在睡觉。有一天晚上，我对她说，我不喜欢吃米饭，我喜欢吃馅饼、牛排和油炸土豆片。她听了十分惊讶。

我猜想大约就从这个时期开始我学着自己做饭，并且开始对食物产生了浓厚的兴趣。我不能忘记吃东西时享受到的巨大的快乐，做饭时表现出来的专业技巧。这是我一生中最快活的日子。可是后来，情况就变了。

一定发生了什么变故。杰克回家的时间越来越早。我也不上学了。伊迪娜和杰克一连好几个小时坐在餐桌旁边，盯着墙壁或者台布发呆。有一天，杰克没去上班，把自己锁在汽车房里，不一会儿就喝得酩酊大醉。伊迪娜躲进卫生间，待了好几个小时。卫生间没有锁。我每次走到门口，都听见她故意清嗓子，好让我知道她还在里面。我还不时听见白兰地酒瓶子磕碰瓷砖地板的响声。

杰克的父亲死于肝硬化的那天，我吃了四个香肠肉馅卷，两个馅饼。当时我一点儿也没有想到他的死会对我产生什么影响。两个星期以后，我们搬到乡下。那儿有杰克父亲留给他的一份产业——“格鲁夫孪生兄弟”。此地因土壤贫瘠而远近闻名。我坐在装运家具的大卡车上，眼望着一团团雨雾和废气消失在身后的景物之中。伊迪娜的书张开“翅膀”试图从箱子里面飞出去。

我们搬进一所波纹铁皮盖顶的“冬凉夏暖”的农舍，随处都可以发现那位已经去世的老人留下的踪迹：咬得斑斑驳驳的烟袋杆儿，雕着花纹的手杖，破损的眼镜。在机器棚里，我发现难以计数的深绿色和棕黄色的酒瓶，从地板一直整整齐齐垛到顶棚。还发现被蜘蛛秘密占领了的酒窖。我在这一片萧条的废墟之上开始了新的生活，用累断腰的工作折磨自己，甚至相信我已经爱上了这块无比贫瘠的土地。我变得精干、强壮，饥饿感越发常常来袭。

机器经常发生故障，压根儿没有修好的希望。杰克花在维修那辆老掉牙的拖拉机上的时间越来越少了。所有东西都散了架，或者用铁丝勉强绑在一起：用一种得过且过的办法应付得过且过的生活。既然世界已到末日，体面和礼节便一文不值，伊迪娜和杰克公开喝起酒来。

记得那晚我从田里归来，一边咒骂手里紧握着的方向盘，一边望着西天落日的余晖，很为不得不在黑暗中度过的几个小时而犯愁。我不得不忍着疼痛，将关节肿胀、裂了口子的手摸索着伸进机器油腻腻的“喉咙”里修理。铁皮车房里散发着一股狗粪和煤油的气味。向长凳走过去的时候，我发现墙角木箱上坐着一个人。灰暗的光线让我的思维敏捷起来，立刻想到一位不速之客——从墨尔本船厂回来的杰克的孪生兄弟。他一直想要分到他名下的那块土地。此人名叫贝尔·格鲁夫，有时候人们也管他叫费兹帕特里克，或者克兰西。他的过去就像我们这幢房子周围的松林一样朦朦胧胧，模糊不清。奇怪的是我们那几条狗也在这儿，躺在尘土里，尾巴在地上甩着，就像轻轻摇晃着的鸡毛掸子。

我向那人走过去，看见帽子下面那双眼睛正望着我。我划了一根火柴。原来是杰克，不是他的孪生兄弟。他脸色灰暗，身旁依旧放着一个酒瓶，人已经完全瘫了。

我一边咒骂，一边想把他扶起来。他的一条胳膊搭在我的脖子上面，皮肤冰凉。我的面颊感觉不到他那臭烘烘的呼吸的热乎气儿。我又把他放回到箱子上面。他似乎呻吟了一声，脸色蜡黄，目光呆滞，半闭着眼，盯着自个儿的一双脚。一只乌鸦哇哇地叫着从山间飞过。杰克·格鲁夫死了。我守护在他的身边，赶走从那座“玻璃山”上爬出来的蜘蛛，一根接一根地点燃火柴，为他的灵魂照路。

在那个寂静的时刻，我没有叫醒已经喝得腾云驾雾的伊迪娜。我坐在杰克身边，跟他谈话，提出许许多多他不曾回答的问题。我想独自拥有这种面对死亡的经验。现在杰克对我所有的问题都已经做出回答。

点着煤油灯之后，我才注意到杰克坐着最后一次喝酒、并且永远结束了生命的那个木箱子旁边有一只长凳，上面放着一个装刹车油的空瓶子。我走出车库，修好拖拉机，去请威廉姆斯大夫。

伊迪娜拒绝接受杰克死亡的事实。她在浴室里洗澡的时候，隔着房门和杰克说话。在厨房里干活儿的时候，也大声喊他。她没完没了东拉西扯地瞎聊。威廉姆斯大夫把她送到城里的诊疗所。我去看她的时候，她正画静物写生，画布上涂抹着油彩。

“他们说这是一种治疗的方法。”她说，还要我把她的书送来。

我看了看她的画儿，每一张上面都画着装着满满一瓶拿破仑牌白兰地的酒瓶。

两星期以后，我离开“格鲁夫孪生兄弟”，又回到城里那所专门收养男孩儿的孤儿院。我第一次尝到逃跑的滋味。

与成年之后的经历相比，童年的经历，包括梦中的经历，使我们对死亡有更深刻的理解。记得大约六岁的时候，我亲眼看见小妹妹淹死在村子旁边那条河里。我看见她从河岸向我游来，一直游过她踮着脚尖儿就可以让头露出水面的那段泥泞的河床。后来一股激流吞没她小小的身体，将她裹挟而去。在她拼命挣扎最后终于下沉的时候，我看见她脸上十分安详，没有一点儿惊慌。年复一年，我常常梦见她的死，直到自己也成了死亡的一部分，在梦境中失去知觉。在这个过程中，我体会到不复存在是一种什么样的感觉，那是从一种意识向另外一种意识的过渡。梦中，我就是小妹妹。可是在她死的那一刹，我又变成我自己。在这个转换过程中，我经历了死亡。

母亲的死就不像小妹妹的死对我发生这样深刻的影响。

杰克教过我剥狐狸皮。阴冷的早晨，凛冽的寒风卷起山坡上的尘土。狐狸迎着风的尖啸小跑着，扬起脑袋，将白色的胸脯暴露在猎人可怕的枪口之下。

随着血从枪眼的每一次喷涌，一团团热气悄然升起，这时候你就拿一把很小的尖刀，沿狐狸的后腿内侧切一个口子，将皮一直扯到肚子。前腿也是同样的做法，边剥边剔掉肉上的脂肪。接下去处理腰部。从喉咙和脊背剥起，在耳根四周轻轻切割，鼻子部分环切。然后紧紧抓住后腿靠近尾巴根的皮，一只脚踩着脑袋使劲一拽，尾巴便像一根去了皮的香肠出现在眼前。最后，你把皮从它的头上完全揪扯下来，手里便留下一张还热乎乎的狐狸皮。滴在裤子上的血已经干了，留下深褐色的血迹。而躺在地上的死狐狸就像刚生下来的、穿着皮毛短袜的老鼠。

回到城里之后，又住进孤儿院。我经常沿着海港潮湿的马路闲逛，心里想着狐狸。有一天早展，从一个黑魆魆的门洞里跑出一个手持菜刀的男人。他径直向我跑来。

“你这个杂种。”他朝我叫喊着。一张脸因为极度的愤怒而扭曲。

我像一只狐狸拔腿就跑，不明白他为什么跟我发火。

父亲买不上鸦片了。农田因干旱而龟裂，农民交不起地租。士兵们骑着马在村里横冲直撞，扬起团团灰尘，落在父亲困惑不解的脸上。一群年轻人打家劫舍。我的学生本来是些温文尔雅、知书识礼的男孩子，也突然变得神情冷峻，言辞激烈，大谈造反和战争。

有一天，富贵来看我。他是我的一位学生，曾经获过奖，在写作方面很有天分，甚至开始写诗。他身穿一件灰色长袍，头戴一顶很大的斗笠，手里拿着一根能折叠的手杖。这根手杖是他在港口和一位个子很高的洋鬼子换来的。他向我炫耀了一番，打开合上，合上打开，还让我试试它有多么轻巧，并且极力劝我相信，这根手杖不只是一件纯粹的装饰品，还颇有点实用价值。

他扭曲着一张尽是粉刺的脸，看起来好像一个十岁的孩子而不是一个已经十八岁的青年，并且开始用一种咄咄逼人的腔调和我说话。

“念书也就到此为止了，”他说，“我们再也不想听你那些破课了。大多数同学都跟着他们的父亲到港口去了。”

“你说什么？”我问他，然后用更严厉的口气说，“你这是和谁说话呢？”

他不由得从门口的台阶往后缩了缩，半是胆怯半是挑衅地望着我。

“好多人说南边有个地方产金子。有人已经带着一袋袋黄金从那儿回来了。你怎么想的？你有何看法？你去吗？你和我们大伙儿的想法一样吗？等着瞧吧，我会发大财的。我不在乎那儿的气候，也不在乎离开我们这种令人讨厌的生活。”然后，他跳起舞，围着左手里那根手杖转啊，转啊。我正不知道该拿他怎么办，他朝我笑了笑，拖着手杖扬长而去，大斗笠碰到低矮的树枝。

我返身回屋，思绪万千。我当然听过富贵刚才说的那些事儿。那是没怎么受过饥荒之苦的人充满浪漫色彩的想象，而对于受过饥荒之苦的人而言，那是一种绝望中的企盼。我站在门槛上，仿佛听见呢喃的细语渐渐升起，撞击着我的思想。那声音随风飘来，淹没了我耳边鸣响着的浅浅的钟声。突然，一个大胆的、尚且模糊的、想要推卸责任的念头从我心中升起。

“清朝华人。”很难说清为什么我一听这话就生气。在孤儿院，我很快就学会用拳头对付拿这种话嘲笑我的人。可是我真正打中的只不过是幻影和内心的痴迷。

吃晚饭的时候最糟。欧西神父负责监督大伙儿吃饭。可他和紧挨着我吃饭的男孩儿泰瑞·加里蒂一样聋。欧西神父头也不抬地念祈祷书，男孩子们便乘机把黄油抹到顶棚上，把茶水倒到盐里，还编派着骂我。泰瑞·加里蒂总是拿不好勺子（他患舞蹈病）。男孩子们又跳又叫，有人甚至蹦到桌子上面跳舞。他们学泰瑞的样子口吐白沫，用手指着我胡言乱语，声称这是中国话，或者日本话，或者“中国日本话”。欧西神父一直没有停止他的祈祷。

“你听见他们瞎嚷嚷了吗？”我问泰瑞。

“什么？”他说，勺子滑过下巴，一直伸进领口。

这一切已经是许久以前的事情了。此刻，护照依然打开放在我的面前，引诱我踏上想象之中的旅程。过去的岁月沉甸甸地压在心上，罗云山的旅行一直萦绕在我的心头，使我脆弱的神经变得坚定。

哦，我承认我受够了那种被迫害的感觉在心灵激起的痛苦。我总觉得有种种声音在辱骂我，手持菜刀的身影在追赶我。理性是我的情感唯一的支柱。一旦理性被超越，各种感觉就会横冲直撞。而想象力似乎有一条超越这个界限的“秘密通道”。“不要再胡思乱想了。”有一次医生对我说。然而想象总是强迫我行动。一旦这种事情发生，理性便像散了架的鸡笼完全崩溃了。

也许这可以解释为什么我总是随身携带这本发黄的日记，并且用透明的塑料薄膜整整齐齐地包裹着它。它保护我不至于发狂，是我理智的武器。我知道，它所记述的不是杜撰的故事。

我不知道为什么要在那一天离开家乡到城里，也不知道我是怎样设法找到一家过夜的小店。那一夜，我辗转反侧，难以成眠，一边听着像纸一样薄的墙壁那面一对男女无聊的谈话，一边等待太阳从天边升起。一旦迈出第一步，就会有第二步。黎明，我买了一张英国轮船“轻骑”号到澳大利亚的船票。不过那时我并不知道什么澳大利亚，只知道是去“南洋”。

一个星期以后，我捆好只有几件衣服的小包袱，带了一个陶制的炉子，两个小罐和常用来杀鸡的那把菜刀便上路了。那是一个漆黑的早晨，我已经很难描绘当时的心情。我原想在桌子上留一枚铜钱，因为按照迷信的说法，不留点儿什么，这把刀就会带来灾难。可是我立即打消了这个主意，告诉自己，别再相信这种迷信的说法了。

但我清清楚楚记得怎样偷偷溜过父亲的房间，呼吸着他经常使用的蚊香散发出来的那股气味，走出家门。我瞥了一眼大帽山，深深地吸了一口气，挑起挂在一根结实的竹扁担两头的行李。起初摇摇晃晃不太稳当，可是一旦步子有了节奏，担子便轻松了许多。颤颤悠悠的扁担像我的心一样，轻飘飘的，没有分量。我有生以来第一次尝到自由的滋味。我还记得心底生出一种奇怪的预感，未来似乎可以触摸，让我充满信心。我正在变成一个现代人！

第二章 远航

我不能确切地说出，往昔的喧嚣从什么时候起开始向我袭来。我愿意相信那同我离开学校的日子以及我现在称之为“没有责任感”的那个阶段相一致。

我意识到我的这副长相在自己四周创造出的孤寂，创造出一个宛若撒哈拉大沙漠一样荒凉的超自然的环境。也许这是因为我天性喜欢独处，而非因为现实条件所划定的界限。我把自己看做外国人，而总这么想就会弄假成真。与此同时，这种“外来人”的感觉唤起我对自己喜欢称之为“隐秘部分”的东西近乎着迷的好奇。当然，从某种意义上讲，这和我突然爆发的对于性的渴望有关。内心深处想要手淫的本能使我生出想观察、想凝视黑暗、凝视屋子隐蔽角落、凝视窗帘后面、床罩下面、被单下面、裙子里面的欲望。简而言之，我想钻到人的脑壳里看个究竟。就这样，我变成一个“观淫癖患者”。

不过，那时候我没有意识到这一点。那时我只觉得这是来源于自己禀性之中那种充满自信的、灵敏的特质，来源于对自由的渴望。

于是，怀抱着这种种感觉，在一个炎热的、阳光明媚的日子里，我第一次去找工作。在职业介绍所，我听见那位女办事员对着电话听筒说出下面的话：

“是的，戈尔德先生 ”

“不是，戈尔德先生。”

“是的，华人。”

“好的，戈尔德先生。”

“从今天开始？”

“是的，谢谢！”

“再见，戈尔德先生。”

她从桌子后面抬起头望着我，极富权威地搜寻我的眼睛。而这双眼睛躲在厚厚的镜片后面，好像布满岩石的水潭中的小螃蟹。

“当个仓库保管员怎么样？今天就可以上工。”她说。

“不是一件我真心喜欢的工作……”我犹犹豫豫地说。可是重回孤儿院的念头更让人心烦。她把正潦潦草草写着的那张卡片推到一边，全然不顾我绝望的挣扎。

“不过，我愿意干。”我说。

“他们也许不会雇你，”她眯细一双蛤蟆眼，搜寻我的弱点。“不过，你可以试试。”她继续说，睁开蛤蟆眼，在大街上吹来的气流中一动不动，“在萨瑞山大街”。

为了节省公共汽车票钱，我一直步行到那儿。这是一个年久失修、破破烂烂、附带仓库的工厂。我从黑黢黢的楼梯井乘电梯上去。电梯很大，在相对的两侧都有门。它慢慢地、稳稳当当地向上滑行，到四楼之后，吱吱嘎嘎地响着停了下来。我打开门，迎面就到了一间办公室。办公室一边是一长溜柜台，柜台后面摆着三张桌子和一个老式保险柜。走廊尽头有一个很大的车间，一排排女人坐在缝纫机后面工作着。我听到从走廊传来的缝纫机有节奏的震动声，把木头地板震得嗡嗡响。还飘过一股浓烈的、染料的咸味儿。

一个男人从柜台后面向我走来。他有点驼背，个儿不高，大约五十多岁，虽然天气很热，白衬衫外面还套着一件浅蓝色羊毛衫，系着一个蝴蝶结领结。他已经谢顶，但尚有几缕浓密的头发耷拉在耳朵四周。他从一副金丝边儿双焦眼镜上方直瞪瞪地望着我。

“我叫西默斯·欧阳。我是来干活儿的。”

“噢，知道了。你说你叫什么名字？”

“西默斯·欧阳。”

“一个滑稽的华人名字。”

“我是澳大利亚人。”

“当然，你有一半华人血统，我看得出来。你父亲是华人？还是你母亲？”

“我不知道，我是澳大利亚人。”

“这很不幸……不过，我们对你一视同仁，总得试用一段时间。”

他示意我跟着他沿走廊向里面走去。他走得很快。我跟在后头边走边看那些在一排排机器后面干活儿的女人。她们大都人到中年，看起来像移民，抬起头看我的时候，并未停止手上的工作，手指继续朝缝纫机里送着衣料。我注意到有个姑娘神情庄重，长得颇有吸引力。她没有看我，灵巧的手指继续干着手里的活儿，匀称的双腿在机器下面紧紧并着，两只光脚丫生了根似的踩在地板上。

“顺便介绍一下，我是戈尔德先生。”他从几个空纸箱子旁边走过，把它们踢到一个架子下面，领我走进库房。这间库房跟洗手间大小差不多。一摞摞纸板箱一直堆到顶棚。从那个小窗户望出去，看得见鳞次栉比的屋顶。我注意到外面的天空湛蓝。

“先干这活儿，”戈尔德说，鼻梁上的双焦眼镜向我示意那些纸箱。“你要把这儿清理干净，”他踢了踢几个箱子，“一会儿我让卡洛斯帮你的忙。”

我把一摞摞箱子搬下来，先找出最大的，然后按玩中国智力游戏的办法，由小到大一个套一个装进去。戈尔德站在门口看我，用食指把鼻梁上的眼镜往上推了推。看了几分钟之后，他似乎对我干的活儿还满意，便回转身扬长而去，目光在工人身上扫来扫去。女人们都低着头伏案苦干，只有那个漂亮姑娘仍然直挺挺地坐在那儿，一张脸正对前方。戈尔德先生从她身边走过时，轻轻抚摸了一下她的肩膀，戴着双焦眼镜的脸抽动着，现出一丝微笑。但她纹丝未动。

我干得很快，半小时就干完了那点儿活儿，于是开始仔细打量这间房子。因为我已经把纸箱整整齐齐堆放在墙角，屋子看起来比先前大了两倍。潮湿的、灰颜色的地板上到处都是老鼠屎。我把墙犄角、地板缝、天花板搜寻了个遍，也没发现一个老鼠洞。我想戈尔德先生一定会为自己同时雇了个抓老鼠的人而高兴。

我的一双眼睛在墙壁上面扫来扫去，注意到一缕淡淡的光从一个墙角射了过来。这缕光只一闪便化为乌有，五分钟以后又亮了起来。我挪开放在墙角的几个箱子，看见这缕光是从和我的眼睛一样高的一个窟窿里照进来的。隔壁是个女洗手间。从这个窟窿望过去，洗手间里的景物尽收眼底。因为墙上那面镜子的位置正好把我这堵墙那面的两个角落都映照进去。

一个块头挺大的女人从厕所隔间里挪了出来，慢慢地、十分笨拙地扯起内衣，里外揪扯着短短的衣袖，在胳膊下面来回扇动着，往里拉了拉乳罩上的松紧带儿，两个乳房上下颤动，就像海洋里的浮标。她没有洗手就关了灯。

这当儿，我觉得有人正盯着我。回转身，正好和一个公牛一样健壮的汉子打了个照面儿。他的脖子和我的大腿一样粗，黑乎乎的脑袋好像脖子的一部分。一双小眼睛布满血丝，塌鼻梁，仿佛被人砸了一斧子。

“你就是新来的伙计？我是卡洛斯。”这位公牛一样健壮的汉子说，从工装裤里抽出一只熊掌似的手。

“西默斯·欧阳。”我说，注意到这个西班牙人的手握得特别紧。

“我是来帮你的，可你自个儿就都干完了。”他傻笑着，又把手插回到工装裤口袋里，“戈尔德先生认为你干活儿是把好手。听我的，你会有出头之日的。”

他把几个箱子搬到他认为最合适的地方，然后告诉我，应当作哪些工作。

“你可以先把地板上的老鼠屎铲掉。”他说，用靴子踢着地上的污渍，然后往这些纸箱子里放一些卫生球，“搬一摞给姑娘们送去。她们会告诉你下一步做什么。”

他朝着那个漂亮姑娘走去，在她身后停下脚步，和刚才上洗手间的大块头女人开玩笑。他朝姑娘的脊背点了点头，大块头女人满脸绯红，大笑起来，似乎对他开的这个玩笑很感兴趣。我开始用一个盒盖刮地板上的老鼠屎。

就在这时，我仿佛听见内心深处有一个声音在说：“妥协和服从是你的祖宗留下来的品格。那些人，他们明白，自由是实用的东西，而非纸上谈兵的空论。”那就像播放老旧的录音带时噼噼啪啪的声音，或者像烧火的声音。我听见自己心底的敌意在怒吼。

吃午饭的时候，我已经打扫干净地板，并且往每个箱子里放了一把卫生球。戈尔德走进库房，朝箱子里面看了看，似乎面有喜色。

“把这些箱子给安娜送去，她会告诉你下一步做什么。”他说，就像云开日出，脸上现出满意的笑容。

他没告诉我安娜是谁就走了。我搬着一摞箱子，向门口走去。在一排女工后面，看见那位胖太太。此时，我已经觉得跟她挺熟了，说话时声音里甚至有点儿居高临下的感觉，这是我以前从未感觉到的一种力量。

“谁是安娜？”我问，直盯盯地望着她那张母牛一样肥胖的脸。

她伸出一根手指，朝坐在她前头那个长得挺迷人的姑娘指了指，然后把手伸到胳肢窝，又揪了一下乳罩上的松紧带。到底是为了找个借口停下手里单调的工作休息一下，还是在我的凝视下有点不好意思就很难说了。我向安娜走去，这次胆子变小了。我看见她的一双眼睛紧跟手指旁边飞快跳动的针，睫毛慢慢地上下闪动。

“这些箱子放哪儿？”我在机器的喧闹声中扯开嗓门儿大声问。她既没抬头也没回答。我看见她把刚才做的那件羊毛衫从机器上取下来，又拿起一件，扯下缝在领口的“中国制造”的标签，从铁盒子里拿出一个“戈尔德纺织公司”的标签开始往上缝。我又大声问了一次。

这次她干完手里的活儿抬起头看了看我，看见箱子之后，朝她那台机器旁边的一堆羊毛衫指了指。这种无礼的举动使我生出被侮辱的感觉，同时又一次意识到我的孤独，意识到横在我和我接触的所有人之间那条无法逾越的鸿沟。就好像我是一个传染病患者，他们生怕染上我这种“外国病”。然而我竟能从这苦中取乐。

我开始往箱子里装羊毛衫，一股愤懑之气从胸中升起，觉得自己是一个被遗弃的人。

卡洛斯从过道走来，开始帮我装羊毛衫，脸上挂着一丝微笑，似乎把一双眼睛全部挤进塌鼻梁里。

“安娜是个哑巴。”他弯腰抱起一抱羊毛衫时对我说。听他这样说，我不由得看了看安娜，突然明白，她的无礼正是她与我处境相似的一种表现。她也无法与人沟通。无限的荒漠淹没了她的声音，将它永久地保留在一片空寂之中。她的一双眼睛注视了我大约一秒钟，我们之间有了某种交流的可能。

墙上的电铃响了，机器立刻停止转动。女工们都伸手去取放在机器旁边的手提包。卡洛斯把一摞羊毛衫扔到地板上。安娜也拎起她的手提包，她完全变成了另一副模样，唇边挂着一丝明朗的微笑，到洗手间去了。

“吃午饭了。”卡洛斯在这突然降临的寂静之中说。我没有买午餐，站在那儿不知如何是好。女工们把凳子拉到一起，三个一堆五个一伙，吃她们带来的三明治和水果。卡洛斯也凑了过去。我向办公室走去，戈尔德先生的门锁着。我走进电梯，向楼下走去，心里感到一阵轻松。一个声音对我说：“半小时的自由。对那些粗心大意的人，对那些半死不活的人，这半个小时有多么宝贵！”

我买了一个汉堡包回到工厂的时候，戈尔德正在等我。他关上电梯门，对我说：“下一次你应当带午饭来。这样更好，营养也更丰富一点。你可以来这儿吃。”

他把我领进他的办公室。这是一间很小的屋子，堆满账本、一箱箱的羊毛衫和一捆捆的原料样品。

“坐下吃吧。”他说，推给我一把椅子，便走了出去，大敞着门。我坐在他的桌子前面，看见墙上挂着两张装在框子里的学位证书。证书用花哨的手写体写着：

> 谨以评议会的名义及其权威性，授予亚伯拉罕姆·芬戈尔德……

坐在这两张给人以深刻印象的证书前面吃汉堡包的时候，我从镜子里面看见戈尔德正从办公室外面看我，金丝边双焦眼镜后面的目光盯着我的后脑勺。电铃又响了，午饭结束了。

午后的时间一点点过去，我又回到仓库，准备更多的纸箱包装羊毛衫。这时，窗户外面的天空浓云密布，从南边传来滚滚的雷声。就在我继续干活儿的时候，突然看见我那个秘密“窥视孔”又亮起灯光。这次我被一阵低沉的嗡嗡声吸引过去。那是一种不成调子的哼哼声，好像印度或者中国的音乐。我已经为自己在“窥视孔”前面进行观察准备了一个很好的“哨位”。四周都有硬纸板挡着，这样我便处于一个很安全的位置，不管是谁走进库房都不会突然吓我一跳。

我把目光集中到盥洗室的镜子上面，看见安娜从厕所隔间走了出来。她一边照镜子，一边用一只手把满头乌亮的黑发拢到脑后，嘴里哼着古怪的调子，一边微笑地凝视着镜子里的自己，一边在镜子旁边走来走去。然后弯下腰开始脱长袜，把袜子一直卷到脚腕才揪下来，装进手提包。之后便开始脱衬衫。我看见她高耸的乳房在氖灯下显得愈发白皙。她往脸上和胸上撩了一点水，连衬衫也没穿就开始在手提包里摸索着找什么东西。她取出一管唇膏和一个小粉盒，化起妆来。

我激动不已。不是因为她没穿上衣，而是她使用唇膏时那副样子让人心痒难耐。她噘起双唇，做出一个椭圆形的吻，一双眼睛在红唇的映衬之下格外明亮。她抹唇膏时嘴里呼出团团热气，在镜子上凝成一片水雾，她不得不往旁边挪一挪，可是不一会儿，镜子又变得水汽蒙蒙。她这一连串的动作，那若即若离的与镜中的自己的亲吻，那使她的脸在我的视线中变得朦朦胧胧的水汽，还有从她那张像井一般的嘴里发出的低沉的神谕，让我兴奋得难以自持。从聋哑人的痛苦与孤寂中升起的不成调调的音乐把我完全迷住了。

突然，我听见身后传来响动。我太出神了，根本没有听见卡洛斯走进仓库。他已经挪开几块纸板，就站在我的背后，正恶狠狠地盯着我。

“欧阳，你真是个无耻的下流胚子！ ”他狞笑中混合着敌意和满足。我立刻觉得浑身无力，在他那公牛一样顶过来的脑袋面前，我的力量消失得无影无踪。他把硬纸板堆回去，堵住那个窥视孔。

“我要找戈尔德先生要点儿油灰把这儿塞住。”他说，示意我把之前堆在墙角的那摞纸箱搬走。

真高兴，一天的工作就要结束了。卡洛斯开始对我发号施令，好像他是这儿的主人。还让我高兴的是雨终于下起来了，大街上积着一层水。我盼望加入下班回家的工人组成的人海当中，体验被人流裹挟着，融入黑暗之中的感觉。

两天之后，我辞了这份工作。我对戈尔德说自己中了彩票，用不着再干活儿了。他当然不信，但我没法儿告诉他，我之所以辞职是因为卡洛斯堵了我的窥视孔，我已经没有必要再在这儿待下去了。

戈尔德对我的临别赠言是：“这么说，你中了彩。可我没在报上见到你的名字。就这么回事儿。所以，你中彩，也就这么回事儿。你只是想走。你知道，我让职业介绍所替我找人干这活儿的时候，特别强调要华人。因为华人值得别人尊重，他们干活儿卖力气。可我看你不是这么回事儿。你跟其他人一个样儿，没有什么可值得尊敬的地方，没有原则。我指望你的是……”

没等他把话说完，我就溜进电梯，关上门，按下去底层的按钮。

实际情况是这样的：

1. 这条船不如我见过的那些船大。

2. 这条船的主人是个红头发英国人，名叫莫里森。

3. 为了买这张船票，他拿走我所有的钱。他说，我头两个星期挖的金子挣的钱就会是这点钱的两倍多。

一踏上这条船的甲板，我就意识到远走他乡的念头把自己给出卖了。我的自由被禁锢在甲板下面的某个角落。人们枕着自己的包袱一个挨一个地躺在大统舱里。尽管有的面孔挺熟，但却没有任何人流露出要相认的意思。

我们刚上船就被赶到甲板下面。有的人不习惯船上的梯子，跌倒在坚硬的地板上。一道巨大的铁栅栏挡住了出口。在一片昏暗之中，我们听见海水拍打船身的哗哗声、头顶传来的木板的吱嘎声和沉重的脚步声。我们等了好几个小时， 神情严肃地相互打量着，很少说话。正午，大统舱变得闷热起来。一束束阳光照射到我们中间。在这迷迷蒙蒙的光柱之间，人们有的横躺竖卧，有的蹲在地上，等待轮船起锚开航。大伙儿都极力控制着颤抖的肌肉，不耐烦地等待这生命之旅的开始。

突然，一阵颠簸，船身倾斜，海水冲刷着船体，白帆升起，发出哗哗啦啦的响声。船员用我们听不懂的外国话大声叫喊着。说来奇怪，就这样，中国留在这些中国人脸上的印记渐渐消退。他们嘴角挂着微笑，眼前的经历变成未来永久的回忆。

我仿佛已经置身于异国他乡。人们闷闷不乐地看着舱口和栅栏，注视着可以看见的那部分桅杆、天空变幻不定的颜色和朵朵云彩。几乎每一次的颠簸都会激起一阵尿的臊臭。有的人已经开始呕吐，我们当中的几位渔民对他们大加嘲笑。不时传来浪花撞击船板和风帆的响声。头顶上是摞得很高的茶叶箱，用焦油浸泡过的绳子捆在柱子上。船舱里弥漫着茶叶的香气，可是此刻已经变得令人作呕。

夜晚，人们点燃小小的火炉，把经过精心计算的每天一份的大米和鱼干倒在锅里煮着吃。我的肚子咕咕直响。我没有带吃的，胃里翻腾得难受。船猛地一颠，不由得吐了起来，秽物从行李上流下来，一直流到地板缝里。我们一个紧挨一个，不可能把行李挪开，只好任凭褥垫在秽物里浸泡。我呻吟起来，出了一身冷汗，觉得灵魂离开了肉体。真奇怪，体验死亡的滋味竟是如此容易。紧挨我的那个秃顶老人用胳膊碰了碰我，递给我几块用柠檬汁泡过的鱼干。

“慢慢地嚼着吃。”他说。

我用牙齿咬那橡皮条似的鱼干，觉得鱼干变成丝丝缕缕，柠檬汁使得热乎乎的、直想干呕的喉咙清凉了许多，恶心的感觉被压了下去。

人们头脚相连睡在坚硬的地板上。我的脸离一双枯黄的脚丫只有几寸远。不知道谁的炉子上还有一点明灭不定的炉火，那双脚丫子的皮肤反射出柔和的光，就像漆黑的森林里，透过浓密的树叶洒下一缕阳光，照耀着两个巨大的蘑菇。我想起母亲的脚，正在泥土里腐烂。用不了几年，就只剩下一堆骨头，细长的脚趾折叠回去踩在脚底。真奇怪，就在我想起她走路时那副疼痛难当的样子时，竟也会赞叹那双穿着绣花鞋的三寸金莲有多美。现在，这双脚命中注定变成了考古学的奇观，一个奇异王朝的遗物。

已是黎明。晨光透过铁栅栏，斑斑驳驳地照了进来。我睡得很好，尽管轮船不停地颠簸摇晃。看来庙里的修炼为我这次远航做了很好的准备。一旦自我得到升华，适应某种环境也就变得容易了。“不要胡思乱想。”和尚们曾经这样告诫我。随着一阵吱吱嘎嘎的响声，铁栅栏打开了。我们被允许爬上甲板透透气。

我蹒跚着从船舱爬到甲板，突然觉得太阳那么的温暖！起初，眼睛很难适应外面强烈的阳光，渐渐地可以分辨出白色的木头甲板、焦油绳和支索。这些绳索一直和头顶老高的桅杆和横梁相连。我沿着船舷颤巍巍地走着。别人也一样，都把生命的活力重新注入自己的双腿。今天，船行驶得更快了，或者只是因为我想早一点结束这次远航而生出的奇想？可是本能告诉我，不要光凭想象办事，要从观察中获得真知，不要总让想象先于现实，完成航程到达目的地。

就在我这样思索的时候，我由往日的经验总结出一条特别的真理。我开始意识到，我的想象实际上是在尝试如何强调自己的与众不同。我的观察又因为想象带有浓厚的杜撰的色彩，而进一步觉得自己与众不同。事实上，为了活着完成这次远航，为了不至于被这块南方陆地的危险所吞没，我不应当与众不同，而应当像别人那样思索，像别人那样行事。

轮船正缓慢地向前移动，就像浸泡在波峰浪谷里的一截圆木。船员们凝视着我们，用一种单调、古怪的语言说着什么，还不时笑出声来。我们像一群茫然不知所措的蚂蚁走来走去。我注意到他们的长相跟我们不同，服饰也不一样。可是他们的身材与面部特征同以前我在海边见过的满洲人和西伯利亚人没有太大的区别。我们大部分是广东人，身材瘦小。可是我们之中有一位上海同胞，比这条船上大部分英国人都高。从某种意义上讲，这个上海人是我们之中的另类。

我倚在甲板栏杆上，看大海张开大嘴吞噬我们这条船。从来不会真的吞掉，但总是拍打着它，溅起层层白沫。有时候，一个大浪打过来，船便会滑入大海的掌心，当跌进谷底的时候，我感觉自己仿佛看见云雾缭绕的大帽山就在身后，又想起父亲正坐在屋子里。我在想，他是否已经知道我的出走，是否知道，我已经永远从他的生活中消失 。

中午时分，他们发给我们每人一份大米和一份饼干。这将是今后几个月我们在船上的主要食物。一位穿深蓝色夹克衫的水手从放在甲板上的一个袋子里给我们分大米。我的几个衣服口袋都装满了米。每次让米粒从手指间流过时，总能找出几个正在蠕动着的虫子。我把它们都扔进大海。他还塞给我一块饼干。和别人一样，瞅着这块小小的饼干，无法想象它怎么能维持我们的生命。我们又被赶下船舱，梯子立刻被吊了上去。

回到昏暗的船舱，我发现那个老头——夜里紧挨我睡的“邻居”——没挪窝还躺在地板上。他侧身躺着，鼻子和嘴里流出一摊黏液和呕吐的污物。我从桶里舀了一点水给他洗了洗脸，这当儿注意到他的呼吸很微弱。他朝我疲惫不堪地笑了笑。这次轮我给他吃东西了。可他不吃饼干，说他不饿。我只好给他煮了点粥，硬逼他吃了几口。我得把他弄到甲板上才行。

从他滚烫的额头和满脸的汗水看出，他绝对不是晕船，而是生了病。我走到栅栏下面，对着头顶的天空大声叫喊。可是毫无用处，嗓子喊哑了也没有人过来。这时，船舱里的人们开始生火做饭，烟雾弥漫，呛得我连气也喘不过来。大家都在嘟嘟哝哝地发牢骚。

突然，那个高个子上海人从他那堆锅碗瓢盆中站起来，走到我的面前，用洪亮的方言建议，我可以踩着他的肩膀，爬到铁栏杆上，吸引船员们的注意。要做到这一点并不容易，轮船颠簸得越来越厉害，我不止一次跌下来，落在一个老渔民的饭锅上。老头的叫骂声和我们的呼救声混杂在一起，在船舱里回荡。过了一会儿，铁栅栏上出现一张俯瞰我们的脸。那是一张胡须蓬乱、怒气冲冲的大脸。我连忙向他解释船舱里发生的事情，但是毫无用处，那张脸很快便消失了。

我只好再回到那个角落。老头透过烟雾，向我微笑。

有很长一段时间我因为没工作而处于贫困之中，我相信在这期间听到有人向我呼救的声音。就在刚才还好像又听到那喊声。

我躺在一个公园里，为了躲避灼热的阳光，把脸藏在一棵大树浓密的树荫下面。我已经失去了时间的概念。两个老头儿背靠树干也在这儿坐着，中间放着一瓶酒。其中一个嘴对瓶口喝了一大口，另外一个好像已经进入梦乡。半个小时之前，喝酒的老头给了我一个三明治。我狼吞虎咽，只几口便吃了个精光，可肚子还在咕咕叫。

另一棵树下正在拍广告。一位姑娘身穿裘皮大衣站在摄像机前，汗流浃背，却面带微笑。一个高个子金发男子站在她身边，掏出一包香烟。他抽出一支，点燃，深深地吸了一口。那个姑娘依然面带微笑，汗流浃背，贪婪地吸着男人嘴里吐出来的烟雾。

“好一个葛丽泰·嘉宝[①]，伙计。”他一仰脖又灌了一口，“真希望我也有个烟屁股抽抽。”

我的目光越过迷蒙的暑气中的那些欧洲树木。炫目的阳光，二三十年代的景象散发出来的带有霉味的悲凉，变了质的酒的酸味；千年时空为欧洲的哭泣，蝴蝶拍打着翅膀表现出的怪诞色彩与运动。四处肆虐的实利主义。我真饿呀。

“等着捡烟头吧，伙计。”

“来几支免费的样品怎么样？”

“你不行，你这个没用的老家伙。”

“没错，就是这样，没错。”

“浑蛋。”

“威利，醒醒，你这个老浑蛋。”

他摇了摇那位似乎睡着了的老头。老头缩作一团，倒在地上。

“他不出气儿了，这个没用的老家伙。”

我的手指插在口袋里，那个姑娘还在冒汗，老头的呼救声不绝于耳。我向那架摄像机跑过去，大声呼救，觉得背后的大灯泡把明亮、温暖的光洒到我的身上。可这些都是我想象中的事情，但却没有真的去做。穿裘皮大衣的女郎面带微笑望着我。我想扯开嗓门儿说点什么……

我的脸被已经越过枝头的太阳晒得暖融融的。是的，这正

---

①葛丽泰·嘉宝 (Greta Gabo,1905—1990)：瑞典籍好莱坞影视演员。

是我想干的事情——和她说几句话。可是说什么呢？老头还在摇晃躺在地上的伙计。他哭了起来，红肿的眼睛涌出大滴大滴的泪珠，顺着面颊潸潸流下。他瞥了我一眼，似乎想把威利的死归咎于我。我从纸口袋里抽出一本书的时候，看见他的眼神里充满了不信任。

“你这个该死的中国佬，滚！快哪儿来哪儿去！”

我想帮他的忙。我甚至想跑到那灯光和摄像机前头。可是你瞧，我不能。我怀里揣着这本书。是的，一本书。它阻断了我的幻想，书中的文字让我无法动弹。贫穷没有种族界限。可是书，是的，书却能把人区别开来。他恨我，因为我拥有这样一本书。这是我人生的第一课——要学得大智若愚。这是使自己适应环境的方法。从那以后，我和人们相处得好了一些。

所以，我也有一种隐秘的人性之恶。我去逛书店，抽空读那些能读懂的书。经常被人家撵出去，于是就偷书。可是这些零零星星的知识又意味着什么呢？深藏在我那个帆布包里的梦又是什么呢？埋头于书本，我有一种安全感。我在构想一幅没头没尾的拼图，一幅不断扩充的拼图，试图主宰自己的世界。而现实生活成为障碍。经验有的真实，有的并不真实。在此期间，这个声音一直呼喊着请求帮助。告诉我，只要肯帮忙，就能解除他的困境。快来吧，快付诸行动。

真奇怪，我竟生出把书卖给旧书店的冲动。真奇怪，我的感觉那么轻松，把所有经历抛到脑后，万千思绪开始徜徉。到了火车站，我寻觅属于我的列车，希望掉转头旅行——因为有一道命令从遥远的过去传来。按照历史的顺序，完成了那幅拼图。真奇怪，把钱递到售票口的时候，我的心里充满快乐！对售票员的目光报以同样的凝视，而不是低下头瞅铁丝架子下面肮脏的木头柜台上的投币口。

一列列火车开进开出，宛若时间构筑成的长廊。我走进分隔间，觉得有点冷。向窗外凝视，已是一片漆黑。火车很豪华，就像大旅店的休息室，舒适、温暖。漫漫长途，一往无前。你会一直向窗外极目远眺。坐公共汽车则不然。乘坐公共汽车旅行，距离总是太短。汽车里面，人们用眼睛交流思想。那是一种缺乏隐私，相互探寻的交通方式。人们经常会凝视我。我想象着他们心里在想什么，于是发展出一套关于“凝视”的理论。有的凝视目光游移，飘忽不定，显然没见过什么世面。有的凝视则由咄咄逼人的气势演变为好奇。愚蠢的人倾向于不怕难为情的、较为长久的凝视。通常，在我的想象之中，他们的精神世界极为简单，些许属于自己的想法就像荒野上散落着的几块岩石。坦率地讲，聪明的人压根儿就不死盯着看别人，不过有时候我发现他们偷偷瞥你一眼。然后，那张脸又变得自以为是。那种自命不凡的人是最差劲的。他们通常都属于某个社团，其思路大概这样：

“那儿有个该死的中国人。他不属于我们的社会，他玷污了我们的社会，除掉他，要是让他进来，就会有成千上万的这种东西涌进我们的社会。他们不会说我们的语言，也不会融入我们之中。”

这种自命不凡的人总是觉得自己受到某种威胁。他们不习惯于把握自己的思想。

坐火车就不一样了。火车分隔间里很清净，周围的人屈指可数。不像公共汽车，你必须在众目睽睽之下给司机付车钱，然后在众目睽睽之下穿过过道，仿佛在做畸形人表演。而坐在火车里就没有那种要聚众滋扰的冲动。火车徐徐驶出车站。没有人看我。我仿佛置身于一座充满隐喻、漂浮的小岛上，阻绝了现在；而往昔亦如墙一样的潮水，堵截了我的去路。

我做了一个噩梦。不再身处黑洞洞的船里，也不再漂泊于大海之上。月亮很大，就像一个小孩儿手里提着的灯笼，拴在一根木棍上面。夜晚带来种种熟悉的气味；花儿散发出茶叶的清香，粪便居然散发着甜丝丝的气味。大海吹来带咸味儿的风，老人们抽烟时喷吐出呛鼻子的烟味儿。种种熟悉的声音。从很远的一口井里汲水，辘轳吱吱嘎嘎地响着，木桶不时撞着井边。我已经感觉到大地磁石般的吸引力，感觉到躺在床上从噩梦中清醒过来的快乐，感觉到梦想里升起的曙光。

挨我睡的那个老头咳嗽、翻身。浪花的叹息伴随着老头艰难的呼吸。我的胸口感到一种重压。

黑暗中，几乎看不出火车在移动。偶尔一点灯光一闪而过，将旷野的景色送到我的面前。灯光蜷缩在巨大的桉树下，树冠像黑色的云朵在夜空摇曳。火车在一个小站慢慢地停了下来。我看见一座农舍，便向窗户里面眺望。这是一个三口之家，正吃晚饭。桌子上铺着红格台布。恍惚之间，我仿佛看见杰克、伊迪娜和我正在吃饭。我想不出有什么可说的，便往嘴里塞了个热土豆。杰克头上还戴着帽子，慢慢地咀嚼着满嘴的食物，用他那超然的声音说：“慢慢吃，孩子。”火车吭哧吭哧地响着，又慢慢地向前行驶。

整整一夜，往事的回忆都像磁石吸铁一样，吸引着我的心。早晨，一轮红日从光秃秃的山冈升起。月亮朦朦胧胧，低低地挂在大山那边，然后就像化妆盒里的小镜子又被装回到手提包里一样，蓦地消失在夜幕中依然黝黑而清冷的山峦那边。坐在我对面的那个女人叹了一口气，对着小镜子做了个苦相，然后把它放回到手提包里。她摇摇晃晃站起来，像跳华尔兹舞似的向厕所慢慢走去。

列车继续向我们这个州的边界驶去，速度很慢，简直就是爬行。我感到一阵头痛，又十分饥饿。我发现自己每到饥饿难忍的时候，就有一个执拗的声音在耳边响起："超越自我，就会变得意志更加坚强。"这句话是用汉语说出来的，伴随着咔嚓咔嚓的杂音，就好像听短波收音机一样。

我上厕所，门上白色的旋钮写着"无人"，我便推门而入。没想到那个女人还在。她坐在马桶上，裙子撩起来裹在腰部，两只手放在裙子下面，长筒袜也卷了下来。我把她吓了一跳，浓妆艳抹的脸变得煞白。我赶紧关上门，与此同时听见她"啊"地叫了一声。门那边被什么东西重重地撞击了一下。旋钮咔嗒一声，变成"有人"。我沿着过道又回到座位。窗外的景色突然换了一副模样。烈日炎炎，满眼荒凉的棕色和红色的土地，盘根错节的大树。我在座位上又等了一会儿，那个女人没回来，我也没再看见她。

再上厕所时，里面空着，马桶尚有余温。我大便的时候，感觉到一股巨大的力量从心中升起，粪便从马桶底部的窟窿"顺流而下"，落到仿佛一帧帧胶片一闪而过的铁轨枕木上。外面的世界接受了我的馈赠。枯黄的草叶和草籽宛如久旱的土地一样干燥。我浑身火热，满脸通红，洁净而又强壮。在我的凝视之下，万物都显示出它的本来面目，没有隐匿，没有遮掩，没有困惑。

火车放慢速度，驶入这座小城的车站。我到站了，但并不觉得已经到达了目的地。火车一直慢慢吞吞地行驶，似乎在永无止境地回退。一天结束了。我走下火车，站台上死一样地寂静。我觉得浑身凉飕飕的。火车吭吭哧哧、吱吱嘎嘎，就像放映一部老式电影。

对于这座小镇，我至今记忆犹新。镇子坐落在几个老金矿附近的山脚下。我沿着一条大路向南走去。走了两英里之后，向左拐，踏上一条漫长的、尘土飞扬的小路。这条路弯弯曲曲，一溜下坡，一直延伸到一片白色的沙滩。天气已经变凉，夜幕下，沙子看起来像雪。小路通向一片松林。树木密密匝匝，高踞于我的头顶之上。松针把小路覆盖得模糊不清。我摸索着穿过一片林中空地，很快便看见一点灯光。一幢房子出现在眼前，昏暗中泛出白色，窗口射出一缕灯光，把温馨射向到处都是松果的石头地面上。想到这是什么人的私密处所，我感到有些不安。我吸了一口夜晚凉爽的空气，敲了两下门。一个身影在门那边晃动。

很快，月亮就消失在一团浓重的乌云后面。这团云一直像一个黑色的盖子，在月光下面滑行。风越刮越猛，船剧烈地颠簸。被刮歪了的船桁旋转着，帆兜着狂风，像愤怒的龙的两肋起伏翻滚。突然，甲板上人声大作，船开始随着大浪左右摇晃，上下起伏，在我的想象中，那大浪一定没等冲到船尾就已经撞得粉碎。接着我便听见大雨像在木板上脱谷一样，沙沙沙地落在甲板上。人们紧紧抓住可以抓到手的任何一样不滚动或者不滑动的东西。由于在极其狭小的空间装了这么多的人，情况变得十分危急。原先睡在中间的人紧紧抓住睡在边上的人，边上的人就只好牢牢抓住捆茶叶箱的绳子。于是大家觉得，在外国的海面，在外国的船上，所有的人现在融为一个人，而且和船上的货物紧紧连接在一起。想象中的金山已经消失得无影无踪，代之以亿万吨海水筑成的绿色的高山和绝壁。

突然，一个大浪向甲板扑来，以其巨大的力量打翻船上所有的东西。船倾斜着，情况万分危急。左舷一定已经陷入浪谷，瞬间被海水吞没。船颠簸了一下，骤然减速， 旋转起来。接踵而来的浪头——所幸这个浪头比较小——打在船尾，千钧一发之际，又使船漂浮起来。这时， 我们几乎是站立在船舱的板壁之上，海水像瀑布一样从舱口涌入。然后，船又猛地跌回到原先的位置。捆茶叶箱的绳子一下子挣断，一箱箱沉重的茶叶砸在我们身 上。有的箱子摔破，人被埋到茶叶里面。大个子上海人挣扎着从人堆里爬起来，宛如海中巨兽，伸开两只胳膊，拦挡继续滚落下来的箱子。

混乱中，第一个大浪就把我扔到靠近船尾的地方。我被挤进一大盘一大盘的麻绳里面，没有被落下来的茶叶箱打中。我一直抓着那个老头，用两条胳膊护着他的头。他好像已经失去知觉。

风暴渐渐停息，船停止了颠簸。我突然闻见衣服上散发出阵阵恶臭。原来，混乱中污水桶滚到我的身上，衣服沾满粪便和呕吐的秽物。我觉得一阵反胃，一个小时前吃下去的东西全都吐了出来。人们渐渐清醒过来，跌跌撞撞地从一片废墟中爬出来，有的抱着脑袋，有的捂着胳膊，纷纷查看身上的伤口，谁也不说话。

天渐渐地亮了，大海恢复了平静。躺在臭烘烘、乱糟糟的船舱里，我们听见头顶有人说话。舱口的铁栅栏被吊了起来，放下一个临时凑合的、蛇一样的软梯。人们开始缓慢地向上爬。不少人只有一条腿或者一条胳膊能动，就像一群惨遭践踏的毛毛虫，又爬回到大树上面。

上海人和我一起把老头抬上甲板，放到一堆被海水浸透的船帆上。水手们远远地躲开，也许是嫌我们身上有味儿。过了一会儿，一位身穿油布工装、长得敦敦实实的矮个子走过来察看老头，他打着手势问我们，老头是不是已经死了。我比比画画地告诉他老头还出气儿。他不情愿地朝另外两个人打了个手势。那两个家伙过来抬着老头向船头走去。

我倚着栏杆，凝视平静的大海，发现世界竟是如此清澈！天空像水洗了似的干净，明亮的太阳虽然没有暖意，但是给我周围的每一样东西都披上美丽的色彩。我好像正透过一块玻璃看这个世界，而且很喜欢这种体验。我在心里告诉自己，现在眼前的景色是通向永恒的一段旅程。

伊迪娜·格鲁夫打开门，眯细一双近视眼看着我。她在门口那块写着“格鲁夫孪生兄弟”的铜牌旁边站了半晌，向夜幕深处使劲儿瞅了瞅，然后又看了看我。她没看清，也没认出我。我仔细打量她那张脸。她的头发已经灰白，松散开来披在背后。她弯下腰吃力地瞅着，一缕银丝滑落到肩头。头发很长，像马鬓又直又漂亮。她的一双眼睛依然清澈湛蓝、神采亦亦，可是四周布满皱纹，宛如羊群在两泓清水周围踩出条条小路。

她站在那儿，身穿蓝色旧浴衣，直瞪瞪地望着我。我已经忘记她比我矮不少。我黑色的身影高过她的一双眼睛。突然黑暗中仿佛亮起一朵火花，她那布满皱纹的脸化作一团温暖的火焰。

“西默斯，”她充满柔情地说，“西默斯，我亲爱的孩子！”她惊喜地叫喊着，跑出来把我搂在怀里，捧起我的脸使劲儿地亲。然后向后仰着身子，看着我，有点儿发窘。

“欢迎你回家。”她说。

“你好，艾迪！”我边说边微笑着看她——老太太因为我突然出现在她的面前有点不知所措。我一直管她叫艾迪。我无法把她和“妈妈”这个称呼联系起来，尽管一时感情冲动我也可能这样叫她。我知道自己把这个称呼留给了那位深藏在心底的、凭空想象出来的人。与此相关的感情只是通过一种模糊的、下意识的感觉形成的：当这块土地的某些方面使我想起自己的空虚，或者当风的叹息告诉我，她也在倾听这风的啸吟。而且她一定在想我，想我是否还活在人世。

“快进来，亲爱的孩子，进来！”伊迪娜说。她抓着我的胳膊，把我拉进狭窄的门厅。我回转身，让她先过去的时候，我们俩的屁股碰到一起。她在前头走着，我觉得从后面看她还那么年轻。浴衣勾勒出优美的曲线，漂亮的银发从肩头瀑布般地流下。我心里想，酒精怎么一点儿没有损害她那生气蓬勃的步伐、敏捷的动作、挺直的腰板。她领我穿过走廊，走进客厅。我立刻窥见了她的生活，认出从前在她身上见过的种种印迹。

这间屋子就像被风暴席卷了的一条大船的小客舱，到处都是空酒瓶子、旧报纸。毛衣针扎在毛线团里，吃晚饭的盘子扔在桌上，两块啃过的排骨像远古时代的遗物放在瓷罐里，刀叉交叉着压在罐子下面。靠窗户放着几个打开盖的旧箱子，里面塞着一团团的衣裳，有一件很华丽的裙子耷拉在箱子外面。那是主人从前风流俊俏的一个标记。就在我凝视这间屋子的时候，那个挺大的壁炉哔剥作响，火星溅起，又落到旧地毯上，烧出一个个小窟窿，地板上仿佛点缀着黑红相间的宝石。

"哎哟，你看起来挺不错嘛！"伊迪娜说。她坐在沙发上，仰着脖子看我。我有点站立不稳，身体的重量交替移到两只脚上。

"哦，快坐下。你现在是回家了！"她笑着说。笑声中有一种浓重的喉音，让人想起玛莲娜·迪特里茜[①]少有的笑声。

我在她身边坐下，环顾四周。她倒了两杯白兰地，递给我一杯。

"但愿你喜欢白兰地，"她说，"除了这玩意儿，我们别的什么也没有。"

我纳闷，除了她，这个"我们"还包括谁。可是我忍着没问。我的手微微颤抖着接过那杯酒。她递酒时手在半空中停了一下，好像拿不定主意该不该把这杯酒给我，或者只是生怕洒了杯中物。

"谢谢。"我喃喃地说道，立刻把酒送到唇边喝了一口，快咽到肚里时才说，"干杯！"这热乎乎的液体让我胸中的纠

①玛莲娜·迪特里茜（1901—1992）：美国著名演员和歌唱家。

结顿时散去。

“现在，讲讲你的事儿吧。”她说，一边咂着已经空了的杯子里的最后几滴白兰地，一边往紧裹了裹身上的浴衣。

于是我讲了自己的状况，解释了我之所以杳无音讯的原因，告诉她我的种种经历。言语间我让自己显得颇有自知之明，且又十分谦虚，努力使自己的话语很得体，小心翼翼地避开那些与我设法为自己塑造的形象不相称的破绽。实际上，恰恰是这些破绽才能更好地反映出我当下的真实状态。因为从根本上讲，我是一个处处被防范的、毫无价值的人。我的心底满是贫瘠、凄凉和空虚。

我注意到伊迪娜并没有认真地听我讲话。她左顾右盼，就好像十分警惕地注意某种超乎声波的干扰。她又给自己斟了一杯酒，试图找寻她刚刚离开的那个世界，一张脸隐匿到灵魂深处某个黑暗的角落，显然她找到了那个世界。

意识到这简直是对牛弹琴，我的声音变成一种令人困倦的、单调的嗡嗡声。突然，伊迪娜打断我的话，用沙哑的声音说：“去旅行！去旅行！”然后朝我微笑。我不知道她是故作神秘，还是一种让人励志的聪明，或者只是想给我留下一个深刻的印象。不过我对长者还是相当尊敬。我把这句话当作她已经喝得醉醺醺时随便给我的忠告。

一阵沉默，我发现她又陷入沉思。我还注意到屋子里另外一些东西堆在我旁边的沙发上，摞在地板上、窗台上，塞在椅子下面，或者打开放在餐具柜上。

书。几百本书。以前我似乎从来没有这样清楚地意识到它们的存在。噼啪直响的炉火越发衬托得那些书寂然无声。火光在打开的书本上轻轻摇曳。远处一台发电机传来节奏鲜明的隆隆声。书！我的肺像鼓满风的帆，我的心随着发电机的节奏跳动。我觉得我正慢慢地融入另外一个世界。

“如果可以，我想在您这儿待两个星期。”我对她说。

“你想在这儿待多久就待多久。”她说，微笑着从沙发上站起来，隔着一堆书取香烟。“你想抽一支吗？”她问我，手指摸索着寻找金色烟盒上的按钮。我告诉她我不抽烟。“你知道，只剩下一个人的时候，我喜欢抽支烟。”她继续说，颇为熟练地在烟盒上轻轻地敲了几下香烟，“抽支烟很不错……是个伴儿……你该明白。”

我一边看她点烟，一边点了点头。她划着一根火柴，点燃了叼在嘴角的香烟。

“我们以前从来不抽烟，杰克和我。”她说着喷出一口烟，“可是现在……”她停下话头，又喷出一口烟。好像忘了刚才想说的话，或者只是暗示我压根儿就不该知道这些事情。我想起她用的“我们”这个字眼儿，感到杰克的精神还活在这里。他正在厨房，弯腰曲背地坐在火炉旁边的桌子跟前，擦他的猎枪。伊迪娜望着厨房，布满皱纹的脸上闪烁着生命的火光。

老人们都爬上甲板，祭奠风神水神，祈求赶快风平浪静。他们尖声号叫着，点燃一张张黄裱纸，向迎面吹拂的海风扔去。船员们大惑不解，都怀着敬畏之情看这场仪式。不过他们极力阻止人们烧纸。有几团火向比较低的船帆刮去。老人们恶狠狠地咒骂着，不让船员干涉。

我内心深处有一种东西和此时此刻的感情颇为矛盾。我尊敬这些老人，可是又为他们举行的这种仪式而发窘。我们正在驶向一个信仰基督教的国度。我对自己的同胞们所信仰的宗教持怀疑态度，对基督教也持同样的态度。但是还没有到那种连经历一下都不肯就断然不相信的地步。

我是从一个自称为传教士的外国人那里学会这个道理的。他说我们的语言，去过我们村子。后来发生骚乱，被迫离开中国。或者说是我自己从他身上体会到这个道理，而不是他本人真的教会了我什么。因为他是个非常不好相处的人。但凡我对他所信仰的宗教稍加质疑，他就大发雷霆。（他是葡萄牙人，性格十分暴躁。）他经常给我讲解他的教义。我洗耳恭听，但是并不相信。他一有机会就攻击我们祖先信仰的佛教和道教。在农村，他是个极不受欢迎的人。有一次，我们一起在我父亲的后花园里晒太阳。

“云山，”他直瞪瞪地望着我的眼睛说，“你应当为你自己祈祷，拯救你的灵魂。忘掉这个家庭的信仰，走自己的路。”然后他突然说了一句法语，他总是这样强调某个观点：“不要人云亦云。”他边说边在我鼻尖儿底下摇晃着食指。

他给我讲他信仰的上帝——一位被异教徒钉在木头横梁上的先知。这种故事我们国家多的是。最重要的是，他的故事宣扬了一种人活着就要受苦受难的哲学，而我并不准备相信这样的哲学。这是一种宿命论的、自我毁灭的、虚幻的东西。不过我发现它很有吸引力。我从中找到了对于自己内心深处躁动不安的种种感情的解释：我的愤世嫉俗，我和这个混沌世界最根本的交往，我的不负责任以及对孝道的摈弃（孔夫子学说的精髓）。这种受苦受难的哲学至少有一种超乎于这个混沌世界的戏剧性的、感动人的力量，从另一方面表现出佛教中“静”的意义。这种力量使得主动地去遭受苦难成为可能，去面对充满了雷霆、闪电和灾难的大千世界，去面对哭泣着的整个宇宙，并因此而产生出更坚定的信仰。

从另一方面讲，这个葡萄牙人似乎肩负着分而治之、进而征服的使命。关于这种受苦受难的哲学，我还有许多东西要学。

我也不知道为什么练起了长跑。每天都要沿着房子附近松林中一条十字交叉的小路跑步。周围的景色对于我没有一样是熟悉的。我好像已经不记得童年时代曾经在这里住过好几年。一切都在变化，往昔好像覆盖了一层新的皮肤。当我踩着已经死去的松针跑过那条小路，并且感觉到硌脚的松果时，我意识到另外一个“往昔”，一个深藏于土壤之中的“往昔”。似乎有什么东西在此处构成全部历史的开始，而我正处于这个过程的某一点上。

我被两个恶魔驱赶着跑步。一个附着在躯体之上的恶魔，一直在当下存在；另一个附着在思想之上的恶魔，隐匿着另外一种生活，只是想回首往事。我的感觉变得十分敏锐，思想也变得比以往任何时候都更集中。有时候，温暖的早晨以其特有的气味为我的跑步增添了色彩。松林中的一个地方散发着一股“戈尔德范伯”牌铅笔的气味，另一个地方散发着一股旧书的霉味——那种粗糙的毛边书。有一段路从我们那幢房子一直通向小山，这条路在一块巨石下面戛然而止。这儿散发着一股浓烈的墨水味儿。我怀疑这股甜丝丝的气味来源于一个小水湾和水湾旁边的灌木丛。不知道为什么，这气味儿总让我觉得肚子饿。

有一天早晨，我在回去的路上跑得比去时快两倍，跑到后门时已经累得汗流浃背，上气不接下气，而且头晕目眩，浑身轻飘飘。为了让腿上紧绷绷的肌肉放松，我慢慢地向走廊那头自己的房间走去。经过伊迪娜的房间时，我无意中从半开着的门向里瞥了一眼，看见她正光着身子背朝我站着。窗口射进一缕光，我从镜子里面看见她那赤裸的身体，还看见用来系那满头银丝的发带缠绕着她的两条大腿。我慌慌张张回到房间，一时间竟然无法断定刚才看到的就是伊迪娜。她凝视自己身体的那副样子又出现在我的眼前。突然间我明白了她的痛苦，怜悯之情油然而生，除了饥饿，忘记了心中所有的感觉。于是我又沿着走廊向厨房走去。她的门已经紧紧关上。

有时候我在正午以前出去拣生火用的松果。我把松果扔进篮子里面的时候，眼角的余光会看见森林里有什么东西在动——一个黑魆魆的人影从树枝后面走出来，穿过一块林中空地，穿过森林黑色的“地板”，向远方走去。

我在学习英语，这是一种奇怪的语言，我不由自主地要学习。当我听到桅杆和绳索吱嘎乱响，当我听到呼啸着的海浪急不可耐地扑向轮船，当我看到船尾卷起像疯女人头发一样的飞沫，我便迎着风像一个嘟嘟囔囔的没牙老太太，忍不住说几句半通不通、发音不准的英语。是的，我就这样，凭一时高兴，不由自主地学习这种语言。

没有多久我就发现英国人特别热衷于被他们称之为服务的

原则。他们似乎生来就懂得这个原则，长大受的也是这种教育，跟我们崇尚孝道一样。只不过他们忠心耿耿服务的对象是他们的主人。普通英国人和我们清朝的官吏一样，只要有机会，决不拒绝被人服侍。他们总觉得自己比仆人高出一头。如果仆人是另外一个种族，这种优越感就愈发强烈了。可惜在他们趾高气扬的时候，一点儿也不曾想到这样一个事实：他们也在终生不懈地服侍高踞于他们之上的别的什么人。以此类推，谁头上都有一个掌管他命运的人，直到国王。国王之上则是上帝和国家。就这样一直循环下去。当然，国王永远不会为乞丐服务。在这二者之间有上帝。上帝会承担为穷人服务的责任。至少这是那位葡萄牙耶稣会会士告诉我的（他对英国人非常反感）。

船员中有位英国人似乎是位举足轻重的特殊人物。他在甲板上发号施令，别人总是立刻遵照执行。我就是在这个人身上开始运用关于服务的理论的。风暴过后我帮助他清理甲板，从一根桁上搬走刮下来的破帆。他是这条船的木匠。我开始跟他结结巴巴地学着讲英语。没多久他就看出我这个人很能干点事情，而且很善于理解他的意图。他以船员所特有沉稳、从容的方式，比比画画打着手势教我做事儿。他总是让我反复做同一件事情，逐步扩大我的活动范围，以免操之过急出现错误。几个星期之后，我已经学会英语最基础的知识以及航海学最基本的常识。在我看来，这二者之间有许多相似之处，好像都是在充满隐喻和形容词的航海图上标一条必须经过深思熟虑的航线。

这样，我便赢得了作为我们这群人的代言人的特权。完全是为了实用才学习这种语言的事实使我认识到，现在我已经更着眼于苟且偷生，少了那么多对于理想主义和冒险的向往。这难道是寻找黄金的深远影响之一吗？难道对于黄金的追求——这是构成中国人理智的基础之一——就意味着生活中除了实利主义再没有别的东西吗？母亲躺在那里变成枯骨难道是因为她沉浸在那种激进的思想之中的缘故吗？我觉得我的忠诚被撕碎了，真希望我的思想在那种以“服务”理念为宗旨的学校中得到过训练。

有时候伊迪娜跟我一起去捡松果和树枝。不管天气多热，她都披着斗篷。她总是边走边跟我谈读书的事情，不厌其烦地告诉我应当读这本书或者读那本书。有时候她还随身带本书，放在斗篷下面。碰到一棵浓荫覆盖的大树，便坐下，从喜欢的书中选择几段，用清亮的声音读给我听。我仔细地听，心里生出一种想读读这本书的愿望。可是不知道什么东西总使我望而却步。

自从来这儿，我什么也没读。我觉得书里面有一种力量，一种把我吸引进去的力量，一种我无法控制的力量。渐渐地，读过的书在我的头脑里凝聚起来，某些句子和短语常常在我眼前萦绕盘桓，成为制约我行为的准则。

有一天，我对伊迪娜诉说了心中的焦虑。我们一起在松树林里散步。我挎着筐子，她拿着书，书还是放在斗篷下面。我的筐子里有一架老式照相机。这架相机是从我住的那间屋子里的碗柜里面找到的。我一边往相机里面装胶卷，一边告诉她某些话语在我身上表现出的神奇的力量，就像有一个声音召唤我走上一条秘密的小路。我害怕自己是中了邪魔。伊迪娜看着我，明亮的眼睛不时瞥一眼我手里的相机。

“这么说，你也听到那声音了。”她叹了一口气，“我相信是这个地方的缘故。这儿太与世隔绝了。我倒觉得没什么大不了的，听到这声音便认为是因为这里与世隔绝。当然，我还有另外一种理论。”

“什么理论？”我颇感兴趣地问道，朝那块矩形取景玻璃片瞅了瞅。她背朝我，出现在玻璃上面。

“哦，你知道，儿童读物可以激发孩子们的想象力，以至于最后搞得你连课本儿也不想看。”

我不知道她说这话的意思，可还是点了点头。

“我的意思是，如果一个小孩儿读一篇童话故事，他或者她实际上是下意识地写那本书。书中的文字变成孩子们创造出来的一种经历。没有任何事情可以同这种创造相比拟……我说清楚了吗？”

一点儿也没说清楚。可是伊迪娜的神情迷住了我。她以前从来不曾这样讲话。

“等你的年纪变得越来越大，”她继续说，“自己的经历就变得更重要了。你拿自己的经验和书里讲的道理做比较。于是你的想象力和创作自由都受到那个无所不知的作者的限制。神话和故事因此而失去它们的新鲜之感，想象的源泉被玷污了。”

我渐渐明白了她的意思。倘若我是一个未开化的原始人，一个土著居民，生活就是想象的一部分，反之则不成立。

伊迪娜弯腰拣起一个松果。

“书能给人一种潜移默化的影响，尽管书读得越多，产生这种影响的困难越大。因为你实实在在是在消耗自己潜在的能力。”

这个道理我懂，并且因此不寒而栗。我急于受到别人的影响。伊迪娜使我茅塞顿开。

“你听到的那些声音，”她说，在一块很大的岩石上面坐了下来，“是你的所有前辈的经验积累。你承袭来的那些性格特征，其形成远远超过童年时代的印象，可以一直追溯到祖先的遗风。你在倾听自己那个种族想象力最原始的源泉。他们的思想意识、伦理道德，一点一滴地渗透下来，形成你的遗传基因。你将不得不验证一下，他们对你的想象力和你的感情到底发生了什么影响。你听到的那些话是祖先遗训的回音，是吸引到磁极上的钢针……这就是我的理论。”

我的“遗传工程”会是一种历史的遗传吗？我的记忆是我的民族性格在无意识之中造成的吗？我需要实实在在的东西指引我，一个信号，一个写下来的字。

伊迪娜扯起斗篷的一角，我给她拍了一张照片。她看起来就像一只奇异的鸟，正要从岩石上面振翅高飞。她的理论在我的思想中打开一条通道。通过这条通道，我和处于优势的过去建立了联系。真实和抽象的东西已经开始相互交汇：我渴望吃到一碗米饭。

回家之后，我把伊迪娜的书抱了一摞，回到自己的房间。我读啊，读啊，书中的话在我的心中构成一幅幅图案，直到我做起白日梦。

我看见自己躺在床上读书，周围摆着三四本打开的书。我平常就是这个样子——同时看三四本书。我从一本书跳到另外一本书上，把读一本书时候的心境同另一本书连接到一起。过了一些日子，不同书本的细节都发生了内在的联系，于是我眼前出现了一个五彩缤纷的世界。每一本书产生的力量都带着我跨越了那本书本身。不同的世界在我的面前打开大门。

我栖息于所有这些世界之中。

我就这样读着，脑袋发热，好像正在发烧。肚子因为饥饿而咕咕直叫。我从书本之中站起来，走到那个老式梳妆台跟前，对着镜子照起来，看见自己面颊绯红，脑袋细长，两只招风耳。我已经完全忘记自己的长相，似乎正在凝视另外一个人，无法相信那就是我自己——身穿一件花格衬衫站在那儿，长头发在耳朵后面卷曲着。我摆出不同的姿势，侧身站着想看看自己的侧面像。别人看到的我莫非就是这副样子吗？我把镜子倾斜过来，又摆正。我的长相绝对是亚洲人的模样。亚洲人长相的基本特征是什么呢？头颅的形状，眼皮的褶痕，皮肤的颜色。我的皮肤真是黄色的吗？从镜子里看，我和伊迪娜的皮肤没有多大的区别。这也许是光线的缘故。

我把梳妆台推到窗口，拉开窗帘，又把镜子倾斜过来。没想到因为没有墙壁支撑，并且限制倾斜的角度，镜子突然从镜轴上滑下来，跌到地板上。我站在那儿，望着窗外的松树。好一阵子，外面一片死寂，只有一只喜鹊叽叽喳喳地叫。我绕到梳妆台后面，镜子在木头地板上碎成三大块。我看见自己站在三个不同的平面上。

我捡起玻璃碎片，发现镜子后面的木板也裂了缝。木板和玻璃之间有许多张挺漂亮的黄纸，捡起之后，便在手里散了架。看样子这纸是什么人为了防止镜面上的水银分解或者害怕镜子破裂而垫在里面的。我轻轻揭起纸片，发现上面有些模模糊糊的字迹。拿到明亮处才认出是中文或者日文书法。那些字分布在纸张下部，黑色，像上下颠倒的花朵，像夹在玻璃和纸中间盛开的干花。

那位耶稣会信徒经常记录我们村里的人的面部特征。他跟我谈过三四次话。我最后一次见他时，他忘记了拿笔记本。他是个马大哈，经常匆匆忙忙，一边吃东西一边跟人说话。他喝茶的时候从来不像我们这样慢慢地品味儿，而是大口大口地喝着一饮而尽。我至今保存着他丢掉的那个笔记本。现在我差不多已经能读懂那上面的字了。他是用英文写的。他说英语是一种很科学的语言。那些字写在特别白的纸上。

头发：黑而且直。

皮肤的颜色：12。

鼻：直。

眼睛：3（与日本人相似，没有蒙古人种的眼皮）。

耳朵：招风耳，大。

下巴：突出。

头骨：头顶尖。

他说他是个业余人类学者。我经常琢磨他这种研究的本意到底是什么。

我喊伊迪娜：“艾迪！”她不在家。我沿着环绕我们那幢房子的小路去找她。“艾迪！”我喊道。风撕碎并刮走我手里拿着的黄纸。我连忙把剩下的几张装进口袋。这纸太脆了，经不起折腾，我得把它们夹在什么东西里面保存好。

“艾迪！”我大声喊。松树低下了头。我走进昏暗的树林，一缕缕阳光跳荡着，跟我一起划破林中的黑暗。我分开脸前的树枝，脚下的松果吱吱嘎嘎地响着。

密林深处有一个黑魆魆的身影。我向那个身影走去。风越刮越大，掠过树梢发出阵阵尖啸。啸声之下，一切都笼罩着诡异的寂静。松针不时扎一下我的眼睛。我直瞪瞪地望着那个黑魆魆的人影。不，是两个身影。那个男人穿一件伐木工人常穿的夹克衫，趴在伊迪娜的身上。她闭着眼睛，脸上显得很平静。那个男人发出哼哼的声音。伊迪娜光着的两条腿轻轻摇动。我向后退入松林。她的斗篷铺在地上，在微风中瑟瑟抖动。男人从伊迪娜的身上翻滚下来，什么东西像湿乎乎的蘑菇闪着微光。斑驳的阳光照着这对情人。一枚松果像一颗手榴弹在我脚下发出一声爆响。一只小鸟拍打着翅膀飞上一棵大树。我的手插在口袋里，捏着那几张纸，出了一手冷汗。

对这一切我似懂非懂，就像有什么东西重重地压在胸口。我已经不再是自由的了。感觉口袋里的纸就像一只旧锚上的铁锈。

“云山病了。”

我躺在甲板下面发着高烧。我把老头的东西都归拢到一起。他的行李里除了瓶瓶罐罐、腥味很重的鱼干，还有一些纸。那是一种很薄的黄纸。我还在那截挑行李用的空心竹子里找到一支笔。笔杆是竹子做的，笔头选用上等狼毫。我拿起那根竹子挑行李的时候，听见毛笔在里面哗哗啦啦地响。倒出来一看，还有一小袋铜钱。我头痛，浑身发冷。

我从炉子里掏出些木炭，又倒了些水。过一会儿，将太多的水倒出，便剩下浓淡合适的墨汁，蘸着自制的墨汁在黄纸上写了起来。不知道为什么这样难受。别人好像都没有生病。我头痛，手颤抖。我写道："路漫漫兮，何时休！"

我要记下此时此刻的思想和发生的事情：

"今天，我们把老头葬到大海。他的尸体用帆布包裹着。为了沉入海底，还拴了几截旧锚链。大伙儿从船舷上缘把他推了下去。包裹好以前，我又看了看他那张脸。那脸就像蘑菇下面那一部分，黑黑的尽是皱褶。甲板上，人们都在谈论一种叫霍乱的疾病。"

我被隔离在船舱里。坐在铁栅栏下面写这些文字的时候，听得见甲板上传来英国人的说话声。船长莫里森偶尔过来看我一眼。他很着急。听他说话的口气简直要发疯。

"路漫漫兮，何时休。"

我想有一张纸上写的就是这几个字。当然，我不认识中国字。似乎是一个姓华的人把这句话译成了英语。从左到右，在每一个汉字下面注出英文的意思。不过只有把纸拿起来对着亮光才能看清。那字看起来是用铅笔或者木炭写上去，后来又擦掉的。也许是那位译者改变了主意，或者觉得自己译错了。

"艾迪？"

"哦，亲爱的孩子。"

“这附近还住着什么人吗？”

“就我所知没有。怎么了？”

“不怎么，只是有点儿纳闷。”

“你怎么问起这个？”

“我在森林里看见过一个人。”

“也许是个流浪汉，常有这种人在这儿转悠。”

“是个穿夹克衫的男人。”

“我不知道。你最近见过他吗？”

“昨天早晨还见过。”

“在哪儿？”

“森林里，离那块卧牛石不远。”

“你跑到卧牛石那儿去了？”

“我只是沿着林间小路在那一带溜达了一会儿。”

“什么时候？”

“上午，一定是快到中午的时候了。”

“哦……”

“怎么？你认识他？”

“也许是菲茨。”

“谁是菲茨？他叫什么名字？”

“是个到处找活儿干的工人。有时候来我们这儿劈木头，还在这周围给人家剪羊毛。”

“我把我房间里那面镜子打碎了。”

“怎么打碎的？”

“不知道，是从镜轴上掉下来的。”

“能不能再用胶水粘起来？”

“根本不可能。”

“没关系，亲爱的。”

炉子里的劈柴哔哔剥剥地响着。伊迪娜正在读书，头也没抬。

“艾迪？”

“怎么了？西默斯。”

“我在镜子后面发现一些纸。”

“这倒很有趣。什么样的纸？”

“有人在上面写了些中国字，或者诸如此类的什么东西。”

“你认识吗？”

“我怎么能认识呢！”

“哦，对。我忘了你不认识中国字。”

“连说也不会。”

“你打算拿它们怎么办？”

“不知道，这事儿挺神秘。”

“你总喜欢把什么都搞得那么神秘。”

我不得不写一些别人能看懂的东西。这条船上的中国人差不多都是文盲。

“所以，亲爱的读者，我要告诉你，我们这条船怎样靠岸，补充食物和淡水；我们怎样品尝异国他乡的水果——果肉在舌头上面的感觉十分柔软；那些皮肤黝黑、笑容明朗的当地人怎样欢迎我们。我还要告诉你，我们满以为远航已到终点，没成想还要走很远很远的路程……

“你也许永远无法想象，当我们听到关于维多利亚金矿的传说时，心中涌起的激动与痛苦。听说，那地方的人经常被金块绊倒在地上，被巨大的金矿石碰破脚趾头。可惜我们已经在海上漂泊了四个多月，旅途的终点还是连影儿也没有。这就使我们加倍地痛苦。不过，我完全失去了时间的概念。现在已经好几天了，我完全靠鸦片退烧，身上的汗水像冰一样刺骨。思想在这块冰冷的荒漠变得非常迟钝。

“靠岸之后两天，船长把我喊到甲板上面。他先问我——用混杂着中国话的英语——是不是还在生病。他皱着一双浓眉，十分仔细地打量我。我回答说，补充食物和淡水，我觉得好多了。他问我，大伙儿对这次远航有什么看法？我说，没什么看法。他说，告诉他们，我们的路程已经没有多远了。再有几个星期就能看到‘南大陆’的西岸了。

“大伙儿听了这个消息十分高兴，都拿出为了前面更艰苦、更漫长的旅程，小心翼翼保存了好长时间没舍得吃的东西。那天晚上，我们蘸着姜丝，伴着蔬菜吃了储藏在油罐子里的鸭块。我们甚至喝了米酒，为黄金、健康和好运气相互干杯。

“不知道为什么，我无法分享他们的喜悦。会不会因为我觉得起航比到达蕴藏更大的快乐？我的旅行难道永远没有终点？”

发放地：悉尼。

日期：2 月 2 日。

我向政府申请再发给我一本护照。发放护照办公室的一位先生因为我没有妥善保存先前那本，补发之前好一顿教训。他问我为什么要在办理签证的那几页上记那些乱七八糟的东西。他说，我这样做是违反了国家法令。到底违反了哪一条，他自个儿也说不上。

我一直想，一定是难以抑制的心理冲动支配我把自己的思想潦潦草草写在手边任何一张纸上。那本护照似乎非常适合派这种用场。我总是随身携带，寸步不离。我不能让我的身份证明逃脱我的手心儿。我似乎一直被另外一个自我威胁着。也许是纸里的水印吸引了我，或者是那几页上印着与纸币相似的波纹，叫我想入非非。要么就是那上面的盾形纹章给了我一种手执权柄的感觉。

在标有“评语”的那一页，我抄下我的医生让我转诊时写的病历：“该病人机体健康，但是患有 Hume's 综合症。不能区分或者识别过去、现在和将来。他还患有衰老症。比如头发变白，皮肤多皱褶。血压正常。他自述幻听，而且很难捕捉到自己的思想。”

我的照片已经不大像我了。长相和年纪很不相称。这一点也许同时赋予了我一种权威。

云山的日记，真实的部分和想象的部分已经融合到一起。请注意，我已经开始用引号标出他说的话。这使我非常兴奋。不只因为我是此举的“始作俑者”，还因为他的那些故事完全占据了我的心灵。

“上帝，我饿了，真想吃又甜又酸的猪肉。不过我不想把话题岔开，还是让我讲讲在‘双树林’度过的那几年吧。

“伊迪娜把她知道的东西都教给了我，大概用了整整三年。她指定我必读的书，教给我写传记文学和翻译诗的技巧。她发现我很爱文学之后，建议我参加统考，并且争取获得奖学金。她也许认为，当教师可以医治我陷入迷茫的神经。

“亲爱的读者，不要误解我的焦急。当我第一次看见左舷栏杆上微弱的红光，我的心脏确实加快了跳动。我的胃也因为激动而剧烈地翻腾。那象征吉祥的朝阳在这块土地的一侧洒满金光。毫无疑问，这样的温暖和光明一定预示着前面的道路将更平坦。风平浪静，备受折磨的精神终将找到一个归宿。”

我得去会见几个人。他们还没有决定是否让我当教师，要让我先参加一次阅读测试（后来我才知道，这种测试是专门为外国人准备的）。

我坐了好长时间的火车。对面是一位土著女人，一边哼着什么小曲儿，一边微笑，尽管咳嗽得很厉害。我注意到她的手绢上血迹斑斑。一个土著人，一个外国人，我们俩身上有某种共同点。

进城之后，我走进一家书店，在书架之间浏览、消磨时间。我买了一本卡夫卡写的《审判》。我觉得有点恶心，胃里翻腾着直想吐。他们干吗要测验我的阅读能力？书上印的那些字难道能在我眼前乱作一团？难道我能滔滔不绝地念出一大串高深莫测的中文？难道圣灵降临节的神灵能突然造访我，并且教会我好几国语言？

我找到了那幢楼。它占了整整一大排，有十几个入口。可是有的上着锁，有的挡着很大的垃圾桶和装废纸的麻袋。我绕到楼后，那儿的门也锁着。也许我来的日子不对？一位厨师模样的人推着一小推车茶杯，沿着狭窄的甬道走了过来。我问他办公室在哪儿。他看了看我，摇了摇头，把手推车靠在墙上。然后停下脚步，解开围裙，把手伸到肮脏的背心里挠了挠，朝右面的一扇门指了一下。

吱吱扭扭的电梯把我送上二楼。一位接待员向我微笑着，指了指接待室外面的一张椅子。四个亚洲青年靠墙坐着。我有点紧张地朝他们笑了笑。有一位正捧着一本《时尚》杂志大声朗读着。他嘴巴张得老大，吃力地咬着每一个字。

我是第一个被叫进去的。我走进与他们相对的那个房间时，四个年轻人都眼巴巴地望着我。桌子后面坐着三个人，眼前堆放着书和纸。坐在中间的那位皱着眉头指了指桌子前面那张椅子，另外两位摆弄着手里那几张纸，发出窸窸窣窣的响声。他们俯身向前的时候，椅子吱吱嘎嘎地响着。坐在中间的那个男人似乎从衣袋里寻找什么。他是挎了一个手枪皮套，还是穿着背带裤子就不得而知了。他掏出一副眼镜，咔嚓一声把两条眼镜腿儿合上，然后又分开，放在桌子上面。

“你叫……”

“西默斯·欧阳。”

“这是个很古怪的名字，是吗？”

我摇了摇头，不知道是不是古怪。也不知道这儿是不是“非澳大利亚人活动委员会”。

另外那两个人从纸上抬起头。一阵令人难堪的沉默。眼镜在阳光下闪闪发光。

“你准备学习什么？”

“哦，我想学汉语。”

他们的眉头皱得更紧了。

“很抱歉，你得从另外两个科目中挑选了，我们不准备开汉语。你还有什么选择呢？”

我不知道。我对此毫无准备。我向窗外望去，看见发电站巨大的烟囱。那是奥斯克维茨。亲爱的伊迪娜，我很快就回家了。

椅子吱吱扭扭响着。我睁大眼睛，看起来一定是一副智力低下的傻样。瞧，我的眼睛是蓝的。我在向他们炫耀。这时我才意识到，我向地方政府申请奖学金时，他们错把我当成中国人。

“你喜欢学习语言吗？”坐在中间的男人继续问。

“我想……谈不上特别喜欢。”

“法语怎么样？我们非常缺法语老师。”

“好吧……”

“那给你登记法语和历史。请朗读你面前那本书中的选段。”

那本书已经翻到第一百六十页。那一页的标题是“黄种人”，我开始朗读。我把 r 发成卷舌音，发 a 时舌面抬得很高，还把 p 发成 b。总之，我的发音很像女王。

“发现黄金之前，澳大利亚几乎没有什么中国人。可是到了上世纪五十年代，黄种人像潮水一样涌入，简直要淹没我们的国家。白人把这一切部分地归咎于人们在中国港口散布谣言，说这里是发财走运的好地方……”

“谢谢，就念到这儿。”

我走了出去。靠墙一溜四双眼睛紧张地望着我。

四个星期以后，我通过笔试。他们给我寄来一封信，通知我已经获得奖学金。

“海岸线似乎总也走不到头。昨天我看到被海浪冲刷的悬崖。我们的船离海岸很近，有好几次我担心它会撞到那巨大的石壁上面。有一次我们的船向石壁照直开过去，一刹那我竟希望它能真的撞上去。我急于在形体上成为这个国家的一部分。我觉得这兀然屹立的峭壁对于我既是难以逾越的屏障，又是固若金汤的城墙。说它是难以逾越的屏障，因为从海上永远无法突破它；说它是固若金汤的城墙，因为在我的想象之中，已经到了峭壁那边，正站在悬崖上，眺望大海，生怕脚下的石壁被海浪冲破。我觉得自己既是外国人，又是当地人。也许因为我生怕受到这崭新的生活的威胁。

“我想起父亲，坐在家里听花瓣落在石板上的声音。”

云山，我已经从你的签名中发现了某种神韵。在你的笔下，它像一座高耸入云的山。那竖着的三画显示了你的胆略和气魄。这是不是你那充满活力的自我的一种表现呢？你害怕你的个性被剥夺吗？

就这样，你正在发现一块新大陆，同时也正在发现你自己。你不断修正自己的观点，不断改变自己的姿势。你从异国他乡带来的习俗、心态、文化背景能保留多少，又要失去多少？你的远航是否就是你正在实施的变革？是向我这样一个人的过渡？你已经开始学习英语，我也在学习汉语。我们能通过这样的“校正”相互了解吗？

“要想在维多利亚登陆必须交纳人头税。听了这个消息伙伴们个个脸色大变。用‘朵朵花瓣纷纷下’这句话形容当时的情景真是再恰当不过了。莫里森在甲板上踱来踱去，极力向我解释。

“‘每位中国移民必须交十英镑才能上岸。不过我们可以商量一下如何解决这个问题。我们可以在龟青湾登陆，从那儿上岸之后，步行不远就是金矿，你们这些人都会成为富翁。辛苦点儿也值得，你说是吗？你们谁也掏不起这笔税金，他们和我要钱。现在你告诉大伙儿不要着急。’”

“他的声音缥缥缈缈，就像念一篇背会了的讲话稿。我极力把他说这番话时那种拘谨的语气翻译出来。大伙儿听了脸上现出一种混杂着无法理解和不愿意相信的表情。他们看起来像一群被人欺骗的赌徒。

“我们的船转向右舷方向逆风行驶。天气很好，暖融融的，没有一丝云彩。海岸带着不祥的预兆朦朦胧胧地出现了。我们横风行驶了好长一段路程，然后抢风调向。帆顶着风，发出很大的噼啪声。甲板上滚过一阵低沉的隆隆声，然后响起一种好像筛什么东西的沙沙声和一声叹息。这叹息却并非来自那些焦急地眺望海岸的人们。船放慢速度，开始倾斜。突然，传来一阵可怕的碰撞声和碎裂声。船帆像扎破了的气球，骤然之间变成一块块无精打采的破布。人们都大叫起来，水溢满船舱，木头漂浮起来。我像别人一样冲过去拿我的东西。人们把拖到甲板上面的茶叶箱子当作救生艇。

“这是 1857 年 2 月的第二天，天上没有一丝云彩。”

第三章　希望之地

滨海布洛涅[1]。

“真该死，差点儿把我的屁股冻掉。”这是美国小说里常用的一句话。我从来没有见过覆盖着白雪的海滩。在气垫船公司，我们整整等了两个钟头，他们才用公共汽车把大伙儿送到渡口。没有一个人不骂骂咧咧。

我沿着那条长长的混凝土坡道走着。前面有个日本女 人，提着五件大小不等的行李——做米饭用的蒸锅和一把茶壶，快从一个包裹里面掉出来。她还带着一口箱子，对于她来说显然太大了，只好在那条坡道上拖着走，磨破箱底儿也没有办法。也许我应该帮帮她的忙。她会扬起恬静、漂亮的脸蛋儿朝我微笑，一路上谁也不说什么。我还想到，我们将要以各自的方式

①滨海布洛涅：法国北部港市。

分别闯过所有边境口岸。她微笑着，径直走过去。我却阴沉着一张脸，被海关关员检查，冰冷的手指摸遍我的全身。但是谁都不会想到她的箱子里或许装着一枚炸弹。她将拖着它走过好几个国家，等到发现已经为时太晚。想到这种可能，我便打消了帮她的念头。

航程艰险。英伦海峡吐出最肮脏的“胆汁”。大海翻腾着，发出冷酷的喧嚣。灰色的海浪仿佛由泥浆与冰水混合而成。渡轮在其间上下颠簸。浪沫飞舞，从一个浪峰扑上另一个浪峰。海浪向着船头照直打来，敲打出一连串快节奏的混响，淹没了渡船引擎的嗡嗡声。就在这时我想起云山，并且纳闷为什么在过去的四年里竟没有想到他。他是那样信任他的读者。这种信任似乎给了我一种负担——我应当为他的存在而负责。

我使他失望，这一点我自个儿也明白。可是除了让他失望我又能做什么呢？我提醒自己，云山的日记缺了许多。我想把它拼凑起来可是无从下手。不知道镜子后面发现的那些纸片是不是全部残存的日记。他一生的活动难道就这样永远消失了吗？

你瞧，我还是听不到他的声音。云山，你登陆之后的命运如何？为什么你像我过去四年一样变得寂然无声？也许在向你解释清楚我为什么保持沉默之后，你便能跨越时间的阻隔，再回到我的面前。

我一直生活在书籍和语言的世界里。他们仿佛把我监禁起来，使我处于困惑之中。时间，现实，句法结构，这些便是我那间牢房的铁栏杆。完全由词汇组成的内心生活只能证明是一种极大的痛苦。难道这就是一个人为了实现自己的另一种存在而必须付出的代价？我开始纳闷，云山是否就是我这种存在的原因？他是不是在沉默中创造了我？因此，没有他的声音，我便可以发现自己的声音？

整整三年，我学习如何把握生命的航船。学校的津贴极其有限，只是因为伊迪娜慷慨解囊，经常接济，才使得生活勉强可以维持。这三年，我刻苦攻读必修的课程，还上夜校。学习对于我来说，最基础也最重要的是汉语。三年来，我一直住在城里，见证着星移斗转，季节交替；经历着暴风雨抽打高层建筑、大海变得狂暴不羁的时刻。闷热的下午，我们被炎炎赤日烤灼着，大卡车将尾气排放到凝滞了的空气之中。从篱笆那边飘过来男人们的叫喊声、邻居们的争吵声和郊区居民持续不断、单调沉闷的说话声。

我回到伊迪娜那儿的时候，惊讶地发现原先那些参天大树都被砍倒。她那幢房子没遮没拦，矗立在明媚的阳光之下，圆木整整齐齐垛在门口。我敲了敲门，一个面皮黝黑、没刮胡子、身穿伐木工绿色夹克衫的男人把门打开。伊迪娜站在他的身后，眯细一双近视眼，吃力地瞅着我。这情景又让我吃了一惊。伊迪娜有些不好意思地微笑着，把我介绍给费兹帕特里克。

"费兹现在跟我们一起住了。"她说，脸上又露出一丝微笑。我在心里琢磨这个"我们"的含义，又想起几年前的那个夜晚。

我没在那儿住。费兹帕特里克其实挺不错，不像我想的那么粗暴无礼。他不怎么说话，一下午一直独自待着喝威士忌，有时候出人意料地说几句评论社会主义的话。他们请求我住下来，我没有接受，当晚离开，心里有一种怅然若失的感觉。我开着汽车沿屋前那条土路扬长而去，车灯的光亮惊起几只野兔。我想，正是周围的景物使我心中的惆怅愈发强烈。我本来想在这儿找到一个庇护所，可是此刻，一片寂静之中，我的心里有千言万语却无法诉说。于是一场言语与土地的争斗在这里展开。这场争斗使我如此愤怒！

也许就是这个原因，使得我在一个地方申请到第一份教书的工作。那个地方的思想和存在与虚无有关，而它的语言又束缚着人的存在。

他们把我分配到巴黎附近的一个犹太居民区工作。那儿四周都是墓地。这一年，我懂得了独居的含义。我一天到晚待在屋子里，看漫天飞舞的风雨和雪片，还有挂在窗户外面的干香肠。这一年，我体验了精神生活、印度大麻、无政府主义，以及大声朗读外语的课堂。这一年，我走遍了那所很大的混凝土建造的学校的每一条走廊，寻找那些吵吵嚷嚷的学生，把他们赶回到教室里，一排排地坐好。他们有的头戴贝雷帽，有的围着围巾，有的穿着雨水打湿的毛衣。整整一年，我听惯了日光灯持续不断的嗡嗡声。大清早上课时，走惯了黑魆魆的大街，闻惯了黑色烟草浓烈的气味。吃午饭的时候，同事们无所顾忌地大讲笑话，我竖起耳朵用心地听着。他们还拉我到温暖的、空气闷浊的小酒店喝酒。整整一年，我读书、谈话，学习如何卷起舌头说这种语言。

我一次也没有感到孤独，也不觉得有退避到我的“撒哈拉沙漠”中那块绿洲的需要。我一次也没有透过某个小孔去窥视这个世界。我就在广阔的天地之间注视着每一样东西。所以，很奇怪，我竟会怀念那块不毛之地，就像那里还有什么未尽事宜，还有可以给我力量的什么东西。

那么，难道不是责任感或者无政府主义促使我在一个冬天漆黑的早晨走出学校的大门，搭上开往海峡港口的火车？迈开第一步便有第二步。我已经无法控制自己的行为，对此我倒深信不疑。

海关官员手里拿着我的护照，看了我好一阵子。排在后面的一位黑人姑娘大声嚷嚷。他转过脸朝我说了几句什么。我还没来得及纠正他的错误，他就朝我挥了挥手，放我过去。我本来想说 ABC 的意思是出生在澳大利亚的华人。吵吵嚷嚷的声音愈来愈高。走进一个国家就像走进生活本身，是一件痛苦的事情。

我坐在开往伦敦的火车里。这个分隔间里只有我自己，尽管站台上聚集着一大群人。他们一个挨一个挤在一起，就像流水作业线一端的一大堆瓶子。

火车慢慢地开动了。突然，分隔间的门被打开，进来一个块头很大的黑发女人。她背朝我进来时，我最先看到的是她的后脑勺——门是被手里拿着的两个很大的箱子撞开的，胳膊下面还夹着两个挺大的画框。她穿一件黑斗篷，碍手碍脚，我去帮忙，她回转身。此人长得不算漂亮，但挺迷人。眉毛描得挺重，脸颊搽着胭脂，红红的嘴唇很宽，就像一朵很大的玫瑰，微笑时露出洁白的牙齿，看起来几乎有点像马戏团的小丑。

“谢谢！”我的脖子感觉到她热乎乎的呼吸。弯腰提箱子的时候还闻见一股大蒜味儿。我们俩站立不稳，撞到一起，最后终于在座位上坐了下来。

“我叫范蒂玛。”她说，向我伸出一只潮乎乎、冷冰冰的手。另一只手解开斗篷的扣子，高高隆起的胸脯随着呼吸起伏。

“我叫西默斯·欧阳。”

“你是澳大利亚人？”

“你怎么知道？”

“从你的口音一下子就听了出来。”

“这么说，你一定也是澳大利亚人了？”

“悉尼。”

“哦，太妙了！”

“悉尼？”

“不，我们俩碰到一块儿太妙了。”

“不见得吧，澳大利亚人哪儿都有。”

“不，我的意思是，你的名字挺古怪，范蒂玛。”

“我的母亲是葡萄牙人，我的全称应该是范蒂敏娜。太拗口。我是画画儿的。”

“哦？”

“别人称之为艺术家，可我宁愿管自己叫‘画画儿的’。这样更准确。”

火车吭哧吭哧地穿过暴风雪。我被范蒂玛迷住了，她慢慢地编织起一张迷人的网。说话的神气，明眸的顾盼，红唇的翕动，以及每一个姿势动作，都叫人心醉神迷。她的眼睛是深绿色的，直瞪瞪地望着我，吞没了我的凝视。一阵长长的沉默。她递给我一块巧克力，突然说：“我想画画你。” 这话真让人泄气。

年轻的艺术家对我从来没有什么吸引力的原因之一，就是他们的语言永远叫你失望。

“说到这事儿，我可不喜欢被人画，或者被人拍照。”

“为什么？你害怕你自己？”

“恰恰相反，我只是讨厌被人看见。”

“真遗憾。”

“我从来不觉得有什么可遗憾的。”

“我想，你应该被人看到。”

“为什么？让谁看？”

“当然是让所有的人。一个蓝眼睛、白头发的华人可是少见，也许你是个患白化病的人……那就更有趣了。”

“我是未老先衰，医生也搞不清楚怎么回事。我当然是指这满头白发。”

“听我说，别误解我的意思。我并不是……”

“没什么。”

我喜欢她说话时的神情，至于说什么倒无关紧要。

“我的意思是，应当加以研究的不是绘画的对象，而是绘画的过程，或者绘画的依据。对象只是被研究的一部分。比如说，在你这种情况下，你的画像在时代、种族，或者记忆这诸多方面能反映些什么呢？”

范蒂玛的神情使我想起伊迪娜。为了使自己从一种令人困窘的亲密中解脱，她喜欢一头钻到理论里面去空谈。在理论这个范畴，什么都是可能的。于是，情感的冲动便可以被那些不带感情色彩的字眼儿重新禁锢起来。

“身体用紧绷着的线条表现自己，”她继续说，“用无形的、不被展示的渴望表现自己。永远不该认为你是被别人看见，而是你吸引了别人。”

外套口袋里装着什么，硌得我很不舒服。我站起来把外套脱下来，从一个口袋里找到一大块巧克力。不知道它的形状为什么那么难看。我一分为二，把掰成三角形的巧克力送到她的面前。她没有要。

“这玩意儿不能多吃。”她说。

火车似乎放慢了速度。

“此外，画家甚至根本就不应该总想着自己的画儿被别人看。这才是它真正的价值。你难道不这样认为吗？” 她来了个欧洲式的“反义疑问句”。我纳闷她在欧洲住了多久？不等我回答，她又滔滔不绝地说下去。

“尽管你不愿意被别人看到，实际上你还是被人看到并且被人注意了。始终是这样。你是无意之中建立起来的“档案”的一部分。你深深地印在人们的脑海里。随着时间的流逝，你被人忘却（有时候几乎是立刻便被人忘得无影无踪），不复存在。艺术也一样，为记忆而创作。尽管人们总是喜欢故弄玄虚，把这个过程称之为艺术家无意识的行为。一个画家可以凭借记忆勾勒出一张脸。作画过程中又把自己的风格、自己的个性赋予那张面孔。因此，这个过程最终是对绘画对象生命的颂扬和肯定。你在与别人的相处当中难道没有这样的体验？你对于他们的记忆难道不是他们生命的延续？”

“是的，这是显而易见的，不过……”

“不过什么？艺术就是这样显而易见，明明白白。艺术是人类思想、行为、感觉的记录。这里只有两个主题：生与死。

就拿摄影来说吧，那是死的记录。那一瞬间，拍照的一瞬间，死一样的寂静。照片上面的人是死的。美术作品从抽象的概念脱颖而出，画家的思想和智慧仍然保留在画面上，新鲜之感不会因时间的流逝而有丝毫的衰减。”

她口若悬河，充满激情，比比画画。也许她对于我的缺乏互动而感到恼怒，其实我被她完全迷住了。她红唇的开启、明眸的回转、脸上的表情、红裙上的双乳、揪扯袖子上松紧带的动作，和那双十分秀气的穿高跟拖鞋的脚都令我销魂。

我一直沉湎于对范蒂玛的赞赏之中，竟没有意识到她已经停下话头。突然，她说了一句“请原谅”，从座位上站起来，踉踉跄跄地向门口走去。她走得很快，眨眼间便消失在过道那边。分隔间里留下一股淡淡的香水味儿和大蒜的气味。

她的话激发了我的想象力。我想起云山，并且试图在心底描摹那张脸。突然，我的思路被打断，一个中年男子手里提着一只箱子闯进我们这节车厢。他穿一件粗花呢外套，喘着粗气，朝我笑了笑。他很和善，但脸上笼罩着一层悲哀，也许因为他眼帘低垂、眉毛很浓，鼻子有点弯曲的缘故。我想起范蒂玛的话。

火车停了下来。那个男人闷闷不乐地望着窗外一辆陷入雪坑的洗衣店的运货车，望着飞快空转的车轮和排出来的一团团尾气。他把胳膊肘倚在车窗上，一根细长的手指拢着鬓角的白头发（手指尖儿被尼古丁熏得焦黄）。我让他吃我的巧克力。

“不，谢谢。”他微笑着说。我听出他是法国人。他向我伸出一只手。我握了握。那只手干燥、温暖、柔软。

“西默斯·欧阳。”我说。

“巴塞斯·罗兰。”

在火车再次开动之后，他站起来道歉说自己走错了车厢。也许他一直在寻找一个幽静的地方。我挡住包厢的拉门以免其滑动撞到他的身上。

我穿上外套，向过道那面的餐车走去。窗外是一片银白的世界。黑脸绵羊站在雪地里凝望着火车。我觉得有点头晕，肚子饿得咕咕直响。过道尽头是洗手间，门上的旋钮写着“无人”，我便推开那扇小门。

范蒂玛正蹲坐在那里，裙子一直撩到大腿根，手和胳膊从下面托着红裙，长筒袜卷到脚踝。她朝我笑了笑。我赶紧关上门，想从外面把门拴上，用小刀使劲拨弄旋钮上的字。可是火车不停地颠簸，根本无法把门拴上，却把旋钮划坏了，而且又一次把门推开了。我匆匆忙忙向餐车走去。火车正驶过一座冰封雪冻的小城。

餐车里人很多，我只好又返回到我的车厢。我把一双手插到外套口袋里，靠两只胳膊肘保持身体的平衡。我的手触到一个厚厚的信封。这是临离学校时从我的信箱里拿到的一封信。我慢慢打开，取出用橡皮筋勒着的一叠黄纸，立刻明白了这是什么。

亲爱的西默斯：

我想你一定想要这些东西。那天，费兹和我打扫那间闲置无用的屋子，在那个旧短脚衣橱的抽屉之间，发现了这个本子。我们希望尽量把全部资料都交给你，可惜已经让老鼠咬坏许多。门上镶着的那面大镜子后头也有几张。大概是什么人用来垫镜子的。这几张纸已经很脏，而且拿到手里就碎了……但愿你能从中发现些有趣的事情。

你不觉得冷吗？听说欧洲的天气糟透了……

我看了看那叠黄纸。毫无疑问，是云山的笔迹。我小心翼翼地叠好，又放回到信封里。有几片纸屑还粘在手指上。

范蒂玛笑吟吟地回来了。“瞧，”她说，“我给你带回一个三明治。我知道你不想到餐车吃饭，挤得要命。”

她紧挨我坐下，递给我一个用塑料薄膜包着的三明治。

他抱着一个茶叶箱子游上岸，精疲力竭，浑身湿透，被水母蛰得伤痕累累，还散发着海草的恶臭。他躺在一座名叫鲁布①的小城下面的海滩上，头发间残留着茶叶甜丝丝的香味。对于骨头都在打战的他，这座小城真是一件充满讽刺意味的“披风”②。

他和别人一起蹒跚着前进。从大海上望过去，他们一定像一群奇怪的动物：抱着寒酸的行李，身后拖着长长的海藻。有的人还挑着担子，袋子里装满从水里捞出来的锅碗瓢盆。这些圆脸盘、留辫子的人好像是从另外一个星球降临到这里。当地的居民成群结队地跑来，站在海滨沙丘上目瞪口呆地望着他们。

①鲁布：澳大利亚南部港市。

②充满讽刺意味的“披风”：原文为robe，意为“袍罩”“披风”，而上文所说的小城鲁布也是Robe，故有此说。

他们站在或者蹲在沙滩上，风渐渐吹干身上的衣裳。没有一个人淹死。有的人像他一样在水里半游半漂地挣扎了三英里，一直抵达海岸。其他人被当地的渔船救了起来。对于那些不会游泳的人，船主实在是恩重如山。

那是漫长的一天。他浑身颤抖。下午，炫目的阳光穿透他的脑袋，好像死神降临的不祥之兆。傍晚，冷风习习，那荒凉与粗砺让人眼花缭乱。大地散发着一股桉树的气味，就像他的同胞们在头晕时候抹的清凉油，或者给死人抹的香脂的气味，使人想起混沌初开的阴森、怪诞的年代。脸上的海水被晒干，留下一层细细的盐。他在离海滩不远的灌木丛中支起一座帐篷。大个子上海人和另外两个人也合伙搭起一座帐篷。他们把竹扁担插到地上，把一块船帆搭到上面。吃了一顿米饭和设法从当地农民那儿买来的蔬菜之后，他们便安顿下来准备过夜。

在陆地上的感觉还是不错的，云山心里想，尽管因为这些日子一直在大海航行，此刻他好像仍然置身于一艘大船之上，在波峰浪谷间颠簸。四个人坐在篝火旁边，仰头望参天大树和晴朗的夜空。他们都默然无语，努力想象接下来还要走的漫漫旅途。然而很难想出徒步跋涉四五百英里将是怎样一番情景。

月光如水照山石，
吾自悲凉拥紫泥。
鬼魂犹在生余悸，
惊涛拍岸空叹息。

早晨，云山的诗在温暖的篝火旁边瑟瑟抖动。微风吹过，惊动了溪谷里面露宿的人们。篝火升起，袅袅青烟在山峦间懒懒地飘忽。木柴噼噼啪啪地爆响，就像早晨碎裂的冰。云山听见一把把斧头劈砍朽木的咚咚声。帐篷那边，上海人跳起脚踩断一根枯树枝。

海滩上，人们都在捡海水冲上来的浮木。远处，一个黑魆魆的人影越走越近。他沿着沙丘蹒跚，小心翼翼地迈过浮木，向海滩上的人们走来。大伙儿都停下捡木头的活计，三五成群地聚集到一起，朝那个人指指画画。很快他们就看清了那人。他是华人，穿的却是西装。他穿着长长的燕尾服，裤子塞在长及膝盖的、亮光闪闪的靴子里。每一次陷到沙子里，他都要拔出靴子，在裤腿上蹭掉泥沙。他头戴黑色圆顶硬礼帽，手里提着一个毡制旅行包。海滩上的人们对这个仿佛是沙丘里显形的鬼魂般的陌生人都有一种戒备心理。他每一次踩进海滩上的水洼，衣服下摆都要拖到沙子里。他上了年纪，走起路来气喘吁吁，摘下帽子擦额头上的汗水时，大伙儿看见他头发灰白，已经谢顶。

“早上好！”他对正直瞪瞪地望着他的人们说，脸上现出一丝微笑，“我叫大华，这儿的人们管我叫沃勒。我刚从金矿回来。”他说话的时候，不停地摇晃着粗短的手指，显然还不习惯戴那么大的金戒指。

“我挺走运。”他继续说，注意到大伙儿已经肃然起敬。

“老年人都在哪儿？”他颇有点自命不凡地问道。

大伙儿朝山坡上指了指，并且喊了起来。几个老头从帐篷里钻出来，像田鼠一样，在阳光下眨巴着眼睛。他们虽然衣衫褴褛，但还是颇为庄重地站成一个圆圈，然后在一个堆满烟火熏黑的木头和还闪着点点红光的余烬的土坑四周坐下，准备接待他们的客人。大华走过来，依然站着，直到一个老头朝他打了个手势才坐下。别人也都围拢过来。有人递给大华一瓢热茶。喝了几口之后，一位老头请他讲讲自己的来龙去脉。

“我是从巴拉腊特[①]来的，”他说，“你们瞧见了，我交了好运。有好几年，我连一粒金砂也没有找到。可是后来，我的铁锹只挖了三四下，就挖出挺大一块金子。现在我打算在这一带买块地皮，定居下来。他们管我们华人挖出来的金子叫……一块像你拳头这样大的金子呢！”

人们都围上去看他手上戴的金戒指，一双双眼睛反射出金色的光辉。大华一边端起瓢喝茶，一边说：“那儿还有金子，人们不时挖出一点儿。不过不那么容易。”大伙都笑了，世上没有容易的事情。“是的，买一块地。这是我做梦也想着的事情。我要种菜，还要盖一座大房子，在森林里雕琢自己的生活。”大华有点忘乎所以，几位老头很不自在。

“你来这儿干吗呢？”他们问他。

大华又喝了一口茶，脸上的笑容消失了。再开口说话时，神情很不自然，嘴巴慢慢地翕动着。

“这儿的人对我们中国人很不友好。”他说，“我刚来的时候，发生过不少迫害华人的事件，我们的人被他们打伤。遵守这个国家的规章制度很重要。即使这样，和我们处处为敌的人也还是很多。白人不喜欢别人成功，只希望自己发财。弄上点金子赶快回去……这就是我想跟你们说的。我没什么可牵挂

①巴拉腊特（Ballarat）：澳大利亚东南部，维多利亚州南部港市。

的，光棍一条。可你们有妻室儿女，不要太贪心了。”

老人们频频点头。这话很有道理。大华继续以忠厚长者的身份劝告大家。

“每挖一个月金子就必须花一英镑买一张许可证。可是中国人有几个能买得起这种许可证？所以我们一直被人家辱骂、谴责。白人纷纷议论要成立什么排华组织。就是说，他们要把我们都赶走，并且没收我们的黄金。我想你们也明白，对于我们之中的许多人这就意味着完蛋。你将永远回不了家，永远给人家当奴隶。”

大伙儿听了都吵吵起来。有个老头举起一只手，让人们肃静。过了好一阵他才说：“还有什么要告诉我们的，大华？”

“你们内部应当制订一套规章制度，特别是偷盗应当严格杜绝。在我们那个宿营地，偷东西要打十大板。如果你们内部管理得有条不紊，洋鬼子就很难找茬儿了。他们倒挺有正义感，可那是以他们自己的利益为前提的。旧的习惯势力和所谓公平合理有时候也会产生矛盾。这是一个态度问题。作为人类本性的一部分，像潮水一样有涨有落。第二，他们有句谚语：爱清洁仅次于信上帝。”

大伙儿都笑了起来。

“哦，现在你们尽可以笑，”大华继续说，“可是很快你们就会发现，洋鬼子指责你们污染了水源或者传染了疾病。只要找到一点儿借口，他们就会把你们赶出金矿。”他停了一下，用一块洁白的手帕擦了擦嘴。第三，你们一定不要光头、赤脚，穿得要像白人。别穿我们中国式的裤子。瞧我这副打扮。

他站起来，让大伙儿看他的上衣、靴子。他踮着脚尖儿旋转，一下子失去平衡，手忙脚乱地坐了下来。

“我们没钱买衣服。”老头对他说。大华低头瞅着自个儿的靴子，很是羞愧，不该在同胞面前吹牛。一张黄纸在他的靴子旁边窸窸窣窣地抖动。他用靴尖碰了碰。他在几根圆木间又发现几张，下意识地捡起来，塞进口袋。经过这么多年寻觅黄金的生涯，这已经成为他的“天性”：凡是金黄色的东西都有某种价值。老头站了起来。

“谢谢你的忠告。”他说，一只手放在大华的肩膀上。

“我很高兴，你发了财。你是个非常走运的人。你的来访对我们大伙儿都大有好处。我相信，你给我们带来了好运气。”

人们都散了。大华把喝剩的茶水泼到篝火里，站起来提起旅行包向海滩走去。

走过最后一座帐篷时，他看见有个男人倚在一株大树的树干上。那人朝他打了个手势，让他停下脚步。“我希望你的农场成功。”那人说。大华点了点头。“对了，你能不能告诉我，”那人继续说，“那些白人洋鬼子管我们叫什么？”

“有两种叫法，”大华大声说，头也不回继续走他的路，“从现在起，你就叫‘天朝人’，或者干脆叫‘中国约翰’。”

这话让云山想了好久。这称呼把他搞得心烦意乱。

大华也在琢磨一个名字。他的农场一定要取个漂亮的中国名字。他做梦也没有想到，一个世纪以后，他的农场会被人叫作“双树林”。

“我们在鲁布停留了两天，跟当地居民交换或者购买食品，为前面漫长的征途做准备。这儿的人对我们很友好，也乐意帮忙。看起来他们对我们带来的生姜很感兴趣。我们便拿这玩意儿跟他们换东西。还有些人为了‘医药的目的’，对我们带来的鸦片表现出浓厚的兴趣。我们还没能找到一位带我们去巴拉腊特的向导。当地人都不愿意冒这个险——带领一百名‘天朝人’，千里迢迢去‘朝拜’金山。

“我有三个伙伴。大个子上海人——他姓朱——是个‘乐天派’，也是个特别勤快、能干的人。每天的重活儿：劈柴、挑水都是他干。另外两个比他差一点。老王是个长相诡诈的北方人，满脸麻子，爱抽大烟。谈起赌博和走私滔滔不绝。阿盼——我们当中年纪最小的一个——是个长得挺可爱的小伙子。他总是想入非非，干实际事儿却不中用，尽管很努力。他一天到晚哼哼唧唧地唱我们熟悉的家乡民歌，在精神上给了我们很大的抚慰。

“我们四个人合伙买了几个铁盘、一个淘金用的吊桶、一把镐、一把锹和几双结实的靴子。起初靴子把脚挤得生痛，可是想起大华的话，只好咬牙忍着，脚趾上磨出很大的水泡也不吭声。

“终于有人表示愿意带我们去巴拉腊特。是个黄头发爱尔兰人。他对我们大敲竹杠，还说只是要点儿‘小费’。我们一百多个人设法给他凑了五十英镑。

“‘从这儿到金矿岔路很多，’爱尔兰人说，‘找我带路算你们走运。’他说话时爱斜着眼看人。我们谁都不信任他。‘最近一个时期，成千的罪犯在路上抢劫像你们这样的穷鬼。’

“他说的很对。离开鲁布两天之后，这个骗子便逃得无影无踪。”

回到悉尼之后，我和范蒂玛在一个灰不溜秋的登记处登记结婚。办公室里摆着一溜档案柜，散发着消毒剂的气味。那天晴朗无云，范蒂玛因为快活或者因为伤感嘤嘤啜泣。她看起来就像一朵巨大的蓝绣球花，喷洒着细微的水珠。她的睫毛油是蓝色的，唇膏是蓝色的，头发也染成蓝色。

“我非常紧张。”她说，穿着一条薄薄的蓝裙子，浑身颤抖。蓝颜色的高跟鞋好像随时都要折断。

“范蒂玛·弗南达，”神父拖着长调问，“你愿意嫁给这个男人吗……”

事情就这样办完了，她在证书上签了字：范蒂玛·弗南达·芬戈尔德。

突然，天下起雨。刚才天儿还很好，天空湛蓝，没有一丝云彩。“猴子的婚礼。”范蒂玛说。过去，逢着这样的天气，伊迪娜经常说：“再咂巴点儿猴子喜欢的玩意儿。”那意思是，午饭前再喝一瓶白兰地。她寄来一张祝贺我们新婚之喜的卡片，还有一张支票。卡片后面用回形针别着一叠黄纸。

他们沿着黄土大道颠簸前进，为了避开车辙和坑洼，不时把担子从一个肩膀换到另一个肩膀。两边的行李随着脚步的节奏上下颤动，竹扁担也颤颤悠悠。每经过一个小镇，当地居民都倾巢出动，好奇地看这群身穿蓝布衫的圆脸盘“天朝人”。

他很不习惯他们的凝视。他自尊心太强，觉得这是一种耻辱，他认为他们单把他挑出来细瞅，恨不得钻进那圆脸盘组成的“海洋”。在那儿他可以“隐姓埋名”，获得一种安全感。

其实，他错了。他们当然不是单单看他。他纳闷别人心里怎么想。也许无知使得他们不像他那样害羞、那样敏感。

“我又一次感觉到自己与众不同。我开始怀疑来这儿的动机。难道我真是为了冒险，为了寻找黄金吗?

“阿盼挑着担子走在我的前头。虽然天气炎热，不时抱怨几句，但他还是不住嘴地唱着歌儿。苍蝇跟在旁边，嗡嗡嗡地叫着，好像为他伴奏。我得以幸存，仅仅因为和自己的同胞在一起。可是一开口和他们说话，又觉得那么痛苦。因为我和他们的信仰相去甚远。我和他们共享一切，除了思想。亲爱的读者，我把这一切都留给你，希望得到你的理解。”

刚和范蒂玛结婚的那几个月，云山顶着炎炎赤日向巴拉腊特跋涉前进的情景在我眼前栩栩如生。他的手稿似乎不仅仅是被删节了的思想的记录，而是一卷电影胶片，每一个人物都活灵活现地出现在我的眼前。我真切地感受到并且想象出潜藏在那一笔一画背后的沉思与冥想。应当说，这是范蒂玛教给我的一种技巧。范蒂玛教给我许多观察事物的方法，而对此我过去一窍不通。她给我的馈赠使我清理出一条认识自己、发现自己的道路。

范蒂玛和我从来没有真正从性的角度去相互发现。我们总是努力寻觅使我们的心灵而不是肉体结合的道路。也许这就是我们结婚的原因。我们的生活安排得充满理性，看起来并不怎么动真情。范蒂玛难以捉摸的体态与神色，她的动作和姿势都深深地吸引着我，但是不能刺激得我用肉体去表达心中炽热的爱。而她对异性的爱抚似乎采取完全排斥的态度。尽管她总是急匆匆地暗示你，并不因此而拒绝性爱。

起初，这样一种关系看起来简直不可能存在。可是慢慢地我认识到“此处无声胜有声”。只有在什么都不曾发生的情况下，才能获得一种巨大的满足。没有肉体的接触，没有过分的亲近，没有任何性爱的可能，才为我创造出范蒂玛的完美。只有在克制的过程中，我才完全彻底地认识了她。

也许这一切都是偶然发生的，我肯定从墙缝或者门缝里瞥见过什么。有一次我看见她一丝不挂地躺在床上，做出不同的姿势：用胳膊肘和膝盖支撑着身体，悬垂的乳房轻轻地触摸着丝绸床单。或者在镜子前头摆出一个姿势，一只手轻轻地遮住大腿中间黑黑的隐秘。

我不知道她是否发觉我在看她。直到那时，先前那些支离破碎的片断才形成一个完整的形象。我记得她说过，一个人不该总觉得自己的身体被人观看，甚至不应当生出看的念头。正是这种无意中看到的场面，这种不曾谋划的“观淫癖”，显示了我们之间的性关系，成为偶然的、肉欲的见证。这便是她给予我的馈赠。突然间，我意识到过去我看到那种场面时总是有一种莫名其妙的力量控制住自己。而现在，我清楚地意识到我完全掌控和克制自己的感情。与范蒂玛的婚姻使我获得了争取这种错位的性关系的执照。这是一种合法的“观淫癖”。在贞操和手淫这二者之间有一条界线。这种观念的原始形式其实并不新鲜。多少个世纪以来，听取忏悔的神父一直练习这套“专业用语”。据说如果贞洁占了上风，就能把你领向光明。否则等待你的便是黑暗。

清晨，克兰西从他那幢土坯垒起的小院走出来，扯了扯裤子，抬起头看着低低的屋顶。一只挺大的黑白相间的鸟在干净、整齐的屋顶草皮上啄食着什么。它旋了一个圈，又飞回来，拍打着一双翅膀，歪着脑袋，圆溜溜的眼睛直瞪瞪地望着下面这个男人。克兰西从地上捡起一块石子，慢慢地瞄准，然后十分熟练地甩开胳膊，几乎呈水平线将石子扔出去。

“滚，你这个浑蛋！”他笑着说，石子呼啸着，在距离鸟尾巴一英寸远的地方落下。鸟儿使劲拍打着翅膀，灰溜溜地飞走了。

茅屋狭小的窗口出现一幅不常见的图画，一条金黄色的辫子垂在洁白的睡袍上。

“你欺负它！”一个甜甜的、柔柔的声音像早晨的露水，从狭窄的窗口流出，取笑他。光那几个音节就包蕴着极其优美的旋律。

克兰西咧着嘴笑，露出稀稀拉拉的白牙。他又提了提裤子，向外面的厕所走去。厕所用圆木垒成，地上挖了个坑，上面搭了两根木头。他骑在木头上，裤子耷拉在靴子上。他今天心情格外好。好几年都没有这样好过。不知道这是为什么。

自从三年前发生“尤里卡事件”[①]以来，他一直非常沮丧。往事又一幕幕在脑海闪过。想起那年十一月最后一个星期四，

---

①尤里卡事件：1854 年发生在澳大利亚巴拉腊特矿区的起义，旨在反对政府当局颁发采矿许可证的错误政策。1854 年 12 月 3 日被政府军镇压。

站在漂亮的旗帜下宣誓，他的心又剧烈地跳动起来。“我们以‘南十字座’的名义宣誓，精诚团结，为保卫我们的权利和解放而奋斗！”

他觉得舌头又酸又痛，暗问自己，现在再大谈“权利”“解放”还有什么意义呢？一条毛毛虫慢慢爬过面前那堵圆木垒成的墙。耳边又响起一片呐喊声，那是把不同种族的人们都联合起来的声音，但是很快又变成没有意义的字眼儿，变成“通天塔”[①]上的一面旗子。呐喊声渐渐远去，他又听见受伤的人和要死的人痛苦的惨叫和呻吟。刺刀一次次穿透他们的血肉之躯。那情景十分可怕。他们没有组织，没有训练，对无情的现实也没有正确的了解。几个像他这样的理想主义者蜷缩到帐篷里面。他们的同志在掩体里惨叫着，任凭女王陛下的部队杀戮。他捂住耳朵，叫喊声越来越大，毛毛虫以一种令人恼怒的缓慢向墙上的一条裂缝蠕动。一股烂白菜似的腐臭从他那白屁股下面的茅坑升起。

克兰西把刚才的快乐忘到脑后。他知道自己是个什么事儿也干不成的无用之人，而这种自我认知折磨着他。理想主义的基础坍塌了，他变得一蹶不振。他渴望自己有一种一呼百应的力量。呐喊声震荡着他的耳鼓。他从圆木中间的缝隙望过去。

他并非做梦。叫喊声从森林那边传来，从绕过他的茅屋的那条大路传来。那路一直通往巴拉腊特。他看见一条由头戴草帽的人组成的蓝色的长蛇逶迤而来。他们边走边说话，声音就像一百把小提琴一起调音时发出的响声。毛毛虫堵住墙上的缝

①通天塔：《圣经》中古巴比伦人建筑未成的通天塔，比喻空想的计划。

隙，叫喊声却不绝于耳。

“又来了些可恨的天朝人。”他恶狠狠地说。

清朝中国人，
坐在木头上。
青蛙当香肠，
怪事一大桩。

我是个牺牲品，也是个食人者。既被人迫害又不乏壮丽，既愚昧又神秘，既受到威胁又让人摸不清底细。在学校的时候，既是牺牲品又是食人者。我因神秘的野蛮而受人尊敬，因低人一等而被奚落。我是笼中困兽，凝视着外面的世界。我的高深莫测很快便变得不再神秘。

有一天下午，实验室里只剩下我自己，别人都回家去了。旁边那个房间传来清洁工的说话声、挪椅子和划火柴点香烟的声音。他们忘了锁实验室。我发现上生物课用的青蛙标本。老师把它扔到洗涤槽里。我把它吃了。青蛙有一股海草味儿，像鸡肉蘸鱼子酱，还有一股鱼塘里烂泥的余味儿。

现在，回到澳大利亚教书的时候，我又在走廊里听见从前在孤儿院里听过的童谣。在一个得奖的小学生的练习本上，我看见前一篇作文下面写着这样一句话：“欧阳是个下流的斜眼儿。”

那个女人也看见他们走了过来。她一动不动站在窗前，宛若某位前拉斐尔时期画派的画家笔下的妇人。第一缕阳光照射过来，仿佛在她的头发上撒了一层金色的粉末，闪闪发光。她的嘴唇苍白，轻轻颤抖，正要喊克兰西，又改变了主意。她快步走进卧室——这幢棚屋唯一的卧室——换上一件长裙，披上斗篷，戴上帽子，从后门出去，跑上山顶。这座小山因为最近胡乱开采，到处是坑。

她望着渐渐走近的队伍。走到小山包下面那段路的时候，他们都闭上嘴巴不再说话。几个老头——这群人的首领仰起戴着草帽的头，笑眯眯地望着她。她注意到他们的脸因为风吹日晒，皮肤粗糙，疙疙瘩瘩。她朝他们笑了笑。几个老头停下脚步。队伍像一架六角手风琴慢慢合拢。人们停下脚步，往旁边闪了闪，一位青年走上前来。

“到巴拉腊特是这条路吗？”他非常认真地咬着每一个音节，指了指前面的路。年轻妇人点了点头。

“不远了。”她说。她意识到自己只说了简简单单三个字，好像再多说什么他们便听不懂了。这个青年男子眉清目秀，皮肤光滑，向她微笑时洁白的牙齿一闪一闪，她一下子动了恻隐之心。

突然，她听见身后传来一阵吵闹声。她回过头，看见克兰西正手提裤子，急匆匆爬上山来。

“他们要干什么？”他朝她喊道。

“问去巴拉腊特的路。”她轻柔地说。他的粗暴还没有立刻在她身上起作用。他气喘吁吁爬上山顶，用绳子系上裤腰。

“滚！你们这些浑蛋！”他突然大叫起来。“没有金子！”他朝他们嚷嚷。“没有金子！从哪儿来滚哪儿去！”他朝他们挥舞着双臂。那群中国人没有听懂他的叫骂，依然微笑着。

他挥舞着拳头蹦高："讨厌的寄生虫！"

年轻人走回到队伍里。他们挑起担子继续前进。他们都不说话了，脸上的微笑也渐渐消失。克兰西恶狠狠地推着年轻妇人，向茅屋走去。

范蒂玛获得了比她最野心勃勃的美梦还要巨大的成功。短短几年，她就成了一位引人注目的画商，并且在富人区拥有一座规模不大的画廊。她一天到晚啃糕饼，喝雪莉酒，挂画。她的生活已经开始和我"分道扬镳"。

我不愿意到她的朋友圈儿里穷搅和。我听不明白他们讲的那些事情，宁愿看他们的画儿。我发现他们想象中的世界和我的世界有诸多相似之处。他们的思想和我的思想一样杂乱无章，自相矛盾。可是作为一种心理活动，我们之间没有相互沟通的可能。

有些人的所作所为我尚可理解。当然是指那些比较好的先生。有时候，我们的灵魂甚至产生某种共鸣：嘟哝着表示谢意，啜饮料发出轻微的响声，茫然若失地注视着什么。仅此而已。另外一些人，我相信仅仅因为我是范蒂玛的丈夫，才勉强容忍我的存在。

员工洗手间里白色洗手池上方挂着一面镜子。我从镜子里面看见自己脸上的皱纹，大皱纹的末端又以合适的角度放射出小皱纹，纵横交错，将我的皮肤分割成若干个四边形。这是一张与公路图相差无几的脸，就像奥登[1]。微笑时皱纹显得更密。我的头发也已灰白，一副未老先衰的样子。

一股强劲的西风在吹。从窗口望去，我看见一团黄尘刮进四方大院，又沿着甬道旋卷而去。孩子们的小脑袋沿着教室的窗台齐刷刷排成一溜儿。连我自己也说不清楚待在这儿干什么。

那张布满皱纹的脸凝望着我。我把手伸到口袋里，那里面有一张纸，整齐地对折起来。这是一份辞职申请，已经在身上装了好几天。

我把申请书装进另外一个口袋，这样似乎更舒服一点，然后向校长办公室走去。

就在我下定决心的时候，尘土迷了眼。明天我就开始忌口，恢复体力。

“你说，你哪儿有毛病？”

“我得了地中海贫血病。”

“什么？”

“这是一种血液病。和一般的贫血差不多，是一种遗传性疾病。地中海地区的人很容易得这种病，此外还有中国、印度尼西亚和印度。这种病从希腊词Cthalass得名，意思是‘大海’。其病症为先天性愚型。脾脏变大，双眼皮，塌鼻梁，可以置人于死命。”

“我明白了。”校长眼里闪过一丝亮光。事实又一次证明

①奥登（W . H . Auden, 1907—1973）：住在美国的英国诗人、剧作家。

了他的正确：东方人是疾病的传播者。

“这种病特别容易传染。”这是假话。

“嗯……”

他吓了一跳，赶紧往椅子后面靠了靠。不过这情有可原，他是校长，不是医生。

“传给那些关系密切、经常待在一起的人。”

“好了，您别说了。把辞职书留下吧，谢谢。”他不想把谈话继续下去，“再见！”

我走出办公室，走过操场，出了校门。觉得自己足有一百岁。这是我的孤独的开始。

医生 Z: 请你讲讲他平常的生活习惯。

范蒂玛：他清早起来，煮不少茉莉花茶，灌满暖瓶，就把自己反锁在屋里。

Z：他一整天都待在屋里吗?

范：我也说不上。因为我每天早晨九点离家，下午六点才回来。反正我回来时，他的门还从里面锁着。

Z：你没有想办法弄清他在屋里干些什么吗?

范：有一次我从锁眼里看他——他拔出钥匙之后。看见他坐在书桌旁边，好像正在冥想。

Z：冥想?

范：是的。他前后摇晃着，嘴里念念有词，还不时哼哼着什么。

Z：他不出来吃东西吗?厨房里有没有他吃剩的东西或者用过的盘子?

范：哦，没有。他说他是和尚，要永远过斋戒生活。有时候我在垃圾桶里发现一个苹果核，仅此而已。

Z：屋子里有什么东西可以说明他沉思默想的内容吗？

范：有一天早晨，我早早地溜进他的房间，发现桌子上放着一摞黄纸。他一定正用透明的塑料薄膜一张一张地包那些纸。我记得有一天他曾让店里送来整整一卷这种薄膜。

Z：我明白了。那些纸是什么样的？

范：我已经说过，是黄色的，像他的护照那样大小。他总是随身带着这些黄纸，上面用黑墨水写着中国字。这些纸已经日久年深，有的碎成一片一片。我想这正是他精心保护它们的原因。这些纸对于他似乎有一种神奇的力量，他总是把它们装在睡袍口袋里寸步不离。而那件旧睡袍他一年到头穿在身上，从来不换。他这副模样我看了就心烦。我想，他大概喜欢这种伤病员式的装束。

Z：他说过这些纸是什么玩意儿吗？

范：没有，从来没有。这些日子他几乎什么话都不说，煮好茶就没影儿了。有时候我觉得他在偷偷观察我，从眼角瞅我，简直让我毛骨悚然。真不明白我干吗让他这样不理不睬。

“这儿有一条溪谷，稀稀拉拉地长着一些桉树。四周支起不少灰色和棕色的帆布帐篷。这儿的地已经翻了个遍，就像一群巨大的啮齿动物在谷底露营。一支大军在山上安营扎寨。我们的脚上粘满泥巴和黏土。在这一片泥泞中走一会儿就累得够呛，抵得上在坚硬的道路上走一天。

“四轮运货马车从宿营地鱼贯而出。可是除了晴朗的天空和在我前头坚忍不拔地走着的老朱那爬满苍蝇的脊背，我装作什么也没有看见。我的心格外宁静。一种无可名状的感情深深地触动了我的心，这种感受都出乎自己的预料。山坡上传来一阵叫喊声。

白人辱骂我们，拿我们寻开心。我感到非常奇怪，为什么人们为自己寻找欢乐的时候，伤害别人的禀性那么容易变得肆无忌惮？他们醉醺醺的叫喊声直冲转瞬之间变得朦朦胧胧的天空。

“他们让我们在一片林中空地停下，命令我们拿出许可证。后来分配给我们一块山下的空地。三英里以外有一股泉水。可是白人不准我们去那儿打水。我们只能花钱买水—— 一先令一桶。

“薄暮时分，我们紧挨先前搭好的帐篷搭起自个儿的帐篷。多年未见的朋友在这里相遇，可是谁都没有令人愉快的消息告诉对方。诉说的都是充满艰难和辛酸的故事。我已经发现宿营地背后的山顶上有三座坟墓。哦，人的生命如此脆弱！三位老人的坟墓，如此寂寞！他们远涉重洋，吃尽千辛万苦，换来的竟是长眠于异国他乡的黄土之下！

“紧挨那三座坟墓，一群醉鬼在举行一场别开生面的比赛。有一个人手里捏着一块表。他一声令下，醉鬼们开始撒尿——他们在比赛谁尿的时间最长。”

“天亮了，黎明的曙光悄悄地洒在我们身上。我盼望马上就去挖金子。体力劳动真是一桩单纯至极的事情。我挥舞着镐头在八英尺见方的矿坑里挖掘的时候，灵魂得到了净化。我们是翻别人早已挖过的矿渣，可是好像每一粒泥土中都包藏着期待中的闪闪金光。不一会儿，我的两只手就打满水泡。耳边回荡着伙伴们有节奏的挖掘声，我完全陶醉于工作的欢乐之中，并不觉得这疼痛多么难以忍受。老朱喘着粗气紧挨我苦干，阿盼在我身后累得直哎哟。大个子老王往手心里唾口唾沫，好像向大家证明，他是多么愿意踏踏实实地干一天活儿。

“我们干得很苦，工作时间也很长——一天十二个小时。大家轮流往上挑水，每人跑两趟。用吊桶把矿渣吊上来，把来之不易的水倒进去，再用铁锹把涂在上面的泥土、淤渣撇出去，希望有金子沉到水底。与此同时，我们继续挖掘。矿坑越来越深，挖到新土的时候，大伙儿越发仔细搜寻起来。我们手足并用，趴在矿坑里，捡起每一块泥土，又吹又擦，活像觅食的小鸡。

“我们马不停蹄，一口气干了七天，只是中午、晚上吃饭时才歇口气。第八天，我以为老朱突然间被蛇咬了。他像一条受伤的蜈蚣，手里捧着什么，在矿坑里一边打滚，一边叫喊。也许他发疯了。我们把他拉了出来，原来他手心里有两小块黄金。”

“这已经是我们挖金子的第二个星期了。我们拼命干活儿。昨天夜里和今天白天一直在下雨，所有东西都湿透了，包括床铺。矿区成了一片泥沼，蚯蚓在泥泞中窜来窜去。我们冒雨挖土、冲刷。这当儿，空气变得滞重、闷热。雨雾蒙蒙，矿坑外面的景物一点儿也看不清楚。每次放下手里的铁锹，摘下帽子，都发现蜘蛛在帽檐下结网。一株参天古树咔嚓一声被雷电拦腰斩断，跌进溪谷。闪电在绵延起伏的山岭燃烧，沉闷的空气中飘荡着一股火药味儿。树叶从对面山坡上的大树枝头簌簌落下。为了避免矿井坍塌，我们贴着井壁撑起一根根木桩。小溪那边有人放了一枪，几只野鸭拍打着翅膀，从我的头顶掠过。

“这天晚些时候，下起毛毛细雨。天气变得很冷。雨雾中有一个陌生的身影从一座帐篷跑到另一座帐篷。不一会儿便看见他迈开两条罗圈腿向我们这边跑了过来。他在滑溜溜的泥地上直打趔趄。到了我们的矿坑，他便蹲下来说话，虽然大家谁也没有停下手里的活计。

“‘弟兄们，’他说，一双斗鸡眼依次看着每一个人，脸上挂着一丝诡谲的笑（倘若我不曾多看他几眼，我是不会做出这番评论的。我不是一个善于观察别人的人。可我觉得，他的微笑确实应当和‘奸诈’这个字眼儿联系起来。这似乎是他从事的这个行当的标志。如果他那张脸忠厚老实，我们反倒要奇怪了）。我觉得这个人很面熟。

“‘弟兄们，同胞们，’他继续说，‘天气糟透了。在这样的天气干活儿，越干越没劲儿。我们每天做梦都想着家乡，想着等待我们荣归故里的亲人。你们的工作非常辛苦，必需品的供应很不充足。’我们开始为自己的处境感到难过，但是谁也没有搭理他。‘现在你们一定渴望坐在温暖的炉火旁边，渴望穿一身干衣服。我从你们的帐篷看出，你们需要一些很好的帆布，更需要雨靴，也许还需要一件雨衣和一瓶朗姆酒…… 价格都非常合理……’

“我们继续挖掘，只是出于礼貌朝他点点头。他的喋喋不休倒是冲淡了心中的郁闷。

“‘如果你们需要这些东西，就到我在克雷斯威克湾[①]开的杂货店去买。我什么都卖：吊桶、淘金槽，甚至马鞍子。如果你们走运——听说不少人已经发了财——我还可以收购你们的黄金。在这一带，跟我兑换最合算。当然了，我只是照顾自己的同胞。你们千辛万苦来这儿，为的是自己的家庭兴旺发达，为的是中国繁荣昌盛。哦，中国，我们的家乡，如来佛膝盖上的一颗明珠，道教的中心，通往天堂的大门。我还代售船票，开展城际驿车服务，游览墨累河[②]……’

“他又唠唠叨叨说了好一阵子。过了一会儿站起来，对我们听他的唠叨表示谢意，然后匆匆忙忙向另一群人走去，毫无疑问，重复我们刚才听到的这番话去了。

“暮色早早地降临了。我停下手里的活计，很高兴终于可以爬出狭窄的坑道，舒腰展背，活动筋骨，并且享用阿盼在半死不活的篝火上做的米饭。阿盼的脸像一盏灯笼，悬挂在明灭不定的火光之上。繁重的劳动使他那张脸失去了充满稚气的天真。

“‘今天来的那个家伙是谁？’我问阿盼，心想因为今天轮他挑水，满路泥泞，他走得很慢，有机会停下来跟别人闲聊几句，所以或许他知道那人的名字。

“‘他叫阿发，在克雷斯威克湾开了一家杂货店。人们说这家伙是个赌棍和骗子。他卷走家里所有的钱，跑到这儿，把老婆孩子扔在家里不管。’阿盼说。

“难怪我觉得他面熟。昏暗的火光下，阿盼的脸使我想起

①克雷斯威克湾：澳大利亚维多利亚州一小镇。

②墨累河：澳大利亚东南部的河流。

那个被抛弃的女人。她站在黑乎乎的店铺里，怀里抱着一个吃奶的孩子。她像阿盼一样，满脸凄凉，生活的艰辛淹没了稚气未脱的天真。

“如此说来，我的舅舅在这儿，一个坏蛋中的坏蛋，可是看起来混得挺不错。”

云山，经历了一天繁重的体力劳动再坐下来写东西的时候，你一定觉得是件快事。可是对于我，这实在是件苦差事。翻译你的文字的时候，我深深体会到，世俗的观念不允许你把所有想说的话都痛快淋漓地写出来，也体会到你为此而经受了怎样的痛苦。然而这差事是医治我的疾病的万应灵药。这历史的记录使我懂得了生命的意义。

我看见你的父亲在历史的星空闪着明灭不定的光。薄暮时分，花儿吐着幽香。他坐在窗口一边修剪长长的指甲，一边充满激情地背诵那些诗句。

这种对语言的热爱就其本身而言可能是一种怪癖，同时它又支配着我的生活。对于往事的记忆，包括对那位被洪水淹死的小妹妹的记忆都助长了、滋润了我的癖好。湍急的河水中，那死一样的寂静是多么安谧！

我们将在一起为生命而庆祝。我绝对不能让你——云山，湮没于不为人知的旷野之中。我一定要把你密封了的文字公诸于世。至于我自己，将按照老一辈人的方式去生活。生活在过去——拥有一场还没有实现的梦——我的生命因此而将变得非常富有。

云山在巴拉腊特的那一个月里，天气已经变冷。他不曾想到维多利亚州也会这样冷，只带了一条从孩提时代起便盖着的旧棉被。夜晚，薄被无法御寒，他躺在帐篷里牙齿咯咯直响，两腿不停地颤抖。这天，轮他去采买生活必需品。他戴上草帽，穿上破烂的靴子，衣服汗渍斑斑，污泥点点。他一直没能习惯自己身上那股气味。那气味好像泥沼的臭气从他的身上散发出来，挥之不去。而从前，他喜欢自己身上的气味，那是热被窝暖烘烘的气味，是一种熟悉的、给人以安全感的气味。

这是寒冷的冬夜之后一个碧空如洗、阳光明媚的日子。他慢慢地走着，尽情享受温暖的阳光，玩味艰苦的劳动之后明媚早晨带来的温馨。他口袋里装着钱，大声哼着一首歌儿。这是阿盼常唱的那首歌儿，已经牢牢印在他的心底。他的脊背被阳光晒得暖洋洋的。克雷斯威克湾和他的想象大不相同，那里简直是一座帆布帐篷城，住满了忙忙碌碌的中国人。帐篷群里间或有几座木头棚屋，是开铺子的小商贩们的住处。他们的流动性相对而言要小一些。这座小镇甚至已经开始出现一条大街。大街两面是一座座店铺，从镐头到腌生姜用的罐子应有尽有。他注意到不少洋人在铺子里转悠，有的站在铺子外面，看淘金槽是否经久耐用，从泥沙里淘金子的效果如何，或者试验斧头、铁锹是否坚韧。一股甜丝丝的香气扑鼻而来。他已经好长时间没有闻到过这种香味儿了。这是软溜溜的中国豆腐，入口即化。他一下子想起在家乡村子的宁静的下午，肩挑担子的小贩在大街上摆下长凳，生着炉子，放好大锅，然后就用足以和最好的歌手相媲美的声音叫卖刚出锅的豆腐。

他在小城尽头找到一家杂货店。上面挂着一块牌子：

小百货、小五金

业主：萧阿发

他走了进去。店里很黑，各种气味混合在一起：草药味儿，腊肠味儿……柜台后面坐着一个男人，他正在努力用算盘把什么账算清楚，嘴里念念有词，时而意识到算错了账，连连叹息，还把柜台弄得山响。看见云山进来，他停了一下，然后继续打他的算盘。

云山把胳膊放到柜台上，向店铺四周瞥了一眼，说："您好，舅舅。您大概不认识我了，我是您的外甥，云山。" 阿发慢慢抬起头，那些数字还在脑子里闪动，一下子没反应过来这是怎么回事儿。他眨巴着眼睛，惊愕地望着云山，手指继续弹着柜台。

"这么说，你是我的外甥。"他终于拉着长调慢慢说，还点了好几下头。突然，他狠狠地摔了一下算盘。云山吓了一大跳。他站在那儿，目不转睛地盯着舅舅。阿发的脸色又变得温和起来，像往常一样诡谲地微笑着。

"我得拿鞭子抽那小子，"他说，"他就不能给我送点儿正经货！"

他向云山打了个手势，让他过来。

"快来，快来，外甥。欢迎你到巴拉腊特。你看得出，我这儿买卖不好，竞争太激烈。人们都是赊你的东西，很少有人给现钱。"

他停了一下，细细打量着云山，接着说："这么说，你是云山，我姐姐的孩子。你长大了。今年多大了？"

他朝一张椅子指了指，意思是云山应当在椅子里坐下。

“二十二岁。”云山回答道。

“二十二岁，”阿发重复道，“很年轻嘛！你这个年纪的年轻人都出来闯世界了。”

有一会儿，阿发似乎又陷入沉思。他从眼角瞅了瞅云山。

“你母亲怎么样？”他突然问。

“一年前就过世了。”

“哦！我一点儿也不知道。”阿发皱着眉头说。

“她病了好长时间。”

“这我倒知道，真叫人难过。她虽然是我的亲姐姐，可我已经有好长时间没见她的面了——自从你小妹妹下葬后，就再没见过。”

阿发叹了一口气，他看起来真的很伤心。他又走到柜台后面。墙角有个铁炉子，炉子上有把大铁壶。他提起壶，往一把非常精致的瓷茶壶里倒了些开水，又从柜台下面取出两个茶杯。

“你知道，这一带的金子已经挖光了。”他递给云山一杯热气腾腾的茶。

“我跟你说这些，因为你是自家人。我知道的都是真实的情况。这地方已经没什么挖头了。黄金时代是前几年。现在人们每次只能拿出一点点金子来兑换。作为开铺子的小商贩，我们不得不哄他们这儿还有许多黄金。否则，我们就得打起铺盖卷儿，也跟他们一起到班迪沟[①]或者别的什么地方。”

他在云山对面的一张椅子上坐下，又叹了一口气。

“我想，你大概知道我在这一带的名声？”他说，仔细

①班迪沟：澳大利亚维多利亚州的一个小镇，在墨尔本以北。

打量着云山。

“听人说，你是个赌棍、骗子，”云山说。

“是的，”阿发好像松了一口气，“他们这样看我，因为我精明。我头脑冷静，警惕性很高。这地方到处都是暴徒和盗贼，可我从来没有让他们在我身上得手。我谁也不相信，也许对白人，我给的笑脸多了点儿，点头哈腰的时候多了点儿，可实际上他们永远占不了我的便宜。我也得活下去，在骗子和盗贼中间活下去。你能明白我的意思吗？”

“明白。”云山回答道。

“但我不是骗子，”阿发继续说，“我又不抢别人的东西。我不过会做买卖罢了。他们不喜欢我，因为我从不赊账，我不愿意冒风险。他们才是些不用脑子的赌徒，干什么都凭运气。运气，最荒唐的事情就是相信运气。如果你问我，我就会告诉你，压根儿就没有什么运气。这就是我不去挖金子的原因。要发财得靠我的铺子。”他抬起胳膊画了一个圈。接下去是长时间的沉默。

“看得出，你不同意我的观点。”阿发说。

“我也不知道，”云山说，“不过我总觉得这里面有冒险的因素，也有经验可以总结。”

“哈哈！你把那些累断腰的活儿、把让你落下一身病的活儿称之为某种因素，称之为冒险？要说经验，可能还有点儿道理，可这种经验什么也不会教给你，一文不值！没等你积累完经验，你就累死、饿死了。”

云山望着他，一点儿也没有想到这个硬着心肠抛妻弃子，到新大陆寻找前程的人会说出这样一番伤感的话来。要知道，这个世界如果真有什么冒险家，当然是非阿发莫属了。

“ Decouragez Les autres. ”耶稣会会士曾经这样说。此刻，这句话又浮现在他的脑海之中。也许阿发以为云山来找他是出于某种目的，以为这位外甥是想利用亲戚关系得到些什么便宜。

“听我说，”舅舅说，“在这儿，做买卖更容易发财。不时有人找到大块的金子。三万个矿坑里有一个人交上这种好运，就会有成千上万的人从四面八方潮水般涌来。过去我常看到这种情景。为了占领一小块地盘，上岁数的老头、年轻的小伙子们都沿着矿区高低不平的道路拼命奔跑。这时候，打架斗殴就会发生。有的人挨上几刀，有的人脑袋被打破。白人便乘虚而入，签名请愿，甚至组织一帮暴徒大打出手。混乱继续，直到又有什么人发现了一两块金子，才能安宁一阵子。 这些人都需要设备、物资、食物、衣服。在我这儿你能干得很好。”

也许他错看了舅舅。

“您的意思是让我跟您一块儿干？ ”云山问。

“我没有什么意思，只是给你一个入股的机会。我想你手里总该有点儿钱？ ”

“不多，有个老头死在船上，我从他的遗物里找到一些钱。等我弄明白他的家庭住址之后，想立刻把钱归还人家。我自己身无分文。”

阿发想了一会儿。 “这笔钱有多少？ ”

“折合起来总共有五英镑。”

“作为起步，也算不错了。”阿发笑着说，“跟我做买卖，一年就能让它翻三番。”

“可是，拿一个死人的钱入股做生意恐怕不大合适吧？”云山说。

阿发收敛笑容，眯细一双眼睛。

“听我说，你已经使他蒙受了耻辱。如果你真像自己标榜的那样诚实，压根儿就不该拿这笔钱。”

云山不曾想到这一点。钱在那儿搁着，他自己不拿别人也会拿。奇怪的是舅父竟从另外一个角度看待这个问题。他感觉到了自己的虚伪，而且为自己不能正视这样的弱点而生气。

“让它为你生财，”阿发说，“如果你愿意，一年以后可以加倍偿还老头的家属。他们会为此而感激你。所以，沾光的不只是我这个铺子。你知道吗？班迪沟那面有一个很大的华人村。”

“知道，听说那儿的金子很多。”

“别上当了，金子多是因为挖的人多，能保本就够你走运了。听我说，有一样东西现在可是挺走俏。”

“什么东西？”

“你想必已经发现，人们多么喜欢鸦片。我能卖给他们上等的鸦片、烟枪还有别的东西，一定会抢购一空。”

“您从哪儿进货？”

“啊——”阿发耸耸肩，没有回答。

他们呷着茶。乌云布满天空，铺子里越发昏暗了。云山望着舅舅茶杯贴在唇边的侧影。突然，他开口说话，茶杯还在唇边举着。

“因为你是自家人，我才跟你说这些，我不会主动和任何人合伙做生意的。一个人如果连自家人都不相信，还相信谁呢？

回去想一想，我们一块儿干吧。我不会亏待你。”

“好的，”云山说，“现在您能不能卖给我们这几样东西呢？”他从口袋里掏出一张黄纸条。

阿发给他装了几袋面粉、茶叶、大米和鱼干。这当儿，外甥的思想已经飞向班迪沟。

范蒂玛一丝不挂站在椅子上，光彩照人。明媚的阳光从窗口泻入，她宛若一幅动人的图画——圣母范蒂玛。可惜她身子太重，椅子腿吱吱嘎嘎响着，好像随时可能会折断。门半开着，我看见她的朋友玛丽达坐在地板上。像平常一样，范蒂玛抱怨自己在椅子上站的时间太长了。

“我好冷。”她说，“我累了，我们休息一会儿吧。”

玛丽达很瘦，活像一只灵巧的小猎狗。她手拿铅笔在速写本上涂抹着。这是她第五十次画范蒂玛。玛丽达坐在地板上，不时抬起头看一眼范蒂玛。她身穿黑色紧身衣，黑头发在脑后束成马尾巴。一双充满渴望的蓝眼睛吸吮着范蒂玛丰腴的肉体。这一对情人已经相爱好长时间了。我经常看见她们搂抱在一起坐在长沙发上。她们不怎么说话，只是长久地相互凝视着。有一天我进屋的时候，她俩正在做爱。为这事儿，玛丽达一直不肯原谅我，而范蒂玛只是脸红了一下。

眼看着她们俩的关系这样发展下去，我并没有感受到什么快乐，只是突然之间觉得自己的道德观念令人作呕。原因在哪儿，我也不知道。那依然是一种不能经受过分污辱的敏感。这敏感随自我牺牲精神的增长而增长。不克制就没有自由。而这正是我所寻找的：从性关系中获得自由，甚至是一种间接地把我也卷进去的关系。我从门厅的镜子里看见自己从这生活的场景中退出：一个形容枯槁的老头拖着脚步慢慢地走着。

有一天，我傻乎乎地忘了锁门，玛丽达突然闯进我的房间。她手里拿着速写本，眼里闪着兴奋的光芒。就在我迷惑不解地看她的时候，她飞快地给我画了一张速写，然后扬长而去。后来，玛丽达在澳大利亚美术馆搞了一次画展。其中有一组中国人肖像。有一张画的就是我。那是一张充满痛苦的脸，我的两颊枯瘦，眼窝深陷，秃顶。她画的是一幅骷髅，就好像被繁殖了好几代的虫子从里面掏空了似的。玛丽达宣称，她的画儿是历史的写实。

亲爱的 X,

病人(西默斯·欧阳)好像患有狂想型精神分裂症。他认为他是另外一个种族的人。因为以前没有处理过这样特殊的病例，所以我把他介绍给你。你将从他的病例中看到病情的详细记载。下面是他的病情摘要，供你参考。

1. 喜欢用第三人称说他自己的事情，经常用汉语（？）。

2. 有时候干脆一言不发，但是把想要传递的信息写在纸条上。

3. 喜欢独处，害怕被人观察。

4. 厌食（可能是神经性食欲缺乏症）。

5. 认为他的妻子和另外一个女人搞同性恋。

下次你来钓鱼时咱们再见。昨天我钓了六条挺大的“扁平头”——四磅重，鱼线差点儿没拉断。你不嫉妒吗？

希望早日知道你对这个“中国佬”的诊断结果。祝你一切好！

Z.

“我和老王、阿盼道别。他们愿意继续留在这儿。上午晚些时候，老朱和我整理好行装，踏上通往班迪沟的道路。我把一双旧靴子送给阿盼。分别的时刻到来了，这个可怜的小伙子满脸怅然若失的表情。他站在帐篷门口向我们招手。老王不知道上哪儿去了。天气很好，也很暖和。太阳从桉树枝头跃起，在天空中轻轻抹出一片淡蓝。路过克雷斯威克湾的时候，我朝阿发的铺子瞥了一眼，好像看见老王正坐在外面和舅舅一起喝茶。小路上人来人往，熙熙攘攘，眼前的一切仿佛是一种不真实的幻觉……”

班迪沟是一位战斗英雄的名字，也是一座小镇的名字。华人的营地一共有七个，分布在溪谷和山坡。“天朝人”越来越深入到澳洲的中心地带。白人已经感觉到外国人人数猛增给他们带来的威胁。形势非常严峻，西方人和东方人的脸上显示出两种类型不同的焦灼不安。一方面是不安全感，另一方面是被视为违法之徒而遭到围剿的恐惧。云山要求见见白山的头领。这是一个傍晚，是他和老朱离开巴拉腊特的第三天。他们被领进一顶很大的白帐篷。帐篷中间的柱子上挂着几盏大灯笼，放射出柔和、昏暗的光。一个老头坐在一块凉席上面，灰色长袍外面套着一件绣花缎子坎肩。他盘着腿，脚上穿一双黑色毛毡拖鞋。他示意二人坐下，脸上没有一丝微笑，也没有一句寒暄的话。“你们来的时候不对，”他马上说道，“太晚了。现在这儿的情况很糟。那个白人特别恨我们，他已经动了杀机，局势已经很难控制。”老头咂了咂嘴，半晌没有说话。刚才这番话似乎是为那些找他帮忙并且仍然对他毕恭毕敬的人们准备好的一番套话。他以为他们马上就会离开，可是云山和老朱相互瞥了一眼，还坐着不动。老头朝站在帐篷门口的儿子打了个手势，让他倒茶。“要出事儿了。我从骨子里头感觉到了这一点。你们知道，”他眯细眼睛说，“他们又故伎重演……没什么新鲜玩意儿！”他咯咯咯地笑着。这是一句只有他自个儿明白的笑话。他突然又变得神色冷峻，看起来非常悲伤。“除了要花钱买淘金许可证外，他们又向我们征收居留税。这事儿你们知道吗？”两个年轻人摇了摇头。“唉，事情正是这样。你们还想知道点什么吗？为了生命安全，我们必须付这笔钱。每人每年交四英镑，女王陛下的大英帝国便会派特种警察来保护我们。女王陛下是个好女人，我准备给她写封信表示感谢。可是我也要告诉她，四英镑对于我们实在是太多了。”

一把茶壶、几个杯子摆在面前，老头给客人们每人斟了一杯茶。他叹了一口气，自己也端起一杯咕嘟咕嘟地喝着。

“是啊，现在的事情就是这个样子，”他说，“到处是弱肉强食，收受贿赂，腐败堕落，聚众赌博。你们如果是正经人，有些地方就该离得远远的，压根儿就不要去。多想想家里的妻儿老小……”

老人又坠入梦乡。他正走过厚重的帷幕隔成的条条走廊。

分开帷幕，又发现新的甬道。于是他走进缤纷的色彩和兴奋的感情构筑而成的迷宫曲径。过去的记忆包围着他。他疲倦了。

云山和老朱向老头鞠了一躬。他们离开帐篷时，他那双好像蒙上一层薄翳的眼睛并没有看见他们。现在，天已经黑了。他们不知道该上哪儿去，于是很自然地向营地灯光最为明亮、气氛最为活跃的角落走去。那里挤满了木头棚屋和卖小吃的摊子，也会有几个袒胸露背的女人在镶着毛玻璃的窗户后面走来走去，在烟雾之中搔首弄姿。

烟雾腾腾。夜晚，寒气袭人，人们的大笑声像敲打冰柱的榔头，劈斩着夜空。雾霭笼罩着白山。一个年轻小伙儿坐在铁皮棚屋门口。他目光迷离，映照着熊熊燃烧的火焰，不时从嘴角吐出一点口水，看起来非常困倦。他左手拿着一根竹节做成的烟袋锅，寒夜好像在眼睛上凝了一层薄冰，血液在血管里冷冷地流动。某种力量形成的潮汐在他纷乱的脑海里时涨时落。有的人物被远去的浪花冲走。沙滩上，潮水漩卷着、裹挟着又回到海岸的沙砾。小伙子仿佛看见点点金色的阳光像滚雪球一样，滚成拳头大小的金块。金块沉重如铅，力量随着最后一次潮水的涨落从他的胳膊上消失。金块也消失了，消失在大海，直到下一次……下一次……现在，海浪又扑了过来，在他那双因为寒冷而变得青紫的脚丫周围激起扇贝形的泥沙。海浪再度退去，几条一码长的沙虫以令人难以置信的敏捷从泥沙中窜出，缠绕住他的脚腕。他觉得仿佛有一千张小嘴咬啮着他的脚踝……“富贵！”云山叫喊着，向他先前的学生——那位有可能成为大诗人的小伙子——跑过去。“富贵！你在这儿干什么？”然而，这是一个毫无意义的问题。富贵目光迷离，没有认出从前的老师。他的前额冰冷，依然冒着冷汗。最好不要打扰他，让他自己从盘绕在心灵深处的一条条沙虫冰冷的遏制下解脱。这些沙虫是从那位曾经前途无量的诗人的灵感中孵化出来的。

云山摇晃着富贵的肩膀，发现他的脸上有一种孤高自傲的神情。富贵跌坐在门框上，棚屋像敲鼓一样发出一声重响。

“倘若你能看到我们悲惨的处境就好了。大伙儿都陷入堕落。有的因为找到了黄金，有的则因为什么也没有找到。表面的平静背后，所有社会秩序都不复存在。当然，大街上还没有人打架斗殴，也没有娼妓和烟馆。但是，如果你在缭绕的烟雾中四处搜寻，如果你撩起帐篷的门帘，就会看到牌桌四周一张张不信任或者让你无法信任的面孔，听到掷骰子的哗啦声。你还能看见那些无精打采的吸毒者，听见他们一边抽大烟一边咳嗽的声音。他们的鼻子就像关不严的水龙头。你还能看见刚从墨尔本来的妓女。她们浓妆艳抹，当男人们的手在她们大腿上乱摸的时候，咯咯咯地笑着。你周围这一张张冷漠的面孔，在牌桌四周汗水涔涔，梦想着在温香软玉的陪伴下进入梦乡，而这永远只能是一种梦想而已。这些面孔一到夜晚便由焦灼不安变得欲火中烧。不管黄种人还是白种人，男人都渴望女人，女人也渴望男人。

“可是不知道为什么，这种人类的激情，这种生命力的勃动吸引着我。闻见炉火上锅里食物的香味，看见牌桌旁充满希望的赌徒，破床上平静安谧的烟鬼，以及满怀热望和女人纠缠的男人，老朱和我都像被灯光吸引的蚊子飘飘欲仙。难道我们都是声色口腹之乐的牺牲品？难道这是死亡之舞？大屠杀前夕的狂欢？这是堕落了的男人——内外交困的男人的所作所为吗？

“年轻时候，我经受的所有那些磨炼的目的是什么？克制自己欲望的目的是什么？靠理想生活的人们的目的又是什么？难道不是为了给这个世界增加一点经验吗？难道不是通过经验人才变成‘圣人’吗？难道禀性温和的儒家门徒不是总在‘劳其体肤，乏其筋骨’吗？这不是一种受人庇荫、享有特权、缺乏个性的不足取的人吗？”

对于我来说，事物所处的位置十分重要。我坐在哪儿，从哪扇窗户能望出去，走进哪个房间，阳光或者阴影落在哪儿，都具有特殊的意义。这和时间的流逝有关，正如某种情绪会让人回忆起往事一样。我希望时间意味着释放而不是禁锢。傍晚，一天快要结束的时候，一直笼罩心头的焦灼不安变得愈发强烈。

我在图书馆里查汉语词典。人们怎样才能用另外一种语言把自己的感觉表达出来？特别是一种以象形文字为基础的语言。这感觉表达得准确吗？这些词汇用得准确吗？我想准确地感受这一切。

一个女人推着一辆婴儿车从窗前走过，就好像隔着竹子做成的百叶窗，看一个色彩变幻无穷、形状变化莫测的万花筒。或者看到几个在竹子屏幕上很不均匀地放映着的、老掉牙的电影镜头。人们的感觉也会这样一连串地发生吗？这一连串感觉能因触景生情而生成某种心绪吗？对于一百多年以前发生的事情，人们能产生同样的感觉吗？我像一个病人，挣扎着向图书馆的洗手间走去，动作很不协调。

我在厕所碰见一位老同学。几十年前，我们曾在孤儿院一起生活了好几年，还在一起上学。可是从那以后就再没有见面。但是并排站在小便池前小便的时候，我一眼就认出了他。他还是头发剪得很短，络腮胡子也不长，基本上没有什么变化。我曾经在操场上让他描绘我的长相，现在他当然早就认不出我了。我在尿池前面的台阶上极力保持身体的平衡，就像喝醉了酒。

“特里，”我说，“你不记得我了？”

他瞅了我半晌，突然眼睛一亮。

“西默斯！”他高兴地叫喊着，“西默斯·欧阳……是你呀，是你呀！真没想到在这儿碰上你。天哪，你怎么老成这个样子？”

洗手的时候，他问：“你一直干什么工作？”

我向他大致讲了一下自己的情况：在学校教书，已经结婚，写小说、讲故事，以及诸如此类的事情。

“你呢？”

他用手绢仔仔细细地擦完手，垫着手绢关上水龙头，走到自动热风机前面。热风机像喷气发动机一样，发出难听的嗡嗡声，正好为他那闷声闷气的回答打了掩护。毕竟厕所小隔间里没准还有什么人正听我们的谈话。

“我当教士。”他轻声说。

说这话的时候他凑到我脸前，好像生怕我对此有负面看法，或者因为这是他一直严守的秘密。当然也有这样的可能：他正打算辞职不干，或者是梵蒂冈派来的“卧底”，专门考察教会是否严格遵从教义。他穿一件法兰绒花格衬衫，但我立刻注意到，他的裤子是黑色的，鞋也是那种老式圆头黑皮鞋。

我们一起走进休息室。他挽着我的胳膊，把我领到借书处，挑了一大堆书。我不知道该说什么才好。

填完借书卡之后，他突然问我："你还去做弥撒吗？"

"不，我已经不做了。"我老老实实地承认。

"你曾经对我说过，想成为耶稣会会士。"

"我说过吗？真见鬼！"

"哈哈，用不着这么认真。现在你还相信耶稣，是吗？"他微笑着，似乎并不指望听到什么回答。但我还是大着胆子告诉他："我也不知道。我已经变了，一想起这事儿……总有一种危机感。我不知道是否能够间接地坚持我的信仰。我的意思是，一个我说，相信；而另外一个我却说，不相信。结果是我通过别人来相信上帝，我想象有很多人聚集在一起崇拜上帝，而我通过这种想象来崇拜上帝。当然……我也不知道这是不是正常。"

"不，不。哦，我的意思是，这的确很难说清楚。"

"我仍然觉得这个世界有一种精神力量，这种力量不断地改变着……你知道……并不都是历史唯物主义。我想自己不能接受天主教的教义。这就是我之所以对佛教感兴趣的原因，尽管我不是一个佛教徒。我喜欢佛教徒思想中的空灵状态。"

"很好，"他说，"很好。"

我在桌子旁边等着。他把书一本一本地收拾起来。

"是的，"他继续说，"语言破坏事物的内涵，正如经历会破坏爱情一样。"

“这话是什么意思？”我问。很可笑，我们俩站在这儿谈论这种事情。

“从精神上讲，一旦你将什么东西说出来，它的意义便不复存在。爱情也是这样，经常为其制造障碍的是爱情的经历，这种经历剥夺了爱情的本来面目。当你无法用理想的方式表达爱的时候，爱情便会枯萎、凋谢。当你下次再遭遇爱情时，先前的经验又会让你发现这崇高美好的感情与你的想象完全是两码事，而那感情正是出于你自己，出于你自己的灵魂。你怀抱这种情感四处徘徊，而且极力希望能和你的心境一致。然而这已经变得十分困难，甚至是不可能的事情。”

突然，我觉得此刻我和云山一百二十年前的感觉完全相同。那时，他就和语言以及经历的障碍做斗争。他那被禁锢的灵魂，希望借助语言得以解脱。当那些感觉强烈、印象新鲜的经验开始破坏他从怜悯和人性中获得的感觉，他便试图用文字将其表现出来。他是否曾经逃避现实生活？他对生活的思索——从其精神世界反映出来的思索——是否阻止了他伪装自己，阻止了他为了在这块土地上生存下去而做的努力。单凭想象无法提高他“看”这个世界的能力。

我已经注意到他写的那些东西不再像一首恬淡的抒情诗，更像笼罩着恐怖色彩的纪实文学。

特里又核对了一遍他借的书，穿过玻璃门走了出去。在图书馆外面，我们握手告别，互道珍重。

“你知道，”他正要走，又停下脚步说，“我们一起念书的时候，我发现自己很爱你。大概就在那时，我开始懂得所谓经历之说。当时，我的日子很不好过。人的心里总是充满爱，而我心中的爱太过炽热，奔涌而出。然后，我意识到上帝正在召唤我。我明白这是命运特殊的馈赠。这也正是我之所以成为教士的原因。”

他走了，消失在墙角那边。天开始下雨了。

天越来越短。他们依然不停地挖呀，掏呀，又找到一点金子。变卖的钱为他们开辟了通往赌场的道路。有一部分积蓄给了“三联社团”，那些人答应保护他们。

他们用新买的淘金槽淘金砂，锈渍斑斑的铁筛被来回摇晃，吞掉山一样的泥土。有一个男人看他们干活儿。附近有一座小山，山上有棵树。那个人每天都到树下看他们大约两个小时。他们知道他是白人。

他们干得十分卖力，颇有点与众不同的是他们和其他淘金的华人没有什么联系。有了钱，才会在夜晚到集市“朝拜”。他们顶着烈日从早干到晚，只有吃干粮的时候才停下来休息一会儿。而这时候白人都躲在树荫下睡觉。这些白人十分好奇，他们时不时跑来看一看这两个中国人是不是发现了什么，要不然怎么会这么起劲儿地干活儿？这些旁观者站在那儿，也不说话，碍手碍脚。云山和老朱只好在他们眼皮子底下干活儿。那些家伙喝酒、吐唾沫、骂娘、眼巴巴瞅着，直到太阳晒得受不了才会离开。云山和老朱也被太阳晒得头昏脑涨，真想休息一会儿。可是天越来越短，阳光像黄金一样宝贵。

有一天，从正午到下午三点这一段最热的时间，一个戴夹鼻眼镜的秃脑袋、小个子欧洲人来到他们的矿坑。他还带来两个长着络腮胡子、面色红润的大个子男人。秃脑袋一脚踢翻他们的淘金槽，还举起一把铁锹作势要劈他们。

“这是我们的矿坑，”他咆哮着。那两个满脸胡子的家伙开始推云山和老朱，“你们这些蠢货根本不管其他人，就来这儿挖我们的金子。识相点儿，快滚！如果你们胆敢在这儿待下去，当心脑袋开花！”

他又举起铁锹吓唬他们。这时又来了一群白人，他们全都哄堂大笑。云山弯下腰去扶淘金槽，有人从背后踢了他一脚。他一个马趴跌倒在泥水里，愤怒和屈辱的眼泪迷住他的眼睛。一个酒瓶子飞过来打中他的面颊。为了保住性命，两个人拔腿就跑。

晚上，他们去找“三联社团”的头领。头领也听说过这个戴夹鼻眼镜的人。两年多来，这个家伙一直抢劫、欺诈、骚扰华人。他是一个出名的非法抢矿的浑蛋。他的标志是一面画着华人辫子的旗帜。这面旗子插在这一带矿区。谁都知道他是个危险的疯子。

几个星期以后，这个戴夹鼻眼镜的秃头小个子突然在金矿消失了。警察骑着马四处打听他的行踪，定居点的长官莫里森先生也向上岁数的人们打听他的消息，可是谁也说不出个所以然。也许他听到什么风声之后躲了起来。老人们连连摇头。这事儿最好少管，否则只能惹麻烦。

“我们现在完全成了他们发泄怒火的对象，有几个中国人因为争夺水源挨了打。不论在哪儿，他们都指责我们浪费水、弄脏了水，或者破坏了土壤。

“亲爱的读者，要让我采取中立态度是多么困难。要让我保持不偏不倚，远离与白人的争斗是多么困难！这并不是一枚可以自由选择的徽章。我的同胞们并非理想主义者，我们不想升起反抗的旗帜，可是有时候我总觉得这是唯一的出路。

“我不由得生出一种想要背叛的感觉。因为我知道，能够使我陷入更加卑鄙深渊的不会是体力劳动的艰辛或者对于奢华的贪婪，而将是一种有意识的决定，是思想深处理性的斗争。就如老师有一次对我说的那样，‘如果你误入歧途，那是因为你对这个世界进行了思索。为这个世界，为人们的行为找到了某种借口，为这个世界正在发生的事情找到了某种借口’。

“可是我想，有朝一日，就连和尚也会为了抗议恶人的行为而牺牲他们自己，你就会找到一个理由。”

“水是用来清洗的。他们说我们弄脏了水，意思就是说，我们是肮脏的。昨天，两个中国人因为卷起裤腿涉水过一条小溪遭到痛打。他们还指责我们传播疾病。最常用来形容这些疾病的字眼儿是‘麻风’。疾病被视为魔鬼，于是我们也成了魔鬼。于是和指责我们的白人一样，我们也受着同类疾病的折磨。

“昨天夜里，我们在溪谷的一个营地遭到袭击。白人放火烧了二十座帐篷，有的人除了身上穿的衣服什么也没有带出来。这些家伙是偷袭我们的，他们拉着马一声不响地溜进营地，把火把扔到帐篷下面。熟睡着的人们从火海中冲出来，有的人想再返回去抢出自己的东西，可那都是徒劳的。营地一片混乱，到处是叫喊声和马蹄声。干草叉在帆布帐篷上横飞，大火照亮整个溪谷，火光在大树枝头摇曳。匪徒们喜欢放火，火掩盖了他们的罪行，也消灭了给他们带来疾病的祸根——小个子黄种人。”

在我幽居独处的日子里，昼夜交替，从我的身边流逝。只有当这种交替加速或者变慢的时候，你才会意识到时间的存在。往昔岁月的点点滴滴注入一摊死水，然后又奔泻而出，汇聚成记忆的水泊。

今天我比以往任何时候都更想自杀。

范蒂玛已经好几个星期没有回家了。我在屋子里转来转去，撩起窗帘望着郊区的大街，倾听种种陌生的声音。有时候打开电视机，广告节目里，一个女人将一盘子食物掉到地上。我又关上电视。这一天剩余的时间，就在屋子里继续转悠，心里总想着要收拾撒在地板上的食物。

这一天是这个季节中一个异乎寻常的大热天儿。一只蜜蜂在灌木丛里懒洋洋地飞着。沉闷的空气里飘着一股蜂蜜的甜味儿。老朱站在小溪里，冰凉的水在他的小腿四周旋卷着缓缓流去。他的竹扁担两头各挂着一个水桶。他把扁担放在右肩，弯下高大的身躯，很快便灌满一桶水。水桶的重量和溪水的冲击使得扁担旋转起来。他直起腰，再俯下身把左边的桶灌满。老朱一边嘟哝着什么，一边向河岸走去。沉重的水桶压弯了扁担，他踩着被溪水淹没的光溜溜的石头，趺趺撞撞吃力地走着。

他抬起头，从草帽宽宽的帽檐下面向上张望。一匹马正大张着鼻孔，向他的脸喷着鼻息。一个满脸胡须的男人骑在马背上直瞪瞪地看着他，满脸怒容。老朱知道他不是警察，因为刚才已经来过一个警察，并且查看了他们的许可证。他站在小溪里，水不住地从水桶里面洒出。就在这时，另外一个人骑马跑了过来，然后又跑来一个。他听见他们吵吵嚷嚷。

“就是他，这个浑蛋！”他们说。老朱听不懂他们的话，也不明白他们为什么要发火。他想从那几匹马中间走过去。他们故意挤他。现在桶里的水只剩下一半。他掉转头向另外一个方向走，一匹马又挡住他的去路。他的脊背重重地挨了一棒子。他放下水桶，愤怒和绝望像一股冰冷的涡流从他心窝升起。他抓起竹扁担，甩掉两只水桶。有人又朝他肩胛骨中间打了一棒子。老朱踉踉跄跄，看见几匹马中间有一个豁口。他扔下扁担拔腿就跑。他冲出豁口，迈开两条长腿，绕着大树和低矮的灌木丛飞快地奔跑。一匹马在他身边兀然耸立，就像一堵黑魆魆的高墙。老朱连忙改变方向。可是另外一匹马又堵住他的去路。与此同时，他的脖颈感觉到第三匹马的呼吸。紧接着，一个绳套嗖地一下向他的脑袋甩过来，勒紧他的脖颈。他伸出两只手拼命揪扯，不让绳套把他勒死。绳索把他拖上小路，他踉踉跄跄拼命奔跑，以免脖子上的套索越勒越紧。他开始叫喊。他想拖住那根绳索，可是马越跑越快。突然他跌倒在地，被马从一片灌木丛中拖了过去，一块石头划开他的嘴。他们停了下来。他躺在地上喘着粗气，血的滋味就像肚子里流出来的水。他被揪了起来，殷红的血滴进眼里。

他们又拖着他奔跑起来。他已经精疲力竭，跟在马屁股后面机械地奔跑。套索越勒越紧，他大张着嘴拼命喘气，胸腔里发出动物惨叫般的声音。跑了五英里之后，他们才割断那根绳索。

一片潮湿的雨林。他躺在一株巨大的桫椤下面，又呛了几口血，一阵快感流遍全身。疼痛已经消失，眼前似乎打开一扇门，他可以平平安安走进期待已久的梦乡。他从来没有看见过这样的森林。茂密的枝叶在他头顶编成美丽的华盖，树叶铺成的床像羽毛一样柔软。他浑身燥热，昏昏欲睡。然后一块水桶大的石头砸下来，灭绝了他最后一点意识。

自从搬到班迪沟，克兰西观察了云山和老朱好几天，看他们在那堆矿渣上辛苦地劳作。他目睹了那个抢矿的家伙在华人似乎马上就要挖到金子的时候强占了他们开掘出的矿坑。还看见他们转移到他所处的有利地形的另外一侧，开始新的采掘。他对这两个“天朝人”很感兴趣，让他着迷是因为他们总是远离别人独自干活儿。他纳闷他们是不是被自己的同胞逐出来的。两个华人这样单独干活儿是很容易被人袭击的。

他以前没怎么想过华人的事儿，至少没有认真想过。对于这些“乌合之众”的呼吁他很反感。他当然恨他们。他们从这块土地上掘走黄金，他们破坏了土地，污染了水源，传播了疾病。他们即便不喝酒，可也偷偷地干别的坏事儿。对于白人妇女，他们有一种莫名其妙的魅力。他们还鸡奸……花钱买来男孩子肆意玩弄，这些杂种！

除了这些成见，克兰西并没有怎么在乎过他们。他们是这山水之间的一个污点，他常常会忘记他们的存在。他们从不吵吵嚷嚷，他们绝大部分时间都在干活儿，有时候赌博，从不到处乱窜。他们遵守法律，尊重长者，只和自己的同胞来往。他不明白，为什么那些白人把他们恨到非要动武的地步。知识和良心都告诉他这是错的。于是在感情和承认这一事实这二者之间产生了尖锐的矛盾。

他看见那个大个子中国人肩挑扁担和水桶，笨手笨脚地向一英里外的那条小溪走去。

“他们这群人的数量和共性会让他们成些气候，”他对自己说，“所有的人都应该是兄弟，可是他们跟我们不一样。他们的素质太差！是因为自己的优越感才生出这种感觉吗？他们只想苟且偷生。可他们是穷人，应当让他们的处境有所改善。”

思想斗争越发激烈起来。他嚼着一根草茎，努力克制想和那个在矿坑里挖掘的中国人接触的冲动。他躺在那儿睡着了，帽子放在脸上，遮挡灼热的太阳。一只蜜蜂嗡嗡地叫着，从他耳朵旁边飞过。他梦见伊甸园，黄金和蜜糖。他在一条大河里漂泊，河岸上有个金发姑娘用一个长柄勺子慢慢地喂他吃东西。

“我等老朱取水，足足等了两个小时。他能上哪儿去呢？平常他总是非常靠谱。也许因为天儿太热，他在小溪里玩水？可他明明知道我正等水。

“昨天我想起一个好主意。我想，要是挖到足够的金子，能在离这儿很远的地方买一块地该有多好。就像前些时候碰到的那位老华。我可以种庄稼、养牛。我不想回中国，家里没有什么可留恋的。只要有金子，我就能在白人的憎恨中生活。他们可以恨我，可以歧视我，但是他们将尊重财富和这些财富的所有权。这就是我一直在心里琢磨，并且为之奋斗的目标。

“可是今天，我觉得这一切不过是一场虚无缥缈的幻梦。要想找到金子，简直要搬走一座座大山！我已经开始后悔，当初没有接受阿发的建议。现在连我自己也说不清楚接下来的路该怎么走。随着身体日渐衰弱，犯下的错误愈发折磨自己的心。

“昨天我想黄金，今天我想女人。我想象的那个女人从来没有过一个完整的形象，就好像我是用稀溜溜的泥巴和一把钝锹来塑造她。

“我奇怪老朱到底上哪儿去了？如果丢下手中的工具去找他，回来的时候，肯定会被人偷得一无所有。尤其是山上那个家伙正在监视我的一举一动。”

克兰西突然惊醒。那只蜜蜂在他耳垂上舒舒服服地趴着，他连忙把它拨拉掉。山下，那个孤独的中国人在一个倒放着的木桶上坐着。他没有干活儿，两手放在膝盖上，望着矿坑发愣。克兰西站起来，向山下走去。

还有一些中国人在旁边那座山上干活儿，隐隐约约听得见他们唱歌儿似的说话声。白人的工地上都没有动静。他们也许正在帐篷里打呼噜，也许正在写着“咖啡”字样的帆布帐篷里喝掺了水的烈酒。

他向云山走过去，然后停下脚步。跟一个中国人应当说些什么呢？他不能径直走到他的面前问一声“你好”。他把手插在口袋里，踢着几块小石子。他真希望自己会说汉语。是的，在这种情况下，会说汉语可就省事多了。他向四周瞥了一眼，觉得十分尴尬，其实谁也不曾注意他。

他朝云山径直走过去，朝他旁边的一堆土指了指，脸上露出一丝微笑。

“找到金子了吗？”他问，觉得这是眼下唯一合适的寒暄。

云山抬起头望着他。尽管他微笑着，露出齿缝很宽的牙齿，但这个白人看上去又是一个抢矿的浑蛋。云山抓起铁锹，做好了准备。

克兰西仍然微笑着。长久的沉默。他在一块石头上面坐了下来。

于是一位中国人和一位爱尔兰人攀谈起来。在这个新开发的定居点，这种谈话自然并不鲜见。这儿的人有的是闲聊的时间，而且寂寞和孤独常常把不同种族、不同信仰的人联系到一起。这两个人一个不会说汉语，另一个只能说一点儿英语。不过这不要紧，他们俩还有另外一种“共同语言”——他们以前见过面。那是云山他们刚来这儿的时候，克兰西站在山顶，大骂这群华人。现在，他需要赤裸裸地面对这个人，摘下面具，以便减轻心中的歉疚之感。而这种心情他是无法和另外一个白人谈论的。对于云山，因为能听懂英语——虽然不能把每一句话都弄明白——这场谈话便更方便一些。他可以用点头或者简单的英语表示同意对方的意见。

不过即使这个中国人能听懂他的每一句话，对于克兰西来说也没有多大的意义。他只想表达脑子里初步形成的那个关于“四海之内皆兄弟”的思想。那就是，人类不应该因为种族和信仰的不同就有所区别。

“你和别人没有什么不同，”他对中国人说，“大家都希望能过上好日子。”

他谈论了大家面临的艰辛，还说正是这种共同的经历应该把人们团结起来。不管白种人、黄种人还是黑种人，都应该为建设新社会的共同事业而奋斗。

中国人点点头表示同意。“这儿的情况很糟，没有黄金。”他说。

（云山说起“洋泾浜英语”[1]。一旦需要用语言表述思想感情，他就这样说。他并不打算学会合乎语法的英语。此外，这种故作的无知可以给他某种保护，或者说戴上一个面 具。）

“黄金！天哪，难道你们这些家伙只知道黄金吗？”克兰西愤怒地叫喊着。中国人又握紧手里的铁锹。

“听我说，”克兰西继续说，“这儿一切的一切都是为了黄金。”他指了指脚边的一堆泥土。“每一个人都想尽可能多地搞到黄金，越多越好。”他努力寻找能够清楚地表达自己思想的字眼儿。“当然我不是光说你们华人。”他继续说，“白人也一样。只不过他们想弄到更多的金子，却总想不劳而获。真该死！我认识那么几个游手好闲的家伙。”

他停下话头，掏出一个烟斗，装上烟丝。

“你知道，”他说，“我一直研究你们这些人。我看到你们挖土很得法，组织得也好，这一点就值得我们学习。在亲戚朋友当中，你们总是有福同享。你明白，这是一种四海之内皆兄弟的品行。可是你们不是在自己的祖国，你们是在异国他乡。你们从这块土地上攫取了你们需要的一切，却没有给它任何东西以回报。请别误解我的意思。许多白人也是这样，他们弄到黄金就回英格兰，或者回欧洲老家。”他点着烟斗，吸了一口。“你瞧，问题是你们看起来与众不同，而且人数很多。你们不可能分散到各地，和白人打成一片。是的，这是最根本的不同。”克兰西又吸了一口烟，凝望着空旷的原野。

“我们也觉得很不好办，”云山说，“不管走到哪儿，白

①洋泾浜英语：指旧中国港口等地使用的混杂英语。

人都恨我们。”

克兰西看起来有点迷惑，思路也被打断了。

“听我说，”他说，又镇定下来，“只要这种‘四海之内皆兄弟’的思想能被更多人接受，只要白人能够学习你们的方法，而且没有被人围困之感，没有被一个组织严密的竞争者威胁之感，这个社会就能形成一些好的东西出来。贪婪和理想之间有不可调和的矛盾。这是一个基本事实。我们有足够的理想主义可以发扬，有足够的‘四海之内皆兄弟’的思想来提倡。但我们首先要相互信任。每一个人都应当包容对方，接受对方。我们必须相互交流，并且组织起来。”

克兰西的一双眼睛放射出热情的光芒，他感觉到一种救世主的快乐。他觉得自己正站在一个肥皂箱子上满怀激情、滔滔不绝地讲演。公园里挤满了人，都频频点头表示赞同他的意见。

“我们总在挨饿。”云山说。

“现在许多人都在谈论建立澳大利亚——一个独立的国家，一个澳大利亚联合共和国。”克兰西继续说，他的声音因为快乐而发抖，“是的，这就是我的理想。我们一定要创造这样一个国家、一个没有贪婪和恐惧的、充满田园风情的乐园。”

“我们还挨冻。我们离家非常之远。”云山说，他的声音就像狼的哀号。

滚滚思潮在克兰西的脑海里涌动。公园里的听众四散而去，脚下的肥皂箱又变成一个滑溜溜的小土丘。对于这个面无表情的中国人，他的这番宏论能有什么意义吗？但是，直感告诉他，他已经明白了自己的意思。这个中国人看起来孤独、寂寞，是和他一样的有血有肉的人，沉沦在荡涤着这块黄金产地的愚昧无知的洪流里。他又想起在尤里卡被屠杀的群众，想起被愚昧和自私践踏的土地和人民。

“几年前，我们已经接近成功的边缘，可是现在一切都完了。”他说，“现在我是一个被政府通缉的人，和你一样孤独，一样绝望。”

他站起来，在一块石头上磕了磕烟斗，又沉湎于自己的思索之中，慢慢地走了。云山直盯盯地望着他的背影。起风了，呼啸声驱散了寂静。几千年来的人类文明史使两个灵魂在瞬息之间碰撞出明亮的火花。然而这平地骤起的大风又阻止火花燃起熊熊大火。

告　示

如果你是基督徒，如果你愿意保护你的妻子儿女，可以用下列几种办法惩治并且除掉贪婪财色、耽于肉欲的不道德的“天朝人”。赶走这些异教徒是合乎道德的！

1. 如果在马背上，你可以揪掉他的辫子。
2. 把他头朝下吊在矿井柱子上面。
3. 用绳子套住他的脖子，让他跟着你的马跑。
4. 烧掉他们的帐篷。
5. 让他站在木桶上，把他的两只耳朵钉在树干上。

如果中国人能看懂，一定会吓一大跳。这张“告示”悬挂在那幢专供男人们寻欢作乐的木头房子的墙壁上面。站在这幢房子外面，男人们会被漫过窗口的橘黄色的灯光迷住。女人从他们面前走过，带来一串咯咯咯的笑声，宛如大理石弹子从木头地板上滚过。满脸胡子的爱尔兰人哈哈大笑着走到床边。宽衣解带，香风阵阵。训练有素的“女高音”尖叫着。男人们像在高压线上走钢丝的大狗熊，发出紧张而又高雅的呻吟，坠入深深的虚无之中。

这儿有的女人以每天一先令六便士的价格把自己雇佣给男人，还管吃管穿。她们一直跟着这些男人从一个金矿到另一个金矿。她们懂得让男人们快活的所有办法。她们陪伴着这些不断找到黄金的偏执、寂寞的男人。

玛丽·扬两腿修长，迈着优雅的步子走过小屋。她抱起一个长柄大水罐，往盆里倒了一些水，又从架子上拿下一个瓶子，把一种带颜色的液体倒进水盆，然后解开红色的长睡袍。她两腿分开蹲在盆上，一只手将睡袍撩起到细细的腰间，开始清洗下身，用一块海绵轻轻擦洗亚麻色的阴毛。在自己这样清洗的时候，她弯下腰把头搁在桌子上面，让长长的头发披撒在桌上。这样便可以收集到头发上落下来的细碎的金粉末。刚才那位客人是个慷慨大方的汉子。

有人敲门。她赶紧结束自己的清洗。

“等一下！”她喊道，拉着好听的调子。她拧干海绵，整理好睡袍走过去开门。一个华人站在那儿，辫子搭在肩上。

“华人不能来这儿，”她摇着头说，想把门关上，“快走吧，他们会抓住你的。”

她朝他挥了挥手。他脸上现出难过的神情。这是一张细腻而敏感的脸，她以前见过。是在巴拉腊特？她向他微笑着打开了门。

“您好，我叫云山。”中国人用很标准的英语说。

第四章 避难所

是我的眼睛看不清楚了吗？难道云山已经开始从那座大山——大雾山，主宰他的思想和意志的大帽山——的另一侧下山了吗？造成这种朦朦胧胧、含糊不清的真实原因是他彻底抛弃了修道院式的生活吗？除了他那闪着微光的形象，现在还剩什么呢？未老先衰已经使我和所有清澈明亮的事物与思想无缘。我只想讥诮和讽刺。

我一直小心翼翼地重新塑造云山的形象。我对他道德的力量、正直的禀性一直充满信心。可是现在，他的行为—— 我无法控制的行为，背叛了我。

我似乎陷入麻痹状态。我在黑暗的屋子里徘徊，在自己的心里寻找一个“避难所”。企图通过写作寻找自我救赎简直就是徒劳。

生活中唯一的亮色是我的邻居本哈德太太带来的她砰砰砰

地敲门，给我送来一盘刚烤好的糕饼，或者一筐刚从她家树上摘下的苹果。这些树环绕着她家的房子，也是我们两家天然的界线。

本哈德太太大约四十岁，是个寡妇。过去，她住在黑尔恩德老金矿区附近的一幢房子。三年前的一天，她的丈夫坐着大卡车到与他们相邻的农庄救火。车上拉着一个很大的白铁皮贮水罐。这天晚上，本哈德太太和另外几个人在那辆翻了个底儿朝天的大卡车下面，找到丈夫已经烧焦的尸体。本哈德太太欲哭无泪，欲喊无声，她只是嗓子眼儿里咯咯咯地响着，哇啦哇啦地叫着。从那以后，她变成了个哑巴。

她来跟我坐着的时候，我不怎么跟她说话，她也几乎一言不发。我讨厌听自己的声音在脑壳里刮来刮去，就像在多风的秋天，干树叶在窗玻璃上乱划。本哈德太太在糕饼上抹上黄油，倒好茶，并不说话，只是轻轻地推着我的胳膊肘，催我吃点儿、喝点儿。可我既没有心思又没有胃口吃什么东西，只是坐在那儿，听厨房里那座钟宣泄它的疯狂。

下午四点整，本哈德太太起身告辞。她的时间观念很强，而且这种观念是基于她固有的对于礼节的理解。她总是小心翼翼地等待，选择告辞的时间。每当这时她都会十分优雅地扬起头，仿佛正在聆听从遥远、古老的钟楼上传来的钟声。有时候，分手的时候，她轻轻地摸摸我的脑袋。这是她告别时的馈赠。

在那短暂的一瞬，她游移不定的手指使我心里充满了温暖。然后，我便觉得门口吹来一股凉风，黑暗又降临到我的身边。

我又一头扎进“故纸”堆里。这是我的一个坏毛病。不过这个毛病很快就会改掉，我将不再沉湎于过去那个时代留下的文字之中。

本哈德太太用一双迷人的眼睛看着我。那眼睛就像阴天里的大海，闪着灰绿色的光，乌黑的头发掠过面颊，梳在脑后。有时候，我们并排坐在沙发上，她绷着脸，颤动着殷红的嘴唇，想说点什么。我由此感觉到，做任何一件事情都那样难，而我记忆中的那些东西和眼下的事情都形不成必然的联系。我叹了一口气。她交叉着两条匀称的腿，眼神有几分索求……或者是一种勾引？还有一种淡淡的讥讽，我觉得我俩都意识到了这一点。她不开口，我便不敢有所动作。这是一个使人气馁的场景，一位有经验的过来人会哑然失笑。一到四点，我们便包裹起自己的伤感和柔情，结束这一幕。

他握着她的手腕。玛丽·扬的乳房像两只倒挂的梨在他脸前十分优雅地摇晃，乳头像两粒熟透了的樱桃。他的一双手抚摸她的小腹，又紧紧地搂抱。玛丽·扬长长的金发瀑布般地倾泻下来，在他汗涔涔的脸上洒满金色的光彩。坠入黑色的深渊之后，在若有所失的感觉和海浪般汹涌而来的睡意的裹挟之下，他气喘吁吁地躺在那儿，觉得锋利的笔尖在心上刻下“但是”两个字。

她望着他的脸。这张脸上的表情不再像往日那样高深莫测，而是一副无可奈何的样子，就像一个偷了邻居果园里的苹果被人家抓住的小男孩儿。他的辫子在耳朵旁边盘成一团，像一条蛇，辫梢上的红头绳就像蛇分叉的信子。

“你们到巴拉腊特时，我见过你。”她说。他没有答话。“那时，我跟一个男人同居。我们在一起过了一年。你或许记得他，一个满脸胡子的家伙。他朝你们大声嚷嚷。有时候他就是这副德性，不可理喻，像个畜生。”

她轻声说。他发现她的声音充满柔情，抚慰着他那颗空空荡荡的心。他试图弄清楚她这番话的意思，不过并没有做多大的努力。就好像她趴在井口跟他说话，他在井底，抬起头看她，陌生的声音像水珠一样滴到他的身上。

“他叫克兰西。这不是他的真名儿，为了躲避警察，他不得不改名换姓。自从‘尤里卡事件’之后，他们搜捕了他好长时间。我想你听说过‘尤里卡事件’。”

对于那次暴乱他很熟悉。不过他没有表露出曾经听说过。

“他被指控为乱民的首领，”她继续说，“他们说他鼓动老百姓反抗政府。他和另外一个家伙——一个意大利人，名叫卡堡诺，或者卡堡尼[①]，我已经记不清楚了——简直形影不离。他们总在一起谈论一本‘伟大的著作’。克兰西至今还带着那个人写的一本书，似乎是一部革命宣言。后来，那个意大利人被逮捕，克兰西设法逃跑了。他改了名字，留起大胡子。现在你已经看不出他和别的矿工有什么区别。就这样，费兹（他的真名儿叫费兹帕特里克）成了躲来躲去的逃犯。他化名克兰西，情况不妙的时候就变成一个牧羊人。我经常想，他之所以跟我同居，就是为了更安全些——如果你能理解我的意思的话。

①卡堡尼（Raffaello Carboni 1820—1875）：为意大利解放而战的斗士，1852年流亡澳大利亚，参加“尤里卡暴动”并著有《尤里卡拘留营》(1855年)。

他变成一个与世无争、愚昧无知的牧羊人，和他的妻子——曾经是墨尔本上流社会的宠儿玛丽·扬——一起生活在一座树皮搭成的棚屋里。而我，玛丽·扬，本来一切都准备好了，要嫁给一位有钱的农场主。”

她眯起眼睛瞥了云山一眼。他的一双眼睛告诉她，他已经听懂了她的话。

“可是你知道，我不能跟他一起生活。他总是沮丧得要命，一天到晚愁眉苦脸，自艾自怜。他一直没有从尤里卡事件的惨败中恢复过来。他经常茫无目的地转来转去，就好像领了一队兵马。我真不知道，为什么会和他一起生活了那么长时间。有一天，我再也无法忍受了，便对他说，他应该滚蛋，找他那位意大利朋友结婚去，看我在乎不在乎。他最好谈论他的政治，对着一杯朗姆酒哭泣。我还对他说，这样东躲西藏，死抱过去的苦难不放，算个什么男子汉！

“这以后，我们的关系越发紧张了，他也越发凶残了。有一天，他拿鞭子抽我。我收拾起我的东西，便跑到这儿。干这行当，我结识了不少朋友。我一直怀疑，就是此刻他也正在探听我的行踪，像条狗一样地跟着我，乞求我的宽恕。不过他不能四处打听，问这问那。有人或许会认出他就是那个被通缉的逃犯。如果他们知道，抓住他就能领到一笔赏钱，一定会有许多人把他扭送到警察局。不过，他们大多数人都不识字，所以失去了这个机会。”

她又转过脸看了一眼云山，他似乎已经进入梦乡。屋外下起雨，风吹打着窗户，发出敲打金属的响声。

“你跟我走吗？”他突然用颤抖的声音问，“看着你这样生活，我无法快乐。”

他不知道为什么要说这话，这话似乎不应当出自云山之口。他探过身去抚摸她的头发，在手指上绕来绕去。

她想了半晌，点了点头。但是没有告诉云山，要想养活她，他每天至少要花两先令。她并未问自己为什么没有拒绝他。他非常有吸引力、有魄力、体贴人。和男人接触的经验告诉她，对人要小心谨慎，可是这种经验也告诉她，这个男人诚实可靠，他不会骗她。对于她，这是一个机会。她可以平平安安离开这里，躲开克兰西的追踪。当然，她也清楚，和一个中国人生活在一起会导致什么样的结果。在妓院走红的时候为了消磨时间，她读过不少廉价的畅销书，很为书中罗曼蒂克的故事所激动。现在，想到克兰西为了把她从一个神秘的、外国异教徒手里夺回来一定会穷追不舍，玛丽·扬又激动得要命。

“除了必死的命运，你什么都可以背弃。”我想，那天夜里，当云山拖着沉重的脚步，冒雨回到帐篷的时候，心里一定在这样想。他想起在玛丽·扬怀里呻吟的情景。他为自己那孩子般的叫声而羞愧，但那同时又像一个垂死的人的呻吟。毕竟有生必有死。

X 医生：在这种情况下，要了解别人如何看他是绝对必要的。我希望您不介意为我写一点对于他的印象。

本哈德太太：好的，我将尽可能开诚布公地把我的看法告诉您。

X 医生：谢谢，非常感谢。您是否觉得他意志消沉？

本哈德太太：不，一点儿也不。他大多数时候都很快活。当然也有心不在焉的时候，那时便很难再吸引他的注意力。

X 医生：他跟你吐露过心中的秘密吗？也就是说，暴露过他的思想感情吗？

本哈德太太：没有，从来没有。他是一个性格非常内向的人，只说一些重要的事情，至少在他看来是重要的事情。但我总觉得那些事儿无关紧要。

X 医生：这是什么意思？他都谈了些什么事儿？

本哈德太太：哦，是些和种族主义、性别歧视有关的话题。有一次他说，这二者之间有一种内在的联系，跟人们对于所谓“劣等”“优等”所持的态度有关。请您注意，这当然算不上什么新鲜的思想。有时候，谈起话来，他一个人扮演我们两个人的角色，假设某些看法是我的意见。不用说你也知道，那和我的看法毫无相似之处。

X 医生：他跟你说的都是些什么意见？

本哈德太太：哦，他认为不同种族的异性之间的相互吸引是以种族歧视和性别歧视为前提的。除非这种前提被推翻，否则不会有令人满意的结果出现。

X 医生：你不同意他的这些意见吗？

本哈德太太：不同意，一点儿也不同意。

X 医生：我明白了。这又引出我的另外一个问题，这个问题也许使你感到有些难堪。不过不要紧，你可以拒绝回答。他有没有打过你的主意？我的意思当然是对于肉欲的追求。

本哈德太太：当然没有。

X 医生：我听出你说这句话的时候加重了语气。我问这样的问题你生气吗?

本哈德太太：不生气，我只是希望能够强调指出，我们之间从来没有发生过那种事儿。不管怎么说，他是个有妇之夫，尽管他的妻子离开了他。我喜欢跟他做伴是因为他很值得同情。也许这个词用得并不准确。他过着苦行僧的生活，几乎不吃东西。要是我不给他送东西，他或许会饿死。

X 医生：他谈论过死亡或者自杀吗?

本哈德太太：没有。他只是提到过一个叫云山的朋友。我想，那个人和他的关系很密切。可惜他死了。那人的死似乎在他的心中引起极大的悲哀。

那个男人和那个女人向东北方向进发。他们搞到一辆轻便马车和一匹马。男人拉着马步行，他的裤腿塞在高筒马靴里，上身穿一件兔皮外套，头戴一顶毡帽。女人蜷缩在车上，披着一块毯子。天气变得特别冷。天空阴沉沉的，好像要下雪。他们从几座新添的坟茔旁边走过。

夜晚，他们在大树下露宿，在毯子下面紧紧搂抱着，牙齿咯咯作响。朦胧的睡梦中，为了温暖，他们极力激起对方情欲的火花，每一次完事儿，都精疲力竭地躺下，等待黎明和太阳。毯子下面，男人感觉到女人紧贴他的胸口，焦躁不安地呼吸。她辗转反侧，把他也搞得焦灼不安。

有时候，他半夜坐起来，点着那盏煤油灯，想写点什么。他的毛笔在纸上笨拙地涂抹着，冰冷的手冻得僵在一起，像麻风病人变了形的残肢，不管平常书法技巧多么娴熟，此刻也很难写下只言片语。

音乐。音乐的声浪淹没了我，在我身上、身下流进流出。本哈德太太赤裸着身体，在我的幻梦之中舞蹈。我看见她两条丰满的胳膊抱在胸前，乳房高高隆起，就像端着一盘糕饼。音乐。瀑布般的黑发从我眼前流过。窗外，昆虫在唱歌。一只脚从我脸前闪过。大腿。小腹。我嗅了嗅，闻见一股淡淡的、约翰逊牌儿童爽身粉的香气。她旋转着。大腿间的V字。暗影掠过神秘的沟壑。

他们涉水走过那条河，翻过一座座小山，穿过纷纷扬扬的雪花和令人睁不开眼的冰雹组成的幕帐，从一群群沉默无语、精疲力竭的淘金者身边走过。这些人的大草帽上都结着一层冰。后来，出现了一群群白人。他们截住了云山的大车，围拢过来，跟玛丽说话，朝她微笑，又吐唾沫，用怀疑的目光打量云山。不过，对他怀里抱着的那支猎枪还怀有几分敬畏。后来，天气越来越冷，华人也好，西方人也罢，都看也不看便从他们身边走过。每个人都只顾自己和严寒搏斗。

这是严冬的序幕。小溪已经结冰。有时候凝结得那样快，瀑布还没有落地就冻成冰柱。水面上的层层涟漪也在涌动时冻成冰，像一排排银光闪闪的鱼。为了躲避冷酷无情的寒风，到河水中寻求庇护的苔藓和野花此刻全都凝在水晶般的冰面下，发出鲜亮的绿色和紫色。然后，皑皑白雪组成令人炫目的单调，把他们的脑子也映成一片苍白。只有突然变得凌乱的马蹄声才使他们想起应当注意方向以免迷路，或者让两个人张开僵硬的嘴唇说上一两句话。

“我看什么东西都对不上焦点，好像正在发烧，什么都模模糊糊，又好像火焰升腾起的热气，尽管火焰中间的东西那么清晰、那么鲜明。我极力翻译的文字也像纸上爬过的蚂蚁，放弃了自己的责任，我只好自己开动脑筋，给它们创造出新的意思。”

X 医生掏出一块很大的白手帕擤了擤鼻子，研究诊断结果。

“这是一种衰老的过程，”他做结论似的说，随手将酬金装进口袋，“我给你一些使神经放松的药物……休息休息眼睛。多闭着眼睛。”

他们来到雪线以下，跨过又一条河流，走过一片泥泞，向连绵的山岭走去。他们几乎走了两个星期，也没看到一个人影。渐渐地，生活的画面出现在眼前。群山下，人影绰绰。矿工们的帐篷被风吹得膨胀如球，就像一阵暴风雨过后长出的蘑菇。

傍晚，他们爬上最后一座山包，眺望山下一幢幢木头棚屋。晚风中，炊烟四起，太阳在西边的天空无力地挣扎，只有凭借想象才能感受到它的温暖。他们顶着寒风，相互偎依着向山下走去。那匹马每走一步都在咳嗽、喘息，马的肺里发出冰柱断裂般的响声。他们在大街尽头找到那幢木头房子。

“你确定这就是我们要找的地方吗？”云山神情紧张地问。

“别担心，我以前在这儿工作过。”玛丽回答道。她把头发拢到脑后，扯了扯身上的长裙。她的脸看起来那么憔悴。云山不时看看她那张脸，发现某个角度，或者某个侧面又告诉他关于玛丽的一些新的东西。他对她的以往一无所知，发现她的精神力量使自己胆怯。但他并不打算问长问短，他宁愿顺其自然，而不是刨根问底地满足自己的好奇心。在他的心中曾经伫立着一幢大厦，那是他正直人格的基础，如今这幢大厦已然成为废墟，他没有任何兴趣再去探究它的含义。

房门打开，吵闹声破门而出，浓烈的烟雾直刺眼睛。一个块头很大的女人穿着紧身绸裙出现在门口，两条肥胖的胳膊交叉着放在硕大无比的乳房下面，每呼吸一次都要抖动一下胸前挂着的那个小金坠。

“范蒂玛！”玛丽高兴地叫喊着，扑到那个浓妆艳抹的女人怀里，那两条肥胖的胳膊紧紧搂住她。云山看见一张仿佛是戴了面具的面孔，从玛丽的肩膀上面望着他，咧开两片鲜红的嘴唇微笑着，一双眼睛因为高兴现出条条皱纹。她正在仔细打量他。

“欢迎你回来，亲爱的！”范蒂玛一边说，一边响响亮亮地吻了一下玛丽，“玛丽·扬，天哪，我可从来没想到能再跟你见面！是什么该死的坏运气又把你送回到这儿来了？”

没等玛丽回答，范蒂玛就抓住云山的胳膊，一股热烘烘的威士忌的气味扑面而来。

“哦，我明白了，”她说，“你跑出去给自个儿弄回个华人。”

一双粗壮有力的胳膊紧紧抱住云山。他同时体会到一种被抛弃和被接纳的感觉，就像一个小孩儿第一次走进新家，被养母审视一样。

范蒂玛一边没完没了地唠叨，一边晃动着肥硕的身躯，热情洋溢地领他们穿过走廊。到她的房间之后，她便立刻用一大堆问题和酒来招待他们。云山因为用不着多说话，松了一口气。他非常非常疲倦。玛丽和范蒂玛则一直聊到深夜。

她们的说话声像一首催眠曲，把云山送入梦乡。他不知道自己是否在做梦。他走过一条条走廊，红色的帷幕从棋廊顶部松松垮垮地垂下来，使他想起自己曾经造访的那座位于广东老家北部的宫殿。范蒂玛正指给他们看大殿尽头的一间屋子。他摇摇晃晃，步履踉跄。窗外大雪飘飘，与玻璃窗相映衬的是浓重的夜色。他从钉在墙壁上面的一块木头招牌旁边走过，招牌上面精工雕刻着这样几个字：自助餐。

云山从这家自助餐厅旁边走过去的时候，看见牌桌旁边聚集着不少男男女女，有的坐着，有的站着。透过燃烧着的木头和烟草冒出来的烟雾，他看见一个年轻的中国小伙子正侍候客人喝酒。小伙子停下来收拾酒杯的时候，坐在他旁边的一个男人伸出一只大手摸他的屁股。这只手淫猥、下流，云山看了觉得脸红。范蒂玛微笑着，嘴里好像吐出一团蜡烛的火苗。回到房间之后，云山觉得认出了小伙子那张涂抹了脂粉、夸张地画了眉毛的面孔。会不会是阿盼呢？那个总爱在矿坑里唱歌的小伙儿。可是这种巧合的可能性太小了。他的思维已经趋于枯竭，旅途中经历的那些迷宫曲径让他的想象力丧失殆尽。

从他们走过的那条路再往回走三十英里，一个男人正在黑暗中搭一座帐篷。他用铁锹铲起厚厚的积雪，他的马也用蹄子扒着积雪上面那层冰壳，寻找枯草败叶。他生起一堆火，借着微弱的火光，看见别人留下的踪迹：已经变黑的啃过的骨头，冻在冰雪中的粪便。

罗云山——云山的全称，完全按字面直译，可以译作“老人山”，但我在自己的心底篡改了这个词的意思。

现在，我每天都在准备。我精力旺盛，因为已经做出一个决定。我开列出一张必需品的清单：一顶帐篷、五加仑的大汽油罐、罐头食品、铁锹、普列姆斯汽化炉、刀子、睡袋、气垫。我每天都要精简几样东西。昨天精简了灯和手电，今天又从单子上划掉了望远镜和地图。

第二天早晨，云山出去领取淘金许可证。玛丽在床上躺着，范蒂玛过来和她聊天儿。他在特派员办公室门前排队的时候，看见周围有许多衣衫褴褛的同胞。听见熟悉的乡音，就好像从异国他乡回到了祖国。他停止用英语思维的时候，就好像打开一扇沉重的大门，又一次看见自己的内心世界。这种自我反省是可怕的。现在何处可寻自己的忠诚?

他注视着他们。目光刚刚交汇，便立刻像苍蝇一样“飞”到别处。从他们褴褛衣衫的破洞中，云山看到了绝望和希望。一股风从大街上刮过，木头招牌像一只只秃鹫在他们的头顶拍打着翅膀。店铺的老板们摘下铺板，站在门口看了一会儿那些有可能成为顾客的人们，盼望他们买那些根本买不起的生活必需品。穿戴整齐的云山在一群为贫穷所奴役的同胞中间无法再待下去。

他离开排队的人们。他愿意一个人独处，渴望那条漫漫长路，渴望继续他的旅途。在这样的旅途中他不会为任何事物所触动，也不会受自己良心的责备。这难道是因为他太具有安全感了吗?因为玛丽·扬给他钱而不是同他要钱吗?或者因为他的这次旅行有一个终极的目的，知道到达终点便能够看清楚未来，而那目标对于他远比任何一座金山都更加重要。他的心里充满了紧迫感，他加快了脚步，看见有只毛乎乎的大手在玛丽的脊背上滑动。他听见她快活的尖叫，也许是真诚，也许是虚假，他并不在乎。他飞快地向范蒂玛那幢房子跑去。

玛丽正在吃早饭。煎鸡蛋和咖啡的香味勾引得他肚子咕咕作响。他把自己的计划告诉了她。她闷闷不乐，不想继续旅行。不过他感觉到她并没有同自己大吵大闹的意思。他说自己待在这样一个地方很不快活，这地方不会有黄金，他也不想让她重操旧业。

“可是，如果我不干这活儿，我们怎么生活呢？”她问。

他说起巴兰冈。

“巴兰冈在哪儿呢？”

他说在北面，那地方暖和多了。她对那个地方不感兴趣。他发脾气了，说他自己走。她知道他是个拿定主意便不再回头的人，只好说考虑考虑再做决定。他说，听人说克兰西也到了这座小镇。克兰西就是费兹帕特里克，那个齿缝很宽的家伙。

伊迪娜傍晚时分来看我，一顶阔边帽低低地压在眼睛上方。我已经好长时间没有见过她了。她开着一辆很脏的大众牌轿车，我还以为她要径直撞到我的车尾上面。我正在做最后的准备，已经精简了所有的东西，只留下帐篷和睡袋。她的汽车一声尖叫，停在离我的小腿只有几英寸远的地方。

她一点儿也不显老。她先是很拘谨地跟我握了握手，然后又两只手一起伸过来，紧紧地握着我的手，把我拉过去，在我的面颊上十分温柔地吻了一下。她说她是在回家的路上。这些年，她一直在国外，这辆车是在昆士兰买的。

“这样就可以顺便看看澳大利亚。”她说。

我领她进屋。她一直唠唠叨叨说个不停，说她非常抱歉，没有事先通知我她要来。不过她是在最后一分钟才决定走这条路的。我向她担保没有什么，她想待多久就可以待多久。她当然不知道已经打乱了我的计划。

她走进黑乎乎的屋子，啪的一声打开灯——一个灯泡的灯丝烧掉了。“哦，断了。”她笑着说。我们在起居室里相对而坐，喝了几杯白兰地。她一直戴着帽子，坐在沙发上腰板笔直，说话的时候两只手比比画画，显得生气勃勃。一张脸因为讲给我的那些事情而兴奋得抽搐。有时候她停下话头，向四面张望，似乎为了发现与我的生活有关的东西，然后深深地吸一口气。她把这里的另一种生活的气氛吸进去，分解出其中玄妙的成分。这另一种生活似乎一直向她关闭着大门，对于她而言从来都是寂然无声。

我们一块儿吃晚饭。我这儿没有多少可吃的东西，她便从她那辆汽车上拿来几瓶白兰地和一筐水果。我们就拿这些玩意儿当晚餐。我关灯的时候，她已经走到车库。我穿过那几棵苹果树，向本哈德太太那幢房子张望，看见她从窗前走过，然后就熄了灯。

伊迪娜睡在客房里。她一路颠簸非常疲劳，想早点儿睡觉，明天她还要对我讲述更多关于她的旅程的故事。她在屋子里面安顿下来，躺在毯子下面读《查太莱夫人的情人》，白兰地放在床边的地板上，长长的银发披散在两边。我想起一个古老的民间故事，仿佛看见伊迪娜站在一座城楼上，银发瀑布般流下。

她等待着……永远等待着。

巴兰冈，1861年6月，一个名叫拉姆坪的地方。星期日下午，天下着毛毛细雨，一伙暴徒袭击了华人的宿营地。

在此之前，一直有传言要把华人赶出金矿。他们在教堂外面发表演说，举行集会，还张贴了警告中国人的布告，这些布告是用英文写的。

一支铜管乐队引领着这群暴徒发动攻击。他们骑着马冲进搭满帐篷的宿营地。顷刻间，喊声四起，火光冲天，人们四处奔逃，乱作一团。有个家伙纵马疾驰，一把抓住一个中国人的辫子提了起来。他干得干净利落，只是把那条辫子揪了下来，人却跌落在地上。还有一个暴徒像打马球一样，举起棒子把一个中国人打得脑袋开花，扑倒在地。老人和残废人被马蹄无情地践踏着，真是一场血雨腥风。

这群暴徒的头领之一是个齿缝很宽的爱尔兰人。他杀气腾腾，骑着马在帐篷群里横冲直撞。他高兴得呜哇乱叫，在他的头脑中，凶残的行为像一块发痒的地方，越抓挠就越发痒。

铜管乐队继续在演奏。

我的视力越来越坏。好像隔着一个蜂房看世界，视网膜上尽是六角形的蜂窝。我的护照上面也好像多了一层铁丝网似的东西，字都变得歪歪扭扭，模糊不清。

这天早晨，像平常一样温暖如春。伊迪娜和我驱车向丛林驶去。她一边给我讲旅途见闻，一边心不在焉地开车，右手拿一只咬了一半的苹果，左手只用大拇指和食指捏着方向盘。她那辆大众牌汽车在狭窄的小路上颠簸，空气里弥漫着一股烟味儿。汽车开到观景台附近便没路了，我们只得从汽车里面钻出来步行。经过一处不大的瀑布时，她在乱石上蹦蹦跳跳，还快活地挥动着两条胳膊。

“真美！”看见瀑布，她高兴地说。

她像个孩子，欢天喜地地拍着手，还用脚试了试那潭清澈的碧水。她开始脱衣服，虽然我警告她附近可能还有别人，她说只玩一会儿。我只好继续沿那条小路朝前走。

“你最好等我玩完再走，”她说，“你知道路吗？”

我不屑于回答她。沿着这条小路向前走再容易不过了，而且我对这个地区很熟悉，还得到景物的形状，绝不会从悬崖上面摔下去。爬上山坡之后，回转头向那潭碧水望去，看见她漂浮在水面上一动不动，就像一朵白色的睡莲。听不到她的声音，一种陌生的寂静笼罩着周围的山野。过了一会儿，我听见她走过来的声音。她湿漉漉的，上气不接下气，不时舔一下头发上掉落的水珠。

她刚从香港回来。在那儿出了一桩事，她遇到了一个男人，坠入了情网——似乎是这样的。是否真的坠入情网在她的意识中也不是非常清楚。

“他从我住的那个旅馆的大堂径直向我走来，”她说，“我正在喝一瓶杜松子酒。空调坏了。香港真是糟透了，那么潮湿，人又那么多。他穿得很整齐，白衬衫，宽松长裤。他说他知道我要寻找什么，我自然就落入他的圈套。他握着我的手，说我应当先向他打探消息。他长得特别英俊，一位个子很高的亚洲人，很会说话。”

她想了想，侧耳静听了一会儿。只有我俩的脚步声。她继续说："他说，他在出生、死亡和婚姻登记中心工作。他在那儿见过我，听到过我询问的事情。第二天，他带我到一家俯瞰浅水湾的豪华酒家吃午饭。我们吃了龙虾，他不喝酒。我吃甜点的时候，他说去方便一下。我足足等了一个小时，连他的鬼影也没见到。从那以后，我再也没见过他。登记中心办公室也没有人听说过这个家伙。"

我们已经走到瞭望塔下面。"真漂亮！"她快活地叫喊着。风在悬崖上呼啸。我被这啸叫声迷住了，后来才又听见她的声音。

"我在那儿确实发现了一些情况。"

"什么情况？"

"你的姓。我查出你姓什么了。"

"我父亲的？"

"你父亲那边的祖先。这个姓是尚……或者和这个音相似的什么字。我只能从人家的口型学会念这个字。没有书面的东西，大部分档案都在战火中毁掉了。你的祖先是广东省一个唐人的家族。我想，你应该知道他们的情形……一个隐秘的社会。"

尚，山。我在风的呼啸声中咀嚼这个字。这种相似绝不是偶然的巧合。尚。我在记忆中搜寻。"尚"的谐音"裳"是衣服的意思。我听见这个字的声音被风席卷过来。尚，尚。沉闷、迟滞，覆盖了我们脚下躁动着的绿色的树海。

他们在七月到达巴兰冈。许多华人为了活命都已经离开这个地方。一路上，他们听到许多骇人听闻的故事。华人个个穷愁潦倒。他们的黄金被白人抢走，连回国的路费也没了。有的人食不果腹，只能靠丛林里的浆果和草根充饥。有些人被好心的农场主收留，成了只管吃住的包身工。最倒霉的是把自己雇给那些奸猾的企业承包商的华人。他们被送到遥远的北部荒漠，在极其恶劣的条件下干上一两年沉重的体力劳动，便怀抱着回国的梦想，死在那块不毛之地。

已是深夜，帐篷里，云山正在帮助他的同胞起草一份请求赔偿的文件。玛丽·扬躺在行军床上，神情沮丧。她望着自个儿一起一伏的大肚子，听着那几个中国人唱歌似的说话声。他们围坐在一张小桌周围，桌子上放着一盏灯。她没有想到能怀上这个孩子。

一切都来得那么突然。那天早晨她觉得很不舒服，她不大懂得怀孕的事情。以前她常去医生那儿做定期检查，医生断言她不会怀孕，说她有不孕症。她知道她的朋友们懂得堕胎的办法，可是怀上这个孩子，她特别高兴，压根儿没想到堕胎。她相信自己会熬过来的。她很乐观，正是这种乐观精神让她追随云山，至少她愿意这么认为。而深藏在她潜意识里这么做的原因是她常常想起别的男人对待她的方式。

但是她一点儿也不理解云山对她的爱。她不知道按照西方的标准这算不算真正的爱，不知道他的感情算不算完美。因为他的言行很不一致。他从来没有说过爱她，似乎一旦说出来，那份感情便会消失。但他确实表现了真正的爱心，表现出很难装得出来的真情。她从他脸上的纠结得到鼓舞。他极力用故作的冷漠掩饰心中的感情，直到那面具的边缘破裂，将他的慌乱和困窘都暴露出来。

他总是保持沉默。她喜欢他的神秘感，喜欢探寻他的思想，追随他那扑朔迷离的想法。她总能从他的身上发现一些自己从来没有想过的东西，一种令人惊异的智慧和理性。她喜欢这一切，并且因此而获得安全感。她有生以来第一次感到自己无需从男人身上索取什么。现在他已经给了她一个孩子。他是有意这样做的吗？他想要个孩子吗？听到她怀孕的消息，他并没有表现出特别的快乐或者难过。

现在她觉得很沮丧，不知道这是为什么。当她望着自己上下起伏的肚子，当她的目光扫过那一张张被枯黄的灯光映照着的蜡黄的面孔，她又一次体会到每当他的同胞跟他在一起，自己就有一种被抛弃的感觉，就觉得自己是个异类。这究竟是为什么？她一直有几位好朋友，几位可以绝对信任和依靠的女友。她从来没有真正孤独过。像范蒂玛这样的妇人总像母亲一样照顾她，关心她。她从来没有在男人身上发现这种感情。她接触过的那种大块头、强壮有力的男人只能让她害怕。像克兰西那种男人，总是把失望和沮丧藏在心底，随时都会责骂她。她的心随着这种种经历变硬了。

云山却不同。他身上没有那种想占有别人、侵犯别人的欲望。他总是逆来顺受，相信命运，因此，什么样的艰难困苦都忍受得了。她知道他已经将自己的命运交给了她，几乎像是找到了安全的庇荫。她想，是自己在驾驭着他的生命之舟。她觉得对他的焦躁不安自己负有责任，这让她变得沮丧，意志消沉。

她想起克兰西有一次对她说的话，“责任感使你如在异邦，身处孤独”。她还想起他说过的别的事情。克兰西曾以一种使她震颤和窒息的嫉妒爱她。想起这些，她至今感到不舒服。

帐篷里面越来越冷了，那几个人的说话声还没有停下来。她叹了一口气，摸了摸毯子下面圆鼓鼓的肚子。

一支支势不可挡的大军侵入我这幽居独处之地。推土机开进这个社区，威胁着这幢房子。周围的树木纷纷倒下。我被围困在中间，像一个躯壳，被人从里面掏空。我的头很痛。

伊迪娜第二天走了。她给了我一件从新几内亚高原带来的礼物，那玩意儿看起来像个牛角，中间是空的，跟开发边疆的山民们腰里挂的那种装火药的玩意儿差不多。

“这是一种套在阴茎上的长葫芦。”她开动了那辆大众牌汽车，从车窗探出头大声说。我拿着那玩意儿朝她挥了挥手。

我又去为我的远足做准备。我从一个十一加伦的汽油桶里取油加满了油箱，又把汽车轮胎打足了气。多打点儿总比打少了强。

他知道自己发疯了，拉着怀了孕的她到处跑。他知道自己发疯了，看见路边堆满金子。他知道自己发疯了，因为她现在处处依靠他，离了他什么也干不了，便占她的便宜。他知道自己发疯了，装好大车，又用剩下的钱买了一匹马。他知道自己发疯了，梦想过田园牧歌式的生活。他知道自己发疯了，对他们的未来做出这样一些决定，并且为这些决定苦思冥想，还做了与之相应的种种安排。他知道自己发疯了，把生活看作一系列的计划。他知道自己发疯了，当他发现生活并不按照自己关于现实的种种打算而改变它的本来面貌，发现生活的不妥协性以及不想迎合他的愿望的偏狭和执拗。他知道自己发疯了，当他感觉到自己身体的需要。他知道自己发疯了，当他听到一个声音在他心底呼救，当他被每一座岩石、每一块石子、每一潭碧水搞得眼花缭乱，被一道金色的光辉搞得眼花缭乱。他知道自己发疯了，当他把她留在帐篷里——这一次是在黑尔恩德——自己去塔伦河，并且看见水里有黄金闪闪发光。他拿着他的盘子，在那棵木麻黄树下蹲了一个小时又一个小时，把一些沉甸甸的东西装到一个袋子里，又不时拿出一块端详着，不敢相信这就是黄金。他还拿这些金块和石头比较，可还是无法说服自己。

更糟糕的是，他知道疯狂还会继续。

我很早就醒来了。天还没有大亮，我小心翼翼地把车从车库里面推出来，松开手刹，又猛推一下，跳了进去。汽车一直滑行到车道末端。我不想惊醒本哈德太太。可是发动汽车的时候，钥匙拧了三次都没有打着火。引擎的隆隆声叫人无法忍受。第四次车才启动。本哈德太太屋里的灯亮了。我把车倒出车道。透过雾蒙蒙的后窗户，看见本哈德太太提着一篮烤饼急匆匆跑出来，睡袍在柔软的红拖鞋上轻轻飘拂。汽车加速，她渐渐消失在蒙蒙的曙光之中。马路两旁整整齐齐放着一溜儿垃圾桶——默然无语的文明的守卫者。弓着背的猫经历了一夜的劳顿之后正在舒腰展背。

我感到无比的欢欣。晨雾初开，公路变得越来越清晰。飞驶的汽车似乎浓缩了时间。公路盘旋着，穿过一座座大山，然后钻入碧绿的峡谷，一座座高大的、砂岩筑成的房屋在谷底兀然挺立。太阳正从身后升起。

云山走进那条大河，脚摸索着滑溜溜的石头，很快便被冰冷的河水冻麻木了。他跌倒的时候，感觉到疼痛是在他的心底。狭窄处，河水湍急。他发现河床有很深的坑，一下子陷到腰部。他抓住水中的芦苇，觉得水流冲击着他，似乎在哄骗他、诱惑他不要与之抗争。

汽车在我精神正常、头脑清醒的情况下冲入这个水坑。广告牌吸引着我到那松软的床上休息，到某个豪华去处宁静的酒吧小憩。可是，我的使命已经开始，具有历史意义的时刻近在眼前。我是一个奇人，我像上帝一样冲过去救这个人。一片旷野在我眼前伸展开来。风吹打着我的车。这里曾经是一大片遮天蔽日的原始森林。婆娑的树影创造着、装点着辽远的天空。

他被河水裹挟着，在一个转弯处又被一股急流冲倒。在深深的水坑，他看见小妹妹躺在泥沙里。他知道这是一场梦，挣扎着，想看见自己也躺在那泥沙的睡榻之上，躺在她身边。

三个小时，汽车颠簸在这条小路上。我已经快到黑尔恩德城了。身后扬起一片黄尘，车轮碾碎层层涟漪，就像手指滑过钢琴琴键。我开着车迂回曲折地奔驰着，寻找那条河。

他浮到水面，觉得被那梦境欺骗了。他擦掉眼睛里的水珠，看见河岸上站着三个人。他们已经直瞪瞪地看了他好长时间。他们开始向他扔石头。很大的、光滑的石头扑通扑通地落到他的周围。他又潜入水中，寻找那股急流。找到了，便和它一起游弋。

阳光直射在我的头上，我听见山下传来哗哗的流水声。大风骤起，河水也咆哮起来。我沿着羊群踩出来的狭窄的小路向河边走去，心中不禁有几分紧张。我不时看到它们留下的粪便，羊粪粒像五彩的碎纸，星星点点，撒在路上。所有这一切都让人想起乡村、山风、流水、树木、粪便。这一切都属于我。

他又在河水的裹挟之下拐了一个弯，然后向布满沙砾的河岸游去。因为浸透了水，衣服很沉，河水也用力捆绑着他的四肢。他终于爬上河岸，又去爬前面那座山，轻快的脚步踩着一丛丛浓密的枯草，两只手不时扶住一块嶙峋怪石。急促跳动的心脏敲击着他的耳鼓发出咚咚咚的响声。他想起病中的她，浑身滚烫，躺在帐篷里。他跑了起来，系在腰间的钱袋拍打着大腿。

我走到河边，在一块光溜溜的、让人感到不舒服的石头上坐了下来。太阳晒得我头痛。我像一条狗一样喘着粗气。左臂感到一阵放射性的疼痛。一根绷紧了的神经把我的十指揪在一起，胸口好像压着一块沉重的石头。累得汗流浃背，不过离我要去的地方已经不远了。汗水流到眼里。令人炫目的波光和太阳的暴晒越来越强烈了。我脱下衣裳，立刻觉得很冷，不过吹干了皮肤的风也放松了一根根紧绷着的神经。胸口压着的那块石头也被挪开了。我漂浮在水面上，赤裸着身子，所有人都可以看见。

看见帐篷就在山脚，他攀援而下，激起一阵细雨般的小石子。他走到帐篷口。她在里面躺着，面孔虚肿，汗水涔涔，闭着一双眼睛。他给她擦了一把脸。她睁开一双眼睛，又立刻闭上。他忘了提水。这件小事没有引起他的注意。他从腰里解下钱袋，放到她身边的地上。得赶快找人帮助照顾她。他决定先不管那个钱袋。他拿起水袋又向河边走去。山下有一口废弃了的矿井。黑洞洞的废井在乱石和杂草丛中朝他张着大口。他向里面张望了一下。依照习惯，他把大部分粮食和工具都藏在这儿。这样即使匪徒袭击他的帐篷，也不会抢走什么东西。

我没有带任何补给。后来甚至决定连帐篷和睡袋也不带。车停在那儿，尽管我怀疑是否能把它再开到山顶。我什么也没带，只想获得跟他梦想幻灭之后完全一样的体验。我想了解自己的全部历史。我有摧毁自身种种防御的力量吗？我将一动不动地躺在这儿，倾听自己的呼吸。只要有一口气，就知道自己还活着。

正如他担心的那样，他用一块布蘸着水擦她的额头的时候，不小心踢翻了那个钱袋。一堆闪闪发光的粉红和淡蓝的石子儿撒了出来。根本没有什么看起来像金子的东西。他神情恍惚地坐在那儿。她呻吟着，喊他的名字。

傍晚，刮起一股大风，也许要下雨了。乌云赶在日落之前将天空变暗。阴冷中有一种陌生的东西。一座早已废弃的矿井里飘出一股臭味儿。我下来的时候就看见这个废井。不知道什么东西死在那里面，也许是历史喂养的一只野兽。

他在黎明前悄悄溜出那座帐篷。他睡不着，帐篷里面又闷又热，蚊子在他耳朵旁边嗡嗡嗡地叫着，叮他的脸和胳膊。他搔痒，摸到了蚊子叮起的包，也感觉到了痒痒下面的刺痛。他突然想到河里凉快一下，便跌跌撞撞走下山坡，在那个矿井旁边停下脚步，蹲下来伸长胳膊在里面摸索。他找着了那个袋子，拿出来，把手伸进去找那盏煤油灯。可是他的手指触摸到别的什么东西。那是一个熟悉的柄，紧贴他的手心。原来是那把砍肉的刀，过去在家里常用它杀鸡。他把刀拿了出来。现在这把刀已经派不上什么用场了。他摸了摸宽大、厚重的刀片。刀刃很钝，手指粘了一层铁锈。他提着这把刀向河边走去。

我被两个从我身边慢慢走过的男人惊醒。他们弯下腰，一会儿停下脚步，一会儿蹲下身子，呈“之”字形向河边走去。他们没有发现赤身露体躺在一棵倒伏了的木麻黄树下的我。我挣扎着想爬起来，可是做不到。我完全失去了行动的能力。

他们向他猛扑过去，把他按到水里。没有叫喊，甚至连一点儿响声也没有。他们把他头朝下在水里浸了好一阵子。这两个家伙是门牙齿缝很宽的大胡子克兰西和西班牙人卡洛斯。卡洛斯壮得像头公牛，胳膊足有猪腿那般粗。云山挥起砍肉的刀猛劈过去，带出一阵嗖嗖的风声。他胡乱地、发疯似的劈砍着，感觉到砍刀已经砍住什么人的肉和骨头。那两条紧抱他的胳膊慢慢松开，一个沉重的身躯从他的头顶压了下来。他好一阵子连气也喘不过来，恶心得直想吐。一只大手捂住他的脸，两根手指伸进他的嘴。他使劲儿咬了一口，又举起刀猛砍起来，河水呛进他的鼻孔，一股血腥味儿。西班牙人的脑袋像吊在竹竿上的一只气球，黑魆魆地出现在他的眼前。云山操刀劈过去，正好砍在他的鼻梁上。那人的脑袋猛地向后一仰，陷在鼻梁骨里的砍刀从他的手里滑落。云山吃力地站起来，呼哧呼哧地喘着气。他跌跌撞撞走到岸边，那两个人中的一个已经在河水里消失得无影无踪。另外一个一动不动躺在沙滩上。云山喘着粗气，在那具尸体旁边蹲了下来。过了一会儿，他拽着一条腿，拖着那具死尸向山坡爬去。尸体很重，他跌了一跤，爬起来又拖，尸体像一袋湿沙子，碰在石头上发出沉闷的响声。

我听见山顶上传来一阵马蹄声，还看见一片亮光。不知道是第一缕阳光照亮了山顶，还是哪儿着了火。

他好不容易爬到矿井跟前，像一头野兽急促地喘息。他把那具尸体推了进去。热乎乎的血顺着光溜溜的胳膊流下。

好一阵子他才听见尸体落地的啪嗒声。然后一阵哔哔剥剥的响声吸引了他的注意力。他看见一片熊熊燃烧的火焰，火星和灰烬随着明亮的火舌冲天而起。他向燃烧着的帐篷飞跑过去。他冲进大火，不顾胳膊被烧伤去拖那张行军床。床空着。他拼命扑打烈火，踢倒帐篷的支架，撕扯着烧焦了的帆布。玛丽不见了。他在一根圆木上坐下。

我跑到那儿，看见还在燃烧着的纸片和向山下飘去的大片大片的灰烬。阳光好像烧透我的眼帘，六角形的蜂窝充满了鲜血。

‘清朝中国人’坐在一根圆木上，一张张没有烧尽的黄纸随风飘荡。那是毫无价值的想象力。宛如什么庞然大物的呼吸使他窒息。没有任何记录，没有对世间万物之所见。他觉得潜藏在灵魂深处的兽性已经浮到表层。死一样的寂静。

他站起来，像一头野兽，悄悄地向我走来。他看见一个瞎子赤裸裸地躺在太阳下面。刹那间，他们好像认出了什么，相互凝望着对方。瞎子觉得自己听见了什么响动，有个活物喘息着，离他相当近。他甚至能感觉到热乎乎的呼吸。

“你真是我的祖先吗？打着该隐①的印记，被人揪掉了辫子站我的面前，一张憔悴的脸让人难以忘怀？”

瞎子伸出手摸索着那片仅存的衣裳。在这样一个奇怪的时刻你不会感到羞怯。他手里拿着那个形状像阴茎的长葫芦，满腹悲凉，努力保持人类文明最后的一点痕迹。

---

①该隐：《圣经》中亚当的长子，曾杀害其弟 Abel，喻凶手、魔鬼。

“云山！”他大声叫喊着。

那人冲进树丛。他以前见过这位看客：在河岸上的由未来孵化而来的一个双目失明的白发人。

西默斯在那儿躺了好长时间。他觉得太阳在眼帘上燃烧，有两次他好像听见鸭子在河面上拍打翅膀的响声。他没有注意到时间的流逝。可是时间确确实实一分一秒地成为过去。大地随之震颤。一根树枝断裂，树叶纷纷落下，发出沙沙沙的细雨般的响声。响声的间隙是完美、真实的宁静。也许这是整个结局的序幕。他的脑海里再没有一点点响声。他感觉到一种轻松、一种纯净和安宁。

压抑感消失了。头脑中一片空阔和明快。凉爽的空气吹进，从他意志的巅峰飞泻而下，又在他的身后形成白雪皑皑、兀然屹立的山峰。风雪的巨流裹挟着他向前。他像一片树叶似的轻巧，旋转着，沉浮着，掠过一块块岩石。风中爆发出一阵阵笑声或者呜咽声，或者二者兼有。随着一阵脚步声，黄沙好像温柔的胳膊，抱起已经轻如枯叶的他，让他陷入一片温馨之中。

安娜·本哈德喘着粗气，托着沉甸甸的双乳踉踉跄跄地走过来，她的眼泪宛如温热的雨水洒在他的脸上，这幅场景显得有些荒谬。她知道能在这儿找着他。她对这一带了如指掌，当手指抚摸手背上面的一两块雀斑，并且想着合适的礼仪的时候，她便知道他一定到这儿来了。当她凝视着那一筐没有吃过的烤饼——那一大堆没有被消费的自己制作的、没有派上用场的她的激情的“附属品”的时候，她便知道，他一定到这儿来了。

当她发动了汽车，跟在他后面来到她曾经居住过的这个地方时，她清楚地知道他要去哪儿。

他的确就在那儿，轻得像个婴儿，大张着的嘴巴隔着一层衣衫紧贴着她的乳头，她觉得一阵刺痒。她像找到了金子一样地呜咽、欢笑。她情绪激动，那情绪的源头也一片混乱。她感觉到一种无法言传的、对这个世界的挑战。

他紧紧地偎依在她的怀里，偎依在她丰腴的、无声无息的怀抱之中。在这里，他将得到滋养和保护。

第五章 分别

他被允许出院之后，最先体验到的是女人们的热情。来陪伴他的自然都是这些妇人。从先前自己钻进去的避难所里走出来，重新学习在公开场合露面时的言谈举止并非易事。将自己从自我封闭中解放出来，学会信任别人，接受别人的好意也非易事，尤其是在没有能力给予他人关心的情况下。

伊迪娜专程来本哈德太太家陪他。范蒂玛也常来，她起初很少说话，但非常关心他，总是尽力满足他的要求。她给他带了些小礼物，还带来几张她自己画的鸟和别的动物的油画，让他的房间看上去像在进行动物展览。他经常伸出手指抚摸那凸凹不平的油彩，琢磨它们的纹理，判断色彩的运用轻重。安娜·本哈德总是用轮椅推着他，在她那幢挺大的房子里转来转去，从不离开一步。她给他吃水果和烤饼，烤大块儿的肉，弹奏巴赫和贝多芬的钢琴曲。为了防备万一，她搬走这幢房子里所有镜子，在先前放镜子的地方挂上丝绸幔帐，或者挂上下面压了树叶的玻璃镜框，还挂了几幅范蒂玛画的动物油画。浴室里——他在这儿用那只没有受伤的胳膊刷牙——也挂了一幅画。上面画着一只藏在灌木丛里的狐狸。那只狐狸脑袋很尖，闪着金黄色的光泽，总是直盯盯地望着他。

这期间，云山的影子一直没有离开过他。这一点伊迪娜心里明白。她给他念书的时候，常看见他脸色大变。他面颊凹陷，眼帘低垂，下巴颤抖。有时候她觉得他想要说点什么，便俯下身，停下正念着的段落，等他说话。可是他一言不发，只有沉默笼罩着他们。

安娜坚持伊迪娜在她这儿多待些日子，这样她们可以一起照看他。她自己也说不清为什么要这样做。说实话，她并不喜欢伊迪娜的做派，不喜欢她总把白兰地放在床铺下面的习惯，也不喜欢她穿着短裤、沙滩鞋和老式样的比基尼游泳衣在花园里转来转去——用她自己的话说是“好好地来场日光浴”。安娜觉得自己非要让伊迪娜做伴儿是出于安全的考虑。可是她又责问自己，为什么要这样做？什么事情让自己觉得不安全了？

范蒂玛总是在周末看望西默斯。安娜不喜欢伊迪娜和她在这个时候培养起来的友谊。她不喜欢她们坐在花园里苹果树下抽着香烟，大声说话，嘻嘻哈哈；不喜欢范蒂玛在椅子里前后摇晃。她总是发出沙哑的笑声，右手食指缠绕着长长的珍珠项链，一双锐利的眼睛对周围的氛围、时尚、潮流最细微的变化和趋向都非常敏感。当她眼巴巴地看着他坐在院子里那片树荫下，被云山的幽灵缠绕得烦躁不安的时候，她几乎有些痛恨这两个女人。她虽然讨厌她们，可又情愿把自己的命运和她们联系在一起。尽管，当然了，她没办法将这些想法说出来。

后来，夏季的一天发生了这样一桩事情。这事儿迟早都要发生，医生曾经这样说过。他开口说话了，虽然只有两个音节。先是伊迪娜听见的。不过她们谁也不知道这两个音节是什么意思。不是小孩儿的牙牙学语，而是一个起始和结尾都很完整的字，也许是两个字。

随着时光流逝，他又说出些别的字来。这些字和他最初说的那个字似乎有某种联系。很快，这些字便连成一句有腔有调的话。伊迪娜认为这是一首歌。安娜按照那些字的音韵在钢琴上弹奏出来。有一天，范蒂玛听了她的弹奏，断定那其中的清新和明快只有用视觉的方式才能表现出来。

他念的句子越来越长。在那所很大的房子里，你随处可以听见嗡嗡嗡的声音在走廊里回荡，就像蜻蜓沾着唾沫拉出一条细长的丝。那声音也越来越大，蜻蜓变成小鸟，唱出好听的、仿佛是笛子吹奏的乐曲。

有一天，伊迪娜说这是中国话。安娜点了点头。范蒂玛哈哈大笑。她们越发全神贯注地听了起来。至少她们现在已经确信他是在讲某种语言。她们邀请教区神父来吃午饭，此人是位颇有名气的汉学家。

“啊，是的，当然是，”他说，“当然是汉语。他是在背诵苏东坡的诗。这位苏东坡是画家和诗人。十一世纪末，北宋王朝时，他被流放到中国南方。”

实际上，他根本不知道他在背诵什么。

伊迪娜继续读书给西默斯听。他不时打断她的朗读，喊出几个字，或者说出几个完整的句子。伊迪娜把他的叫喊和她刚才念的段落联系起来，猜测其中的含义。可是很难成功，因为他总是在最无关紧要的地方叫喊起来。然而这毕竟是个开端。她十分聪明地注意到，当她停止念特罗洛普[①]的作品，转而去念卡夫卡的作品时，他便大声嚷嚷起来。从卡夫卡的作品再念到詹姆斯[②]的作品时，吵吵声又趋于平静。念怀特[③]的作品时，他像一只白鹦鹉一样喋喋不休地唠叨，还在轮椅里使劲摇晃。伊迪娜生怕他搞不好跌倒受伤，每次总是读一小段便打住。

安娜试图用音乐感化他。她在钢琴上弹奏不同作曲家创作的风格迥异的作品，随时准备记录他的行为举止或者言谈话语是否因此而有所改变。为了达到这个目的，她还弄来一台录音机。可是所有这一切均未奏效。他总是默默无语，闷闷不乐。这种无动于衷很使她生气。她越是坚持不懈，就越被他的沉默刺伤。

后来，伊迪娜又想出一个巧妙的办法。她发现他喜欢听无线电收音机里的实况广播和广播剧。听这些节目的时候，他的脸便高兴得像一朵盛开的鲜花。节目完了，他就往椅背上一靠，叹口气说出一串长句。那语气和声调都让人感到他心满意足（伊迪娜现在已经能够分辨出这种种声调了）。

安娜开始纳闷，他是不是在玩什么鬼把戏。她想，如果他变得愤世嫉俗、尖酸刻薄，就有可能造成某种退化。她明白，他的治愈依赖于自身的信仰。她不知道该怎样帮助他，也不敢承认那是她留给自己的、唯一的出路。

---

①特罗洛普（Trollope，1815—1882）：英国小说家。

②詹姆斯（Henry James, 1843—1916）：出生于美国的英国小说家。

③怀特（Patrick White,1912—1990）：澳大利亚著名作家。

一切都水到渠成。有一天晚上，事情就这样突然发生了。这句话第一次从他嘴里脱口而出的时候，两个女人正在餐厅。他一定说了两次。因为她们刚意识到他在说话，那话便又在她们耳边回荡起来。他说这话的时候，一双眼睛瞅着天花板。安娜听见最后两个字。五分钟之后，他又说了一遍。她连忙拿出笔记本，记了下来。

“对于中国人，破产就意味着毁灭。”

他的意思是为了维护面子，自杀是不可避免的吗？安娜心想，他试图毁灭自己，是否和他的婚姻破裂有关系？或者他只是讲别人的事情？

后来，整整一个月他又陷入沉默。傍晚，叽叽喳喳的小鸟在叫声中进入梦乡，安娜和他坐在一起，寻思他就要死了。她听见昆虫接替小鸟，发出唧唧的叫声。夜空中弥漫着蜂蜜和桉树的清香。云山曾经在茶树丛中进入梦乡。附近，一只针鼹在沙土中打洞。

他没有去找玛丽·扬，这也许是一种没有心肝的表现。不过，只有那些浪漫主义色彩浓烈、现实主义色彩淡薄的小说中的主人公才会那样行事。他为一个女人间接地杀了两个人。孔夫子关于圣人的理论被此举完全玷污了。此外，他无法相信玛丽是被暴力劫持而去。他认为她抛弃了他，背叛了他。他心中奔涌的不是仇恨，而是耻辱，一种丢脸的感觉。她羞辱了他。

这样想也不能完全怪他。玛丽·扬是个背景复杂的女人。差不多有一年，妓女圈子里的许多朋友都不时向她提供有关克兰西行踪的消息。这期间，她虽然一直跟她的华人生活在一起，但是感觉得到克兰西的嫉妒对她无形的束缚，感觉得到他为了爱情对她颇为得法的追踪。渐渐地她有点儿洋洋自得，后来更被他这种充满献身精神的追踪迷住了心窍。她从朋友们那里听说他到处打听自己的消息，听说他现在万分懊悔。于是，她用想象编织关于他炽热感情的种种故事，并且为之深深感动。她还听人说，他离开她无法活下去，情愿去死。渐渐地，她对云山的依恋淡薄了。她没有使他们之间那条感情纽带更加牢固的经验。

因此，她不时向某位朋友透露对克兰西尚存的柔情就不足为怪了。而克兰西听到这种种信息便认为是玛丽·扬对他的回报，是在向他呼救。

他醒来以后还记得刚才做的那个梦——他看见自己的看客躺在一堆石头上面，刹那间惊恐万分。这种感觉现在还在心头萦绕盘桓。这是对未来的幻觉，或者说是看见一个老人赤裸裸地蜷缩在子宫里的幻觉。这种幻觉并非奇异的空想，而是由他使玛丽受孕这一事实生发出来的幻觉。这种幻觉粗陋、野蛮，被负罪感拼命地压迫。惊恐之感继续膨胀。慢慢地，他领悟了其中的全部含义。他不得不独自承担传宗接代的责任，挑起创造者的重担。这是历史的纪录。

他意识到，现在他要被人追踪了。不是一般意义上的种族迫害的对象，而是作为杀人凶手将要面临凶险。如果起初，因为相信玛丽·扬背弃了他，就心灰意冷，他就会在贫穷与堕落中毁了自己。作为一个被追踪的凶犯，他做出种种努力，一定要活下去。

玛丽·扬不顾朋友们的反对，不听坐驿站马车专程从凯德拉赶来的范蒂玛的建议和忠告，决心自己拉扯大这个孩子。那天夜里，当一个野性十足的、醉醺醺的德国人把她从帐篷里拖出来，扔到大车上，开始前往巴瑟斯特[①]漫长而令人恐惧的旅程的时候，她就已经拿定了主意，并且给肚里的孩子起好了名字。德国人说克兰西找她来了，但没有说他已经跑到河边，准备杀死她的华人。

她望着怀里的婴儿，那双乌亮的眼睛在半透明的眼皮下面转动着，小手指张开合上，合上张开，摆弄着妈妈的奶头。

在这个州的另外一个地方，巴兰冈的一片牧场也被命名为“扬”。

为了安全，云山避开大路，绕过小道，在没路的地方开路。他的脑袋上结了一层血嘎巴儿，数不清的苍蝇嗡嗡地跟着他飞舞。他沿着那条河离开金矿，一直在浓密的灌木丛里藏身。

在这蛮荒之地，进入丛林就好像撩开一座巨大的迷宫门口挂着的帷幕。他希望自己能完全彻底地迷失方向。越往深处走，丛林越显得生机勃勃。他很惊奇自己的视觉为什么那样生动、鲜明。每一块岩石、每一株大树都放射着纯洁的光彩。枯枝败叶下面有许多生物，他能发现它们每一个细微的动作。他看见大树不靠风的帮助就可以摇动它的枝叶。看见潜藏着的生命在嶙峋巨石里膨胀，就像每一块石头都蕴含着一团火。

有好几个星期他靠吃巨蜥和青蛙活命。他总是趁它们直瞪

①巴瑟斯特：澳大利亚东南部，新南威尔士州东部的小镇。

瞪地看他的时候，用棒子把它们打死。嚼着那些胶皮似的肉，他便想象自己是在吃一盘鸡肉。

每天早晨，他都按照初升的太阳，修正他的行动路线。他想自己一定是在森林里兜圈子。碰上一堆兔骨头就认为这是几天前自己吃剩扔在一块石头上面的。只不过风吹日晒变白罢了。这些骨头会不会是另外一个捕食者留下来的呢？即使为了躲避别人而迷失方向的时候，这里也存在着一个他在无意识中遵循的指导原则，这个原则总是把他引领回自己的身上。想象之中，他看见丛林中另外那个幸存者，这个幸存者还是他自己。他在那个人曾经露宿的地方露宿，他吃那个人吃过的东西。

他开始向东走。好像有什么东西告诉他，大海就在那边。穿过旷野的时候，他只能昼伏夜出，尽量避开牧场和农庄。白天，他在和煦的阳光下睡觉，观察周围的景物和地形。

有一天夜里，他正蹲在一个小水湾喝水，听见灌木丛里有什么东西发出一阵响声。那不是一般动物发出的响声。

云山透过浓密的灌木丛看到大路上的情景，心中骤然升起澎湃的激情。这激情用什么样的语言才能描述啊！如果手头有纸有笔，他一定能将那激情记录一二。他看见一股人流像条大蛇在夜的静默中向前移动。他们都是矮小壮实的汉子，头戴大草帽，肩挑长长的扁担，扁担两头挂着行李什物。

倘若能描述这条人流如何吸引了他，使他成为其中的一员，并且裹挟他迤逦而去，那情景一定感人至深！倘若能描述这股人流怎样给他安全感，给他衣裳穿、东西吃，把他带上他曾经走过的那条路，踩着自己留下的脚印往回走，并且最终找到归宿，那情景一定感人至深！

我们从人们支离破碎的记忆之中，搜集到这样一些早已尘封的历史事实。人们说，云山回到了巴拉腊特（还有传言说，发现云山的时候，他已经在一个日渐衰落、充满绝望的土著居民部落里生活了一段时间）。他在巴拉腊特找到了已经发财的舅舅。舅舅给他买了一张从墨尔本港出发回中国去的大帆船船票，还让云山给在广东省等待他的妻子捎去一笔钱。为了保证云山的安全，一位姓王的伙计一直把他送到船上。当然，他顺便办理托运货物的手续。

云山此行很顺利，大帆船的速度相当快，不过对急于回国的他来说，仍然慢如蜗牛。他准备回国后重新过先前的生活。这时便意识到自己身上发生了巨大的变化。现在他已经踏上一条完全不同的道路，他的命运掌握在自己手中，带回了在澳大利亚获得的看不见摸不着的经验：淡泊、沉默。正是这种经验帮助他在循环往复、永恒无穷的大千世界里扮演了那个微不足道的角色。被鬼魂追赶的感觉让他感到难以承受，他恨不得风帆变成翅膀，大船在碧空下飞翔。

安娜·本哈德在听风的呼啸。风很猛，鸟儿都缩着身子，趴在地上，脖子上一簇簇的羽毛在风中摇曳。它们看起来就像一块块泥土。尽管狂风怒吼，她还是感觉到一种实实在在的宁静。这宁静来自于坐在对面轮椅里的那个人。

她的心里充满了恐惧。这几个月，她心里一直交织着对他的爱和怜悯。现在又添了第三种内容：恐惧。她生怕失掉他，生怕已经从井底爬了一半的他又永远掉进那枯井里。

她可以通过行动表示对他的怜悯和爱，却没有办法表示她的恐惧。她不能说话，她无法用语言表达心中强烈的感觉。但是她下定决心缩短他们之间的距离。要做到这一点，她不得不潜入沉默的深渊，把自己的经历和他的经历结合起来，在爱河的另外一面漂浮起来，这是她眼下唯一的出路。

她走到敞开的门口，向外面瞥了一眼。从伊迪娜的房间传出酒杯柔和的叮当声。她正在喝下午那顿白兰地，很快就会进入梦乡。安娜深深地吸了一口气，让自己也变得睡意朦胧，然后锁上房门，向西默斯走去。

她慢慢地、几乎是小心翼翼地脱衣服：解开一直扣到领口的罩衫，脱下裙子，从身边踢开，又把胳膊探到身后解开乳罩上的小钩。她赤裸裸的，只剩下一条镶花边的天鹅绒短裤。她在他面前跪下，抓住他的两条腿。

他的目光从她的颈背滑到满头乌发，又从她的脊背滑到天鹅绒短裤。他非常缓慢地伸出一只手，抚摸她的后脑勺。她捧起他另外那只手，轻轻地放在自己的乳房上面。他用大拇指缓慢地、非常缓慢地拨弄勃起的乳头。她开始脱他的裤子。他似乎在帮她的忙。他们像两只蝴蝶，在花丛中翻飞，不无犹豫的试探。

屋外，风像女妖一样呼啸。鸟儿蜷缩在草丛里。他把一只手放到她的身上，抚摸缎子一样光滑柔润的肌肤。

安娜舒了一口气，闭上眼睛。在他手指的触摸之下，她轻轻颤抖。他在创造她，揑制她。她的心坠入一个空白的世界。

在那个世界里，她构筑自己的激情。那是比她自己还要大得多的感情的大海。她在那大海之上，踩着汹涌的波涛，从山石之上滑落下来，漂浮在海面上……

“啊，天哪！”她说。

她说这话的时候，西默斯·欧阳的脸上露出一丝微笑。在他的想象之中，她像孩子一样天真。他挣扎着想离开她，可是很快就精疲力竭，轮椅也歪三扭四地转了起来。爱河里，他看见她被滚滚洪流席卷而去，然后自己也跟着她一泻千里，汇入熙熙攘攘的人流。就在他做最后一次努力，企图从人流中挣脱的时候，他看见云山像站在鲸鱼背上招手的亚哈[①]，在向中国奔腾而去的巨流上晃动了一下便消失了。

他终于从另外那个自我中解脱。他叫着，笑着，含糊不清地说着什么。“伊迪娜！伊迪娜！”他大喊。大彻大悟，他奋力向海面游去。伊迪娜睡得正香，听不见他的叫喊。她已经结束了在他的生活中所扮演的角色。

“是的，是的！”安娜说，有几分慌乱，一双眼睛溢满快乐的泪水。她的声音听起来新鲜而陌生、纯净而又充满了未知。

---

①亚哈：《圣经》中的以色列王。

第六章 别样人生

广东 1863年。

我呷着已经凉了的淡茶。胃并不需要这凉茶的光顾，便愤愤不平地翻腾起来。天下起雨来。村里的人们说，这是六年来第一次下雨。雨点打在薄薄的房顶上，发出金属般的响声，雨水已经开始漏到我的床上。很快，别处也会漏下雨来。雨水将尽最大的努力模糊我写在这些纸上的字迹，以显示我这一生的碌碌无为。

最后一点火光在我的小手炉里熄灭了。窗外，大山在夜幕中消失。我写这些东西的时候，好像大梦初醒。真可笑，人们写的文章不是给后代留下的记录，或者充满幻想的什么东西，而是为了证明他并没有做梦。它使人成为一个人，又让人掌握自己的命运。我想这就是生存的戒律。

风雨交加，吹打着窗户。遥远的闪电放射出一道道光芒，万里之遥的澳大利亚似乎也被照亮。澳大利亚就像一部金色的童话，雄伟粗砺，而被隔绝的宁静又是那么温柔。我看见自己的后代发现了每一个充满快乐和欢笑的瞬间。他在小本子里为那些我熟悉的时时刻刻，一草一木画下一幅幅素描。我体验到自己身处未来的感觉，听见一个斩断自己声音的声音。

我并不知道，回到家乡竟是回到死神的身旁。我的心灵震颤着，向已经不成其为村庄的家乡走去。那是一个战火烧光的躯壳。连年的战乱和饥荒使得乡亲们贫病交加，一个个活像又瘦又脏的饿鬼。不一会儿，我看见父亲那幢房子。这房子早已被洗劫一空，破败不堪，仅能稍微抵御寒风。寒风在新开了梯田的山上旋卷着，刮下来吹打着不停转动的门，撕扯着黑魆魆的门楣上尚存的几条缎带。那是我的父亲为一个浪子的祈祷。

我在这儿碰到那位老和尚。他告诉我，父亲早已去世，还向我描绘了他死时的情形。他说，父亲是在睡梦之中安静地死去的。他的生命之树像静静飘落的茉莉花花瓣一样，无声无息地倒了下来。这位和尚要把他修身养性的茅庐让给我住。那是栖息在山脚的一间小屋，仰望着巨石上那座兀然而立的寺庙。寺庙仿佛镶嵌着如来佛漠然的微笑。我虽然经见过许多事情，还得大睁双眼审视这个世界。我谢过和尚。他急于继续显然是最后一次的旅行。

我想，现在我已经找到了寻觅多时的生命的意义。不是从大胆使用的语言文字中找到的，也不是从超越了人类存在的信仰中找到的，而是来自于不再寻觅带来的欢乐，来自于想象创造的奇迹。

明天，如果体力允许，我要步行到城里，把希望和钱带给阿发的妻子。我要告诉她，我也在等待；告诉她，有个孩子在等我。

……人是容器的制造者；什么都不制造的物种不能称之为人类。

普里莫·莱维

第一章

老子这位令人尊敬的哲学家因为已经一百八十岁而享誉天下。大家都认为他长生不老。不过那一年（大约公元前499年），不是什么吉祥之年。有谣言说这位隐居山林的《道德经》的作者行将就木。老人家下大力气辟谣，希望名言警句能让那些关于他健康状况不佳的谣言不攻自破。比如：

长生之道在于固阳护肾。阴为固阳之本……吸收的阴气越多，生命力就越旺盛……阳气顺脊柱而上，把巨大的力量送到大脑和全身各个器官。这样就可以延年益寿，长生不老。时间仿佛停滞，邪魔被驱除……

这些话并非神示，恐怕连警句格言也算不上。

可是，老子突然受到鼓舞。每一个年轻女子都会让他灵感突发，写下一句话。他把这些话记在一个本子上，渐渐地耳聪目明，虎背熊腰，血液循环系统得到很大的改善，皮肤也有了光泽。

但是这天夜里，与一位绝色女子云雨之时，他脑子里一片虚无，哪里还有什么哲学家的思辨。他想起曾经用过的“道”的呼吸法，便咬紧牙关，提丹田之气，以免坠入深渊。然后从那温香软玉中挣脱，走出去，走进旁边那个房间。

桌子上放着他那未来的鸿篇巨制。“序言”已经完成。他第一次担心自己无法继续写下去。他眼前出现可怕的景象：一个替人操刀的作者、一个剽窃了他思想精髓和来之不易的长寿秘诀的家伙完成了他的著作。

他到旁边的小树林里溜达了一会儿。

回来的时候，那个女子还在，身裹绫罗，睡梦中神情自若。他突发高烧，病势沉重，坐起来，伸出双手捧起女子的脸。

“你是谁？”他大声责问，“为什么要抢走我珍爱的一切？”

她满脸通红。

她直盯盯地看着他，用很轻柔的声音说：“我是你要写的那本书。这本书原本要像玉一样华美。可是写作毕竟不是雕玉。”

老子眨了眨眼睛，没想到一个女人能说出这样的话来。

“那是什么？”他生气地问道。

“是无常，渺小，许多人的死亡。”

她叹了口气，一双明眸凝视着他。

听到这些话，老子——有人说他在母腹中待了七十年——进入她的身体，经历了短暂的愉悦，成了许多死人中第一个体会死亡的人。两个月之后，他构想出最后一个“名言警句”——那么简短，简短得寂然无声，但又无法用“无声”表述——之后便不吃不喝，缩得很小。他发现自己坐着一条小船，驶入一个云雾缭绕的、灰蒙蒙的、潮湿的世界。他不知道去往何方，不愿意抓住那些有形的事物。有一刹，他觉得自己漂浮起来，仿佛进入神话世界。然后永远死去，死于现代医学所说的前列腺癌。

第二章

除了玻璃屋顶，似乎什么也没有，只有一个男人的身影。

过了一会儿，你能看见他头戴巴拿马帽子，站在一座豪华酒店的屋顶上，凝望太平洋，打太极拳。看起来像一只做祈祷的螳螂。

他发现，在澳大利亚东部海岸，很难静下心来反思。汗水从额头流下。高高的松树在冬日的静默中啸吟。周围为数不多的人总是互相躲避，有的踽踽独行，有的两两相伴，相互之间很少有言语交流。沙子像风吹来的灰尘。

他看着海浪一次又一次向沙滩扑来，又吐着白沫，悻悻而去，在回到海湾入口的时候，曾经汹涌澎湃的浪花，已经变得软弱无力，几乎不会分散一个正在戏水的孩子的注意力。踢一脚浪花，再往后退几步。“金鸡独立”——这其中不乏一些原始的因素。海浪那令人敬畏的“规则性”和水与沙的摩擦对他诉说万物空灵，也许还有死亡。但是也有笑声。海湾那边有一座灯塔，灯塔也有它的“规则性”。夜晚。那闪烁的信号灯光，仿佛在审视死亡。也许想象中的悲伤正在等待永远不会到来的宣泄。而期盼中的罗曼史终究是一场空。弯腰。“左揽鹊尾”[①]。

昨天，狂风中，他站在屋顶之上，岿然不动。他想起那充满戏剧性的场面以及沉湎于对那场短暂暴风的描绘，注意到一种冷漠。他已经被发生的种种事情搞得精疲力竭。想起大海，既不是绿色，也不是灰色。黑色的中心宛如巨大的眼睛。然后，正像阳光掠过黑色的海面，远处一对海豚隔一会儿就跳出水面，每一次都让他大吃一惊一样，他先前描绘为完美无瑕的什么东西突然出现在眼前。事情发生得很突然，压根儿就没有想到。他大吃一惊，觉得那一幕是为他一个人拼接起来的。

他轻轻地倚靠在栏杆上，两条胳膊慢慢放到身后，感觉到一阵眩晕。这让他拿不定主意，靠到哪个“点”为好？身子朝外面探得太远不行，太过拘泥也不合适。就靠在边儿上。有一次，有个女人面带讥诮地对他说，他轻轻地拂了一下手，“转身探莲花”。几个月后，他想起，他见过她，还和她简单讲过自己的经历。他想：“窗前那个女人的身影。不是被别人观察，而是她观察别人。”

窗前那个男人显得很可笑。也许让人想到自杀。

我的心从胸口跳出，那是一个奇异的血与肉的器官，跳动着，碰撞窗玻璃。

他用上海话大声说。打了个喷嚏，听见翅膀扇动的声音。一只海鸥拍打着翅膀，橘黄色的喙、黄宝石般的眼睛向他转过来。

①左揽雀尾：太极拳二十四式中的一式。

他的目光跟着海鸥“飞”到旅馆下面的书店。上个星期，每天上午他都要去看看有没有她的书。她写的东西他都买到手了。她的故事集摆满书架。有一天，他在大街上跟在一个陌生女人身后走着，想花钱买她手里拿着的那本书。那个女人起初吃了一惊，然后脸上露出游移不定的微笑，一言不发，连忙把书装到手提包里。疯了。这些外国人都疯了。

在这个豪华的餐厅里，他读她的传记式资料，研究她的照片。女服务员走过来走过去，脸上的微笑就像尘土飞扬的调车场的老信号灯时明时灭。照片是书出版几年前拍的。因为再没有别的书了，所以照片印在封底。

“写完这本书，我就没有可以大书特书的‘遗言’了。”她开玩笑地说。

然而，她对写作一直十分迷恋。

“一个人应该有权利，”他有一次对她说，“挥霍自己的生命。”

“谁都没有权利，只有需要和目的。我写书，你盖房子。但是你真正想做的是为自己做过的那些事情冥想。而冥想的结果是什么事情都不必去做。”

她用很有礼貌的声音娓娓道来。她讨厌他虚构的那种特权。有一次半夜三更，他们俩站在一座大风横扫的瞭望台。瞭望台下，海浪翻滚。一些日本游客向这座小山发起冲锋，海岬仿佛在彩色灯光的照耀下喷发着雪浪花。她在风中朝他大声喊叫。

你讨厌生活，因为你不懂得永恒。她的声音盖过海浪拍打悬崖的涛声。他听见海湾传来悲凉的、有节奏的钟声，看见货船闪着微光，在波峰浪谷间搏击，挣扎着回到水平线，亮起那似乎要永远沉没的灯光。没错。过去和现在使他困惑。如果你等待，就会有结果。

他觉得自己老了。他想说，不想再发生任何事情，除非能够征服时间。

另外一个夜晚，

清冷的月光
我在想你
虽然没有希望。

“俳句诗[1]。”他大声说，凝视着她的照片。她的告别。

阳光明媚的早晨，逃学的小青年穿着潜水服拿着鱼叉去捕鱼。蓝绿色的水里，他们的侧影闪着微光。一股黄沙泛起。过了一会儿，他们丢弃的鱼身上冒出一股殷红的血。

楼上，他关了卧室通往阳台的玻璃门。记忆变得模糊。他极力去想和她的看法相对应的思考点，可是只能想起空空洞洞的声音。轻声的耳语：生，死。女服务员的微笑。

进进出出。我在大街上溜达，露天啤酒店有一个爵士乐队在演奏。传统爵士乐。我不喜欢这种传统的东西。我喜欢硬波普爵士乐[2]，接近六百个音节。同样拥挤的人群。我头戴巴拿马

---

①俳句诗（Haiku）：是一种日本诗，由 17 个音节组成。它不属英诗的传统形式，但是在说英语的人们中间，这种诗也是很流行的。

②硬波普爵士乐：1950 年代末出现的一种爵士乐形式，节奏上不如波普爵士乐那么复杂。

帽，身穿雪克斯金细呢外套。没有人看我。这身打扮我显得很酷。在这样一个地方不会“脱颖而出”。在这座城市的其他地方，人们经常凝视着我，我便不由自主生出一种来自异国他乡的感觉。现在我只知道对于他们，我是个人到中年的“外国人”。一帮小青年从我身边走过，管我叫“大叔”……“霍大叔”。这种称谓显示他们是新一代人，好像你分辨不出来似的。我自认为是他们中的一部分，可实际上不是。“喂，你！”他们喊道。我脸上露出一丝微笑，伸出手指，碰了碰帽檐。新来乍到，在这个国家，我是我，又不是我。进进出出。心气平和，而又心神不定。我捋了捋裤子上的褶子，后悔当年没有学萨克斯管。

他似乎压根儿就没有什么重量。的确，胸部的重量是唯一让他不至于倒下来的原因。这让他想到地球引力。他出现在玻璃屋顶上，酒店里正干活儿的人们觉得他仿佛漂浮在那里。有几次他们朝他大声叫喊，以为他是小偷。他身穿黑外套，蹑手蹑脚走过玻璃面板，就像蝙蝠微微闪光。“喂，你！”他们大声喊着，打开弧光灯。是的，这就是他的名字。你。游博文。从广义上说，他这个名字的意思是博览群书。狭义上讲，只是“你”[①]。随便什么人。或者有时候，只是“中国佬”。摸摸他会有好运。这里的人又把他和树木扯上关系。紫杉[②]。他沿酒店种了几株紫杉。这种针叶树很有弹性，可以防风。可是风呈切线穿过门前那一株株紫杉，害得旋转门不会按顺时针方向旋转。

①英文中“你”you和游发音相同，故有此说。

②“紫杉”的英文是Yew. 发音和you相近。

风之精灵陷入一团“停滞的空气”。这在任何一种语言里都是不吉利的。对于中国人，则是灾难。“喂，你！”他的孤独被打断。那是远道而来的移居者的孤独。

他知道屋顶上的路，消失在阴影之中。

第三章

这座豪华酒店建在先前一个垃圾倾倒场。渔民们经常聚集在散发着恶臭的海边。那儿的鱼很多，太阳落得很晚。牙鳕鱼和扁头鱼游来游去，燕鸥看到鱼内脏便冲过去狼吞虎咽。老渔民喝朗姆酒，从日落喝到天亮。早晨，他们把已经开膛破肚的鱼装到砂糖袋子里，开车翻过沙丘、穿过矮树丛，回到纤维板搭建的家园和风吹日晒的妻子身边。

“这里曾经是天堂。”作家对他说，尽管她从来都没有和父亲一起来这儿钓过鱼。女孩子们没耐心，也没有足够的动力。人们都不知道这里过去的风景，也不知道海岸持续不断的变化。远处，有一个瘦长的人影在沙滩上摆弄着一个金属探测器。有一次，她对他说：期待发现过去是一种自相矛盾，难道不是吗？

海岬上，形状如塔楼的公寓像葡萄牙轻快帆船高耸的船楼。大三角帆船的渔网挂在渔业合作社旁边。她说，总有一天，什么都没有了。她的童年，她的成长，甚至发现记忆和未来交汇的那个节点也会消失殆尽。一切的一切都变得歪三倒四，甚至成为虚构的东西。

但是，凡事都有纯正之源吗？转身面对大海的时候，他问自己。他的目光落在松树顶上，仿佛在进行水准测量。那几株松树在那个高度毫不费力地摇曳着。那座豪华酒店有许多出人预料的角落和小凹室。每变换一个角度都能看见大海不同的风景。因为大海也在变化，也在宣泄自己的感情。凹室通往卧室。

他的目光投向沿林荫大道停着的一排排汽车。她曾经告诉他，这地方的人和以前相比有很大不同。渔民开着跑车。酒店对面，两个小男孩儿爬到一个倒在地上的箱子上面。一个爬到里面，另外一个想把箱子扶正，结果自己摔了个马趴。第一个男孩儿从箱子里面爬出来的时候，手里拿着一条早晨刚捕的旗鱼。微光闪烁的远方，那个手持金属探测器的人影弯下腰，在一片朦胧中，在记忆与创意之间画了一条细细的线。

不是揭示了什么奥秘，他想，而是“奥秘”揭示了他。

如果他们认为我是那个神秘的建筑师，每年来海岸两个月，一个中国人，神秘兮兮，他们就错了。如果他们知道我脑子里在想什么就好了。希罗尼穆斯·波希[①]。人体。乱伦。鸡奸。性忠告手册。充气娃娃。疯狂。绘画。西方和西方的自由。可怕的叫喊。

①希罗尼穆斯·波希（Hieronymus Bosch1450—1516）：其真名为Jeroen van Aken，另名Jeroen Bosch。是一位十五至十六世纪的多产荷兰画家。他多数的画作描绘罪恶与人类道德的沉沦。波希以恶魔、半人半兽甚至机械的形象表现人的邪恶。

在悉尼市中心的亨特街，人们能在一个街角看见我设计的涂鸦。所幸从办公室谁也看不见。有时候这些涂鸦会发展成为我设计的草稿。屋顶上裸体的女人。楼层之间都是妓院和疯人院的图案。然后，一种疲惫或者心理疲劳。

我浏览了那些图画，然后存到电脑里。楼房还没有拔地而起。我从等距视图转为斜视图。在电脑里放大螺母和螺栓的尺寸仔细察看。屏幕显示，压力太大，主体结构承受不了。我又输入几个数据。问题找到了。一对正在寻欢作乐的男女被我抓了个现行。那个位置本来应该是承重的柱子。人的血肉之躯毕竟是软弱的。再回到画板上。

所有这些都使我很难以一种社会接受的方式说出自己的看法。我脑子里能够想到的只有无政府主义的东西。是的，经历了十年“文革”，还能指望你想到别的什么东西呢?

我和她第二次见面，就约她出去。我径直走到她面前，直截了当，缩短了闲聊的时间。我不知道还有别的什么办法。语言起了很重要的作用。否则我会非常腼腆，说话结结巴巴、语无伦次。她皮肤白皙，满头乱蓬蓬的红发，穿着磨破了的牛仔裤。我见过她人体冲浪①。我猜想她的名字叫莎拉-安妮，或者博比-简，或者西部郊区那种带连字符号的名字。那地方的人在平地上建造仿达拉斯②的房屋。尘土飞扬的大路两边，是占地十亩大的街区。那儿的女人喜欢利用业余时间当按摩师。她们以每

①人体冲浪：为了让初学者和热爱冲浪但不懂游泳的参加者能多一层安全保障，衍生出的运动方式。

②达拉斯：美国得克萨斯州东部城市。

小时一百二十公里的车速开车，短枪放在身后，钱藏在胸罩里。他们有事要到海滩上聊，很可能和癌症有关。

“真糟糕。”她说。

但她面带微笑。她知道我的行事方法。我告诉过她，中国人没有那么多花花肠子。要补上的东西太多了。她对我说：想学习，什么时候都不晚。

我们在酒店餐厅里吃饭。她告诉我，她是作家。我当然立刻想到，这是个有抱负、有理想的人。不过，我总觉得不管情况如何，她这样说不大对头。一个人步入中年之前，很难称自己为作家。她看起来也就二十多岁。除此而外，我不想把关系搞得那么复杂。和小妞打交道是我的强项。不管怎么说，我已经放弃了中国人的处世方法。能说会道是成功的秘诀。

“我说我是作家你很惊讶吗？”她问道。灰绿色的眼睛仿佛深潭，能把我淹死。可是我只从那“水面上”看到自己的秃顶。

我一定喃喃着说了点什么。

“你从哪儿来？”她颇有点打破砂锅问到底的精神。

“如果挖个很深的洞，你能发现……我在这个世界那边。”

她皱了皱眉头。我看出她没有时间跟人打这种“哑谜”。也许只是没有时间。对于我，这是挑战。我喜欢追根问底。法文里有一个很好的词与之相对应：draguer。踱来踱去。讲故事。诱惑。

第四章

他十二岁。穿一件带窟窿的汗衫，磨破了的短裤。上海的夏天会很热。同样在上海什么事都有可能发生。谁都知道，上海和中国别的地方不同。外国人走了，但河水依然散发着臭味。

在一条小街，离官员们住的高墙环绕的花园洋房挺远的地方，他和另外三个男孩蹲在落满尘土的水泥地上玩纸牌。旁边有个仓库可以避风。所谓纸牌实际上是用很便宜的画报剪出来的卡片。他们把卡片摞成一摞，抽出一张打着玩。落下来的牌如果正面朝下，就算赢了。有时候他们也打架。可是小伙伴们火上来的快，灭的也快。因为什么地方总有“骚动”发生，吸引了他们的注意力。如果要让他用一个词描写上海那时候的生活，他就选择这个词：骚动。有人被自行车撞倒，警察追赶什么人。工作单位的老妇人谈论武斗和拘留。扒手在街角挨揍。有轨电车吱吱扭扭地响着。水质很差。总得烧开了喝。耍蛇的人和练武术的人。哦，是的。散布小道消息会给你惹上麻烦。

不过你总能知道什么时候会宽松一点。那时候，耍蛇的人、练武的师傅会出来表演。

此刻，人们都低着头，眼瞅着地。

你也知道，你被监视着。街角，有个老头手里拿着一个笔记本正偷偷记录着什么。

他十二岁，一直仰面朝天看，结果纸牌被偷走。“大战”爆发。房顶坐着两个男孩儿，他们要把一只猫推下去，看它从房顶掉下去是死是活。猫从四层楼掉下来，跌落在一个帆布天篷上。小伙伴们忘了打架。他看着屋顶。屋顶上一个男孩儿探身向下张望，想看个究竟，差点儿翻滚下来。

千钧一发之际，他的朋友把他拽了回来。

一片屋顶，又一片屋顶。散发着柏油味儿，草药味儿，鱼腥味儿。他的父亲是个咸鱼贩子。他们把鱼晒干，撒上盐。把沥青纸铺在屋顶，把剖开的鱼片放在纸上在阳光下暴晒。苍蝇飞来飞去，他坐在那儿，手里拿着一把扇子赶苍蝇。他得一直保持清醒。鱼干生出一个蛆虫，他们家可就毁了。父亲在市场转来转去，这儿闻闻，那儿嗅嗅，要买最好的鱼。父亲嘴角的表情就像运气不好的石斑鱼。二十种不同的臭味。这个市场集臭味之大全。

“你，儿子，”父亲经常对他说，“我要是走了，你就得自个儿养活自个儿了。”

父亲穿长裤，趿拉一双木屐，围着黑橡皮围裙。他的腋毛就像头顶的头发，肆无忌惮地向外呲着。嘴里叼根牙签，一天到晚吆五喝六，或者对孩子们好言相劝，直到晚上才闭上嘴巴一言不发，像只鸟儿，坐在黑暗的角落，渐渐进入梦乡。他的三个姑姑像锦鲤鱼一样来往穿梭，出出进进，做饭，缝补衣服，上厕所。

鱼和盐。他们生活的基本要素。

他在一幢烟火熏黑的四层楼的阳台上睡觉。寒风掠过，有时候是从南方吹来的、已经进入尾声的台风。在晾晒衣服的竹竿和卫生间之间竖几块波纹石棉瓦给自己搭建一个小空间睡觉，并无问题。不过卫生间里放着煤油桶，上厕所就一定不能抽烟，否则容易发生火灾。卫生间还是个难得的、可以独处的去处。这幢楼里大多数人都到巷口的公共厕所方便。早晨六点整，一个在橡胶厂上夜班的工人来租这个阳台和这张床。论节省，这个上夜班家伙简直无人匹敌。他好像除了喝白开水，什么也不吃。每天早晨他都翻那家伙的裤兜，看有没有零钱。后来花好几个星期才发现，那人睡觉的时候把钱含在嘴里，打呼噜的时候，硬币就在嘴里咔哒咔哒地响。可是既然钱在嘴里，他为什么要在厕所待那么长时间呢？那里面一分钱也不用花。或许因为他总是在痰盂里方便。他见过他像个病理学家一样，绕着抽水马桶转来转去，好像寻找金块，发掘人才。

夏天，他在外滩慢慢地溜达，从黑市小商贩和骗子们那儿学会了市井小民如何待人接物。有时候还为驻扎在兵营里的军人办点小差事。有一次他偷喝了人家的啤酒，又把瓶子尿满，结果挨了一顿揍。冬天，他卖军帽。大多数时间他都在街上溜达，看着外国人留下的那些高楼大厦，心里很是惊奇，暗自思忖怎么才能真正做到四海一家。

有一天，他父亲拿回很重的一卷帆布。他们和邻居一起把这卷帆布在第一层楼的阳台下面铺展开来。院子早已成了一块公用的土地，大伙在那儿盖鸡窝，堆放杂物。夜晚，女人们还在院子里熨烫衣服，一团团水蒸气像云彩一样飘起来，在煤气灯上缭绕。灯光之下，是一张张麻将桌。院子里还飘着一股饭味儿。所以他总能猜出家里吃什么饭。有时候，院子里香烛点燃，青烟缭绕，他头发上抹着假冒“埃尔维斯”的润发油，对着盛满水的水桶照了一会儿，抬起头，伸出两根手指，表示胜利。

他们用麻绳绑着四个角，把帆布撑起来。然后父亲让他回到楼上。他看着阳台，父亲站在那儿面带微笑喊道：

“跳！”

“什么？”

“跳！”

他不知道该怎么办。离地面的距离很高。

“没问题，”父亲说，“没问题。”他一条腿跨过栏杆，让身体保持平衡。父亲在下面比比画画。铁栏杆又湿又凉，顶着他的睾丸。他把另外一条腿也跨了过去。他觉得一阵眩晕。有点生气。

“跳呀！”父亲喊道。

他跳了下去。

他醒过来之后，发高烧、打摆子、大汗淋漓。他们把他抬到楼上。邻居们用凉水给他洗前额。他的胳膊散发着湿帆布和麻绳的味道。

他躺在床上读书，强迫自己大量阅读。父亲走过来，看了看，摇摇头，但没有让他起来干活儿。他觉得儿子身上发生了奇怪的变化。夏天，一个星期，他就看见儿子似乎变得越来越小，更内向，也许更懒了点，也许雨篷上那一跳，给了他这种可以饱食终日、无所事事的理由。就连老“铁头”——像爱自己的儿子一样爱他的武术教练，也摇摇头，无可奈何地拂袖而去。有一天，男孩儿对他说：我觉得我变成一个蟑螂了。

蟑螂！连个好蛐蛐也算不上。亏他想得出，真是白痴。谁都说他那一跳影响了他的大脑。他头上起了个包。这可不是什么好兆头。

第五章

谁都需要建立一种关系。不只是我。我进入“中年危机”，最需要的是关系。我到迪斯科舞厅，音乐声浪震耳欲聋。到酒吧，那些同性恋者以为我是个亚洲“小甜哥”。到妓院，她们连一个吻也不会给我，只是顺手扔给你个安全套。我不需要什么“关系”。可是多多少少有点亲密行为会怎么样呢?

就像车轮旋转。突然之间我累了，转不动了。我没有特别努力，而是凭经验，只把注意力集中到年轻女人身上。和她们交往，比你想象得更容易。外国人有吸引力。不同的气味，不同的皮肤，更主要的是，没法交流沟通。

他只是在黑暗中听到过她的笑声，他说，没有看见过她。

乌云翻滚，突然之间大海又变得一片漆黑。他知道，他本可以捕捉到她的微笑。那微笑从最初开始，就撩拨着他的心。就像微风吹动防波堤上的纸片。那座豪华酒店前面的广场上，灯光闪烁。

“我想，你设计的建筑物相当悲凉。”她说。

“此话怎讲？你说清楚点儿。”

“有些东西只能意会，难以言传。比如‘悲凉’。”她又面带微笑。她很会挖苦人。他从来没有想过，他的建筑风格会破坏风景。他想，她一定是个空想家。

那座大楼耸立在海岬。黑幽幽的天空下，它的“桅杆”和“桁架”格外醒目。玻璃和格床[1]闪着彩色的光。一边，一堵墙和防波堤朝同一个方向延伸过来，巨大的花岗岩上覆盖着藤蔓。

“很早以前，别的东西还没有的时候，就有这堵墙了。”她想了起来。

这堵墙并不是为了围什么建造的，而是呈直线一直通向大海。镶墙的石板都是花岗岩。他能从一片片闪着亮光的地方看出。墙的尽头，有一堆巨大的、凿了一半的石头，好多年前滚到了海里。也许这堵墙就是从那乱石丛中开凿出来的。他还能看见一片片小树林。石头就是在那树林里开凿出来的。四处还散落着钢楔。一条很长的、耙过的平地背对海角席卷而来的海浪。以前，他经常在那儿坐着，把脚伸到水里，感觉大海的冰冷，感受海底世界的喧嚣。

这儿有一堵墙。她推了推。

她伸开双臂搂住那堵墙，看到自己仿佛融化在一抹温暖的斜阳里。那是画家的幻象，在生命之光的照耀下，从冬眠中苏醒过来。大海深处飞溅的浪花让她觉得冰冷刺骨，而岩石突然

---

①格床：在松软的地上支持建筑物底部的木制格架。

之间让她觉得温暖。

“差不多八十年前，”她说，“他们用那些大石头盖了一座模范监狱。实际上，是按这个世纪的模式建造的一座楼房。前瞻思维不受欢迎。战争期间外国人就被关在这里。”

酒店和那堵高墙朝同一个方向延伸，面对大海。没有高墙环绕的院落，没有一个中心，没有环形的建筑，或者可以让人们休闲的广场。“我设计这幢房子的时候，”他说，“希望人们在这里面迷路。”

倘若客人故地重游，不会再看到熟悉的东西。只有行走才能发现。

所以他设计了一条蛇形玻璃顶走廊。走廊由一道道斜坡和电梯从不同的角度连接在一起。一个个房间和凹室相连，休息室通往餐厅。下面的一座座酒吧仿佛能把你带到海边。整幢大楼几乎没有台阶。

“这倒挺符合残疾人公约。”她说。

不过他对这幢大楼的“不完善”是严肃认真的。西面那座塔楼和“船尾楼甲板”看起来都奇形怪状。外面的一溜斜坡在瀑布般落下的水流前戛然而止。水流下面是潮湿的雨林和一朵朵硕大无朋的睡莲。如果你不怕被水浇湿，可以从这里走过去，发现你突然置身于高层停车场。同样，北边的跳舞场与一道悬崖相连，没有保护安全的栏杆，也没有小路和台阶，只有一块块巨石和仿佛锈蚀了的小河沟引诱你走下一面斜坡，眼前突然出现万丈深渊和一望无际的太平洋。

他们停下脚步。

“瓦尔特·本雅明[①]写过一个小故事，”他说，“你听说过本雅明吗？”

她当然听说过，还读过他的著作。

“什么故事？”

“哦，那个故事叫《警告》。青岛附近有一道陡峭的山崖和一座座岩石砌成的瞭望台。明先生在瞭望台旁边开了一家饭馆。恋人们经常来这儿看风景。看完风景之后，就会来他的饭馆吃饭。可是有一天，一个被遗弃的恋人跳崖自杀。别人也模仿他。那地方成了一个让人闻之色变的地方，来饭馆吃饭的人越来越少。

“明先生是如何解决这个问题的呢？他在悬崖边上拉了一道铁丝网，上面挂了个牌子。牌子上写着：危险！高压电！从那以后，想自杀的人不敢再到这个地方，恋人们又回他的饭馆享受美味佳肴了。”

她想了一会儿。

“明先生既把浪漫主义拒之门外，又保住了他浪漫的买卖。”

他对她简短有力的总结颇为满意。

“我们需要标牌、故事，”他说，“提醒我们什么是生活。这是利己主义的一种形式。”

“本雅明自己也是自杀身亡的。”

---

①瓦尔特·本雅明（Walter Benjamin，1892—1940）：德国现代卓有影响的思想家、哲学家和马克思主义文学批评家，其重要作品，如《发达资本主义时代的抒情诗人》《单向街》等均为中国作家、人文学者所重视。

她不留情面，一语中的。

他们在海滨散步，向酒店走去。他说，他不愿意相信单一的现实。现在已经是两种现实：创造和被创造。设计一座大楼的同时也改变了自己身上的某些东西。他唯一遵循的是……直觉。

她嘲笑他。

过了一会儿，她说："你对大地的感觉就像沙子上的痕迹，总是被抹掉、被改变。没有什么责任感、使命感。"

"经历了多少个世纪的政治风云，所谓责任与使命已经是一个带有负面色彩的字眼儿。你问任何一个中国人，他们都会对你微笑。时间改变一切，最终殊途同归。"

然而也许压根儿就不是这么回事儿。有时候，他觉得自己肯定不在这儿，和自己并非一体。

灯光在他们散步的路上闪闪烁烁。她指了指海浪。浪花翻滚，层层叠叠，相互交融。海水拍打着防波堤，黑黝黝的水面时不时泛起一片银光。他们看见虾跃出水面，又沉了下去。

永恒与恢复。这是他设计酒店时最初想到的主题。从屋顶开始直到大楼的地基，他的最高成就是用玻璃装饰的"海底酒吧"。酒吧二十四小时开放，轻柔的音乐不绝于耳。会让人们觉得那儿是避难所，一个可以让人心气平和、沉思默想的地方。他想起这个构想最后在二十米深的海底基岩"尘埃落定"时，环绕在他周围无边的寂静。他们都说，这是绝对不可能的。

可是到了喂鱼吃东西的时间，鲨鱼便发了疯似的朝玻璃墙上撞。管理部门在外面拉了一张网，也管不了多长时间。最后只得停止喂养。有的鱼还在酒吧附近转悠，但是仅此而已。水变成黄绿色，到处都是漂来的杂物和泛起的淤泥。

他抓着常春藤，爬上那一块块花岗岩石板。“我管它叫我的中国墙。”他说。

“卡夫卡，”她说，“写过一篇小说，就叫《中国墙》。为什么要建这堵墙，很难回答。他的作品的存在似乎就是为了拒绝回答这个问题。可是你……你也并不知道为什么要造这幢大楼。”

观念不同会毁了彼此间的亲密。不要被愚弄，卡夫卡并不是那样。他不需要什么关系，但他饱受孤独寂寞之苦。他知道，如果他继续将自己置身于朦胧之中，谁都不会再找到他。无限的小，不是一种理念，那是一种变形。诱惑。我想把手放在她的身上，可是一堵“中国墙”兀然耸立。她认为我这个人透明坦率，但是她无法触摸我。

阅读也一样……我喜欢用一种让人愉悦、快乐的电子扫描器……一种不受理念支配的变形！

第六章

他装好钥匙，从屋子里走出来。走过熟悉的凹室，没看见里面有人。他也注意到没有服务员，靠墙的小桌上没有摆任何饮品。他还看见落满灰尘的蕨和盆栽的棕榈。他找到一个不起眼的角落坐下，这些凹室是为来谈情说爱的情侣设计的。一个凹进去可以休息的地方。通常可以放下一张床。他想不起来自己当初这样设计的时候，心里是怎么想的？情侣？雕像？神圣和世俗二者皆有？是的，现在他想了起来。

在上海，一座公园拥挤的茶馆。一对恋人坐在墙角，含情脉脉地对视着。两个人都穿着工作服。一辆沾满泥巴的推土机将三米开外的一株法国梧桐连根拔起。

到清朝末年，女人裹的小脚变成激起情欲的物件儿，微型拖鞋变成一种恋物。装腔作势的少女当礼物送给求婚者，以便手淫之用。

现在共有七个凹室，都有“舷窗”，看得见大海的风景。

七个隐蔽的凹室没有任何装饰，唯一的目的就是性爱，释放激情。他纳闷自己当初是不是为那一对恋人设计的？

他还记得，他第一次的设计实践是在上海大学。那时候，他一无所有，只有一个屋顶。为了表达心中的喜悦，他设计时，把屋顶和自己的初恋联系到一起。想起几年前，他设计的那幢房子，想起有一天早晨躺在阳台那张床上，凝望初春湛蓝的天空，梦见自己变成一只燕子。上夜班的那个工人没有再来。他抬起头，看见一个漂亮得让人难以置信的女孩儿正从屋顶看他。她那阳光照耀的长发从护墙上瀑布般垂下。

他把屋顶设计成巴黎风格的天窗。阳光流泻下来，照射着宽敞的楼梯井。教授看了非常生气。你这屋顶要干什么呀？停直升机？建筑师不是艺术家。是工程师，组织者。

那时候，他怎么能对他解释，一幢建筑物，尽管和生活一样，纷繁复杂，但是总有一个缺失了的要素……想要拆除的愿望？

他被派到法国。在那里，正是反传统的浪潮一浪高过一浪的时候，功能主义建筑理念成为主流。现代主义仍然为古老的神话所累。他认为，以变化为基础，并由此出发不具备美学价值。单人房间，可以拆开的部件。甚至在巴黎，他脖子上都会挂一个很轻的、用坚韧的草编的蟋蟀笼子。

她抬起头凝望他设计的那座酒店时，看见屋顶上灯光璀璨，轻轻地落到赤褐色的观景楼上。她说，这情景让她想起情感异常的岛屿。酒店的某些部分“沦为”别的艺术流派。

包豪斯学派和德国构造原理深深地吸引了他。因为他们反对将历史、民族主义和种族认同统一到一起。他打碎了那个“统一体”，将它们重新组合到一起。

回到中国，他听到要“百花齐放”。他举办讲座，参加令人激动的会议。他宛如住在温室里，很是滋润。全然不知这一次他“跑偏”了。

第七章

他们至少在海滨见了六七次面之后，她才到那家酒店。

第一次见面的时候，他在海边板结的沙土地上一边走路一边看书。他从眼角看见了她。她肚子朝下，趴在沙滩上，看迎面扑来的海浪。记得，他当时想，那一溜斜坡一定让她血往头上涌。她看见他，脸上露出一丝微笑。他那副样子看起来一定很可笑——一边走路一边看书，式样过时的裤子被飞溅的浪花打湿裤脚。在那些袒胸露背来回慢跑的人看来，他这副衣冠楚楚的样子确实很可笑。他放下袖子，竖起领子。她还在对他微笑。他在阳光照耀的小路上停下脚步的时候，她脸上的红潮仿佛退去。

“你是不是认为我不该一边走，一边看书？”

这是那种只有外国人才会问的问题。她起初没有回答，她的微笑就是挑战，似乎在给他做总结。有一会儿，看见她游泳衣光滑的边缘上方露出半个乳房，欲望在他心底蠢动。他暗自计算，长期实践形成的习惯怎样才能和风、浪、整个世界之间保持平衡。

“我觉得你能同时做两件事情，也真是挺神奇。”她终于回答道。

谢天谢地，她听得懂他的英语。他注意到她旁边还有个小姑娘。小姑娘很瘦，大约六七岁的样子，正用铁锹使劲拍打冲到海岸的蓝瓶僧帽水母。

他还想说点什么，但是仿佛有什么东西推着他往前走。书。浪花。无边无际的海岸线。他突然想让自己变得非常小，只是海岸那边一个小点。他知道他翻书的时候，她一定在看他的背影。他心猿意马，书里写的什么，已经看不进去了。

站在阳台上，还能看见她们。他让自己的心情渐渐平静下来。那个小女孩儿还趔趔趄趄围着妈妈转着玩儿。潮水在不知不觉之中已经向她们涌来。半个小时后，她们收拾起东西，向停车场走去。看不见她们的汽车，母女俩就那样从他眼前消失了。他回转身，镜子里看到一个秃顶、戴眼镜的男人。

我每周都要到一趟悉尼土地总署。我是这座办公大厦设计团队的成员之一。他们想把这座大厦十九世纪时正面的一段墙壁保留下来。于是我把乔治亚王朝时代的这个砂岩“门脸儿”“包”在了大楼里面，就像保留下一个与世隔绝的门厅，对博物馆理念的尖锐批评。到处都是玻璃，所以这个“门脸儿”从外面看也一览无余。不过政府对这个方案不感兴趣。他们认为这个构想不切实际，不着边际。

在土地总署，你还可以变更土地所有权人的名字。现在就有一家巴基斯坦人在这儿办理相关手续。他们有一个很长、念起来还不怎么拗口的名字。孩子们在地板上乱爬，女人穿着的沙丽拖在地上。

“名字？”

“拉玛吉姆克和吉，先生。”

“不对，伙计，我是说你想改成的名字。”

“哦，这个嘛，麦当劳斯。先生。”

“麦当劳。”

“不对，先生，后面有个 s……就像汉堡包。”

我向州立图书馆走去。坐在那儿读了两个钟头澳大利亚历史。可是脑子里已经开始设计一个巴基斯坦风格的饭馆。爱情已然烟消云散。

我看见一个女人正在放目录的桌子旁边干活儿。我走过去，不假思索撕下一张目录。除了坐在桌子旁边喝得醉醺醺的一个老头，没有人看见。他打了个嗝，微笑着朝我举了举拳头。在他看来，我撕目录是表示轻蔑之举，他很赞赏。不过他打的嗝混合着那个女人身上的香水味儿，我这一下午算是被他们毁了。

无政府主义。欲望。厌恶。

酒店露台上，他从潦潦草草写下什么东西的那张纸上抬起头。现在他可以分辨出四种恐惧，但是他知道还有许多让人害怕的事情。一个人身上也会散发出让人害怕的气味，但是现在他还不能准确地分辨出来。一条受伤的狗经常会散发出苦涩的、酸酸的气味。

这一天他焦灼不安。寂静、喧嚣都让他如坐针毡。时光能够、也一定会让人想起过去发生的可怕的事情，同样的蓝天，同样的风，同样充满期盼的时刻。千年的等待仿佛一串珠子，又回到童年时代。那是一串忧伤……日复一日，各种现象的重复。大街上倏忽而去的灯光从他的屋顶闪过。

他写道，经历过痛苦的人会告诉你不同层面的痛苦，以及他们还将发现的痛苦。他经常坐在阳台上，手里拿着笔，脸前放着三角板和纸，列出自己已经知道的恐惧。

——恐惧产生于可以辨认的根源。

——恐惧产生于未知的什么东西。

——恐惧是偶发的，常常在最不可思议的时候袭来，在你蒙受耻辱、最无能为力的时候结束。

——持续不断的恐惧超越了任何客观环境或者事件。在某一个点，会让你发疯，那是一种无意识的自动关闭。

他写了一行字：卡夫卡和建筑物的恐惧。所有这一切的母体都是这片土地。

还有其他形式的、不太严重的恐惧：焦虑、无以为生的不安、恐惧症。他发现，前两种恐惧，可以通过程度不同的醉酒减缓。到了第三个阶段，恐惧可以因为爱情而稍稍减轻。那时候，爱情就可以无限期地拖延下去，因为恐惧更持续不断、更忠诚相伴。到了第四个阶段，就超过了专业心理帮助的范围了。幸运的是，这种恐惧持续的时间很短。那是一种突发的心动过缓：心脏越跳越慢直到死去……那是一种动物的恐惧，人很难熬得过去。

若干年后，当恐惧真正成为过去……只剩下自杀。

他渐渐意识到，时间的流逝并非一剂良药。恰恰相反，只能加剧恐惧……与爱情的弥补相对立。

爱情。他自认为对此也颇多了解。爱情几乎总是从故事开始。他有许多这样的故事，犹如一扇扇菱形窗玻璃，注视这个世界。年轻人的背叛。不过他现在不再关注年轻人的世界和他自己不熟悉的东西。他的朋友圈儿很小，忽略了从前那些细微的差别，像一匹上了年纪的挽马绕着大圈儿走。

然而，没有什么东西能消除心中的恐惧。有时候，他觉得自己疯了。在古老的中国，癫狂是持不同意见的一种形式。

在这里，没有什么东西这样稀奇古怪。心在玻璃上涂抹的时候，会发出与海浪相似的碎裂声。

他醒来的时候，天光已经退去。他的额头覆了一层冷汗。海面上升起一层薄雾。天光融入仲冬的暮色之中。他闻到一股木头燃烧的烟味，不由得颤抖起来，见证了何为“稍纵即逝”。

第八章

博拉桥[①]。酗酒。这就是你的生活。移民局的一位官员曾经对马尔科姆·劳瑞[②]这样说。

他需要喝点酒。他离开凹室，向中层楼的小酒馆走去。还没有开门。不到十二点。他又走下一截铺地毯的楼梯。一个女服务员凝视着他。酒吧。那位男服务生扎着很长的马尾辫，脸上挂着一成不变、不无苦涩的微笑。

“博拉桥。”他心不在焉地对那个“马尾辫”说。

“什么？”

“啤酒。”

他在上海曾经认识一位生物物理学家。她看起来就像一个

①博拉桥：一种啤酒。

②马尔科姆·劳瑞（Clarence Malcolm Lowry，1909—1957）：英国诗人和小说家，他最著名的作品是小说《在火山下》。

十二岁的小姑娘，梳着两条辫子，走路的时候晃来晃去。实际上，她三十四岁，丈夫和五个孩子都在美国。他在大学里和她喝茶，她跟他大谈酶。她跟他谈酶的时候，他就知道他其实是想和他谈丈夫和孩子。他们住在科德角[①]一座装着白色百叶窗的房子里，微风习习，窗玻璃映照着大海。她两条腿交叉着放在一起，时而分开，时而又并拢。她拿出家人的照片给他看。她穿一双白袜子，带襻儿的塑料鞋。她说，中国人身体里缺一种酶，所以对酒精的耐受力比较差。一杯酒下去就会东倒西歪。两杯酒下肚就会满地乱爬。

她关于酶的宏论太棒了。他们不让她离开中国。

几个月后，他又在大街上看到她。她喝得烂醉，没有认出他。

酒吧服务生给他送来一大杯啤酒。他端着啤酒走到露台，坐到一顶白色遮阳伞下面。伞插在一张圆桌中间的窟窿里。风吹来的时候，伞就来回晃动。伞柄在窟窿里转着吱吱嘎嘎响，就像帆船上的桅杆。恐惧像一匹马从他心底跑过。

我发现我在海滩上奔跑。我要找到她的身影。吃完饭，我问她通常总说的那句话："还能见你吗？"她只是笑了笑。下星期我就要回悉尼去了。她只是笑了笑。第二天，她没有来海滩。也许因为下雨。

我想，她喜欢我，因为我是华人。我可以教她性的事儿。我懂得节制。政治的，身体的，意识形态的，母性的。没有一

①科德角：美国马萨诸塞州的一个小城市。

个私密的地方。想象有一亿双眼睛在看你。我想她喜欢我，因为我是外国人，甚至对我自己亦然。

“我永远也不会从男人的角度去写。”吃甜食的时候，她对他说。

“为什么？写作不是被人们称作想象的艺术吗？”

“不对，写作是一种欲望。反其道而行之的人一定会出错。”

几天后，他对她说，是大海吸引他来到这里，不说实际上是因为风对他发出挑战。他们沿着岩石慢慢地走着。她的孩子跟在后面，不时踢着水坑里的水玩儿。她停下脚步等她，既不一惊一乍地喊她快过来，也不警告她玩水有什么危险。潮水拍打着岩石，溅起朵朵浪花。孩子小心翼翼不让自己滑倒，或者把脚夹在石头中间、手指被岩石上的贝壳划破。她以前也干过这种事儿。他发现他对那个孩子也很关注，觉得那孩子喜欢围着他转，感觉到小家伙还有点依恋他。那个女人正在讲她父亲的事儿。

父亲在这一带是有名的捕鱼能手。他死了之后，她在他的坟头十字交叉插了两根鱼竿，结果被人偷走了。她叹了一口气。他是个了不起的捉虫能手。

“捉虫能手？”

“他经常收集妈妈的旧长筒袜，在里面装些臭气熏天的东西——臭鱼烂虾，动物内脏。他拖着那些臭玩意儿在湿乎乎的沙子上走，虫子就会突然钻出来。我们就跟在后面，用电钳子抓。有时候，我们能抓住一码长的沙滩虫。后来，他想出一种不用臭味儿就能引出虫子的办法。因为他那些臭玩意儿把人熏得没法在家里待。他觉得可以用杀跳蚤的药。稀释之后，装在桶里，倒在沙滩上。许多虫子都往外钻。他让它们慢慢中毒而死。可是后来出了问题。”

她不再说话，看见小姑娘捡起一只死螃蟹。

“是不是那玩意儿毒性太强了？”

“海鸥和燕鸥都吃虫子。突然之间，一只又一只鸟儿从天上掉下来，在海滨拍打着翅膀，拼命挣扎。人们在屋顶和院子里都发现死海鸥。有一只还掉到市长的烤肉架上。有人在报纸上写文章对这种现象大加抱怨。父亲因为一些技术上的小细节——把球打到‘沙坑障碍’外面——被取消高尔夫球俱乐部会员的资格。他给他们写了一封信，声称如果他能毒死那些偷球的乌鸦，他们就得给他立一块牌匾。”

一辆自动倾卸车吱吱嘎嘎驶过沙滩。这里的生活一成不变，平淡无奇。

“直到今天，老渔民们还经常谈起我父亲。他们在大街上拉住我，说真希望我父亲能再来喂海鸥。”

地峡那边是一个湖。湖边有一幢幢房子伫立在码头之上。夏天，红树林沼泽地蒸腾起的团团雾气和蚊子一起旋转。冬天，水鸟排成行向薄雾笼罩的海滩飞去。他们可以一动不动在那儿站好几个小时，看飞鱼像鳝鱼一样在牡蛎养殖场附近迂回前进。他喜欢这片海岸，喜欢闻红树林散发的臭味儿。他一动不动站在那儿，觉得自己好像被雨水和海水浸透了的纤维板盖的房子。呼吸着旧日的香气，眺望着沙丘上闪闪烁烁的阳光。

时光当然从来不是呈直线穿越我们的岁月。她的碎片和大海的气味一起，被潮水裹挟而来，犹如从水平线飘来的海藻，时断时续。他喜欢她站在身边，从来不去想象她那张完整的脸。

有一次，我想尽可能远离大海。

我已经在澳大利亚待了两个月，完全处于绝望之中。我觉得我的“系统”出了问题……没有填满的空间里都是恐惧。我买了一辆自行车。我不会开车，还没有学。此外，我对自行车情有独钟。那是一辆中国产的自行车。劳动密集型产品，不过很便宜。我骑着车子一路向西。骑了整整一天，来到蓝山脚下。这一路，呼啸而过的汽车好像随时都会把我撞倒。我徒步爬了一会儿山，天突然黑了下来。离开大路，在灌木林里躺下来，觉得好像散了架。或许因为没吃东西的缘故。大约睡了一个多小时，我觉得有点冷，睁开眼，看见一个尾巴很长的动物从树上爬下来看我。它嗅了嗅我，我也嗅了嗅它。它似乎吓了一跳。我的脑袋下面都是小粪蛋儿，我动了动，半是匍匐前进，半是曳步而行，钻到丛林深处。我想重启生命的航船。在一个岩池旁边我发现一块沙地。我躺在那儿，看着从树顶滑过的月亮。古老的岩石耸立在岩池那边。一条狗汪汪汪地叫着。我似乎被一分为二，不由自主在两边游移。眩晕、恶心。大约凌晨两点，我才骑着自行车，踏上回家的路。我没能从危机中摆脱。我想把两种思想合二为一，但是听到的只是什么东西断裂的声音。那中间似乎有一层沙子。两种文化之间隔着制度。制度性的东西在文化的边缘移动，产生了不同的影响。如果我的设计有声音，从一开始就会发出这样的响声——一种断裂的声音。而一个建筑师也由此变成泥瓦匠。

城里，被污染了的微光给我租的那幢房子的白墙蒙上一层灰色。屋子里，我养的那只猫把刚画的图纸弄得一团糟。

他们沿着防波堤走着，浪花打湿裤脚。

“你为什么喜欢海？”她问道。

他说，大海的涛声让人平静，内心深处发生变化。一种骚动。

第九章

十六岁的时候，人们都说他能上同济大学。因为校方推荐他。五十所可以就读的好学校，怎么也能捞到一个。

有一阵子，家里人不怎么管他。他学习非常努力，在自己的房间里折断格尺，撕烂对数表，等待夜里暑气渐渐消散。楼上那个女孩儿来找书。小姑娘只戴一个乳罩，穿着姐姐从香港给她买的一条丝绸短裤。外边，人们都在大街上溜达，纳凉。屋里，姑娘解开乳罩，在他的床上躺下。他继续看书学习，她举起书，挡住他的视线，还说，希望他不要介意，因为他的姑妈们都在楼上。至于他们俩，几乎像亲兄妹一样，她家挤得连张桌子也放不下。他们俩都努力学习，争取学校推荐。她也许还能帮他的忙。因为她过目不忘，记忆力极好……“问我 1 到 200 之间任何一个数的平方根，我都能对答如流。”等等，等等。

过了一会儿，她走了出去，相信自己成功地打搅了他。

学生不准谈恋爱，不准抽烟喝酒。学生守则，第 441 条。

吃午饭的时候，他父亲突然问他学习怎么样。他嘟囔了几句，意思是说，就那样，还成。父亲点了点头，说他要跟一艘拖网渔船到海岸那边。刚走出去，又返回来说，好像要下大雨，要他关好门窗。上一次就是因为没关百叶窗，窗玻璃都打碎了。他不得不在窗框上钉了铝合金架子，结果差点儿从阳台上掉下去。他还记得那天夜里，风雨交加，窗玻璃，水泥阳台塌下来，砸在用竹子搭建的放杂物的棚子上。棚子像拉开的手风琴一样，倒下来砸在下面的小仓房上。

第二天，暴风雨没有来。他觉得自己功课复习得不错。可是晚上学习应用数学，他连自己能不能通过考试都没有把握。她又来到他的房间，带来一股香水味儿。她跳到床上，只穿了一件香港买的 T 恤衫。上面印着为犀牛角做的广告。她是来跟他借一双短袜的。临走的时候，把手在他肩膀上搭了一下。

他不知道她是个颇有心计的姑娘。那天夜晚她回家的时候，脸上有一块淤青。他连忙用冷水给她擦拭。他擦掉她的眼泪，两个人躺在床上，谁也没碰谁。他们俩之所以睡在一起，是因为她害怕。她睡着之后，他直挺挺地躺在那儿整整一夜都没有合眼。他心里很是懊恼，一方面为自己没有抓紧时间学习而后悔，但更主要的是为人的血肉之躯那样不堪一击而困惑。

起初只是掉了几个雨点儿，后来就狂风大作。再过一会儿大雨滂沱。她醒来之后说要上楼去。两个姑妈都弱不禁风，关不严门窗。暴风雨持续了好几个小时。他一个人待在漆黑的屋子里，想象河水暴涨的情景。洪水漫过公路咆哮着，一泻千里，冲击老旧的码头。他看见街灯闪烁着然后完全熄灭。窗户好像往里弯曲。他想象着防波堤，土方工程，运河和普通老百姓团结一心战胜洪水的情景。中国总是这样。他在想，怎样才能冲出这种生活方式。仅凭茫无目的、意气消沉的胡思乱想——这都被称之为“修正主义”——他便踏上永远也不会回到自我的“不归路”。但是，这是他夜间的工作：审视尚不透明的灵魂、尚且模糊的文字和事物。他和那个姑娘之间也只是这样寥寥数语。

楼下一阵骚乱。他听见有人大声叫喊，穿好衣服，连忙跑到后面的走廊。战前，后面的走廊都用砖砌了起来，改建成仆人居住的地方。外国人住在前面的大房子里。现在，那些房子早已经隔成一个个“耗子窝”。

他把脑袋伸到陶瓷栏杆之间，看到一团火在头顶燃烧。那团火从屋顶一边，烧到另外一边。然后，檐板也烧了起来，蹿起蓝色的火苗。人们大声叫喊着，过了一会儿，他才意识到也许是雷电击中了这幢房子，也许是电线短路引发火灾。楼房上面那层陷入火海。也许是家家都有的煤油造成这场灾难。父亲说过，煤油就是潜伏在这幢楼房里的定时炸弹。他赶快往回跑，突然有什么东西从天花板上掉了下来。他的屋子也着火了，浓烟像火车头喷发的蒸汽，破门而入，脸立刻被烧伤。他退回到后面的走廊，像蛇一样扭动着身子，穿过栏杆。雨水帮助他喘过一口气，他听见聚集在楼下的人们叫喊着，不停地摆着手，让他快往下跳。有一会儿他心里想，他们是让他送死。他抬起头，只看见燃烧的碎片像流星一样从天而降。什么东西打在背上，他松开柱子，掉下来正好落在父亲几年前搭的那个帆布雨篷上。他在那个篷子上面停留了一会儿，帆布破裂，掉到一张桌子上。

大伙儿七手八脚把他揪扯起来，有人把一桶水泼在他的背上。过了一会儿，他抬起头，看见那幢房子上半部分都被大火吞没，他觉得火海里还有人，高高地挺立着，就像雕像。或者只是房子的横梁，然后歪了一下，瞬息间放射出明亮的光，化为乌有。那时候，他就听说，人的血肉是可以燃烧的。这个想法在他的脑海里闪烁了一下，他便失去知觉。

父亲回来之后，随后的几个月里在当地政府和民兵组织的帮助下，他们重新建了这座楼房。这次他们建了消防楼梯和开放式走廊。清理了楼下的破砖烂瓦，让两家住户搬到另外一个院子里。小院又恢复了原来的面貌，楼房后面的小巷还栽了树。秋天，树叶变黄，卖栗子的小贩在树下支起小摊，炭火和糖炒栗子的香味四处飘荡，生活又变得正常。

黄叶飘零的时候，新学期开始，不过他没能被推荐上大学。

那个女孩儿是个告密者，我落入她的圈套。我说谎话吗？我是不是太一本正经而不会撒谎呢？我是否懂得一个人既能广交朋友又能诚实可靠呢？是否说什么话都得有个“把门儿的”？哦，真的。我可以告诉你，烧焦的皮肉是什么味儿。就是烤猪肉的味儿。

第十章

“为什么要告诉你这些呢？”他问道。

“有时候，讲述的过程中你可以明白事理，”她说。“那个女孩儿和楼上的人都怎么了？”

“都死了。”

“你常常感到歉疚吗？”

“有时候。”

“没必要总是觉得歉疚，也没必要总是对自己那么苛求。”

他觉得，听她说出这样的话怪怪的，好像她突然之间发现了他。他不愿意自己还不知道怎么回事，就编故事骗人。就像相信心理分析学家的病人，对编造出来的弥天大谎频频点头，脸上挂着一丝微笑，说：“你对我说了那么多你自己的事情。”

我一次又一次去州图书馆，读克拉克的《澳大利亚历史》。桌子旁边坐着的那个女孩儿面颊飞红，带着骄傲的微笑，想帮我，辅导我。她希望被人爱。我假装可以爱。图书管理员都换了。工作人员人很多，而且不是白发苍苍的老者了，都是些嬉皮笑脸的年轻人，电脑玩得很溜儿，坐在桌子旁边晃着腿，把椅子弄得吱吱嘎嘎直响。她的一只高跟鞋细细的后跟折断了。我用订书机勉强帮她钉好，然后双手双膝着地，在书架中间，给她穿好鞋。我说，我要教她书法。我们开始聊天。她住的公寓里没书，只有三台电脑。她说她几乎什么书都看。天已经黑了，她还在滔滔不绝地说，我一句话也插不上。我对这个姑娘从一开始就感觉不太好，想从她言语中探寻到点儿什么，但也不得要领。脑子里一片混乱，我能想起来的只是那个红头发作家，在波浪间划着桨，双臂在水面上书写，挥动着船桨在浪花间留下一串串表意性的文字。

他没有再去图书馆。那是夏天，预约的旅馆冬天才能入住。他只能“宅”在楼层间的办公室里。那个图书管理员叫劳拉。满头乌黑的长发，只有在阳光下才闪出一点红色。她很少在阳光下。后来，他们在游乐场一家快餐店偶然相遇。那天夜里，他们在岩石区[①]吃晚饭，一直吃到很晚。火车驶过海港大铁桥，发出隆隆的响声。餐馆也微微颤动。他们回到她住的公寓。脱衣服之后，她注意到他沿腹股沟有一条很深的伤疤，伸出手指轻轻地摸着。“你真漂亮，”她兴致勃勃地说。他却在黑暗中疼得龇牙咧嘴。过了一会儿，她压低嗓门儿，轻声说：“我下

①岩石区：是早期悉尼的生活中心，以大块岩石切割所拼造的房舍、仓库，反映了殖民时期的艰难，而今虽然简陋的房屋被装修成博物馆、艺廊或餐厅。

面全都湿了，你要休息一会儿吗？”他很快就进入梦乡。早晨，他们又试着干了一次。她很干，他挺累。离开中国，他似乎就不行了。他也许可以说，人到中年，性欲减退。卡夫卡四十一岁就一命呜呼了。只要能编故事就好。再从头开始学习一遍如何表达自己。只要放慢速度就好，可是她急急忙忙。她走了之后，他到她的卫生间淋浴，心里想别的事情。他在想，生命不只是性，或者幸福，或者追求。生命是时间，时间是快乐。但是大多数时间是失败。他在每一个角落都好像看见了那个作家。

海湾那边，防波堤旁边，有人出租帆船。冬天，合作社租了两条二十八英尺长的帆船。这样的船足可以在水面上保持平稳。他独自一人驾着帆船出过几次海。有一次，赶上涨潮，他被拍岸而来的潮水抛到沙滩上。每一次浪头在船身下翻滚的时候，海水便变得像牛奶一样。船头高高地翘起，但没有翻。人们聚集在海滩上看他。他想，那一刻恐惧一定像求救的信号灯一样闪烁。让人吃惊的是，他很镇定。抛了一个锚，等待着，直到滚滚而来的潮水又把他“抬起来”。这时候，合作社派了一个人驾驶着一辆四轮驱动的汽车，来到海边，大声叫喊着，对他发号施令。他微笑着，假装没听见，驾驶着小船在海浪上轻轻跳荡。

他上岸后，第一件事情就是看看自己身体如何，第二件事情是给她打电话。

他问她有没有在海上驾驶帆船玩过？

“没有。”她说。她怕船。她父亲的摩托艇在离海岸两英里的地方翻船，父亲溺水身亡。摩托艇没油的时候，他才想起那只多余的桶里装的是朗姆酒，不是油。

“真遗憾。”他说。

“没什么好遗憾的。他自己愿意那样。他经常说，他宁愿沉到海底，也不愿意漂在海面。‘漂起来的时候，看不见下面的东西。可我什么都想看，看得清清楚楚，然后再死。’他说。”

“你也这么想？”

“没错儿，没人能帮你去死。”

他们爬上一座不太高的山崖。她抱着孩子。在山崖边，他伸出手去拉她。过了一会儿，他才觉得手腕子非常疼。

爬上山崖之后，小女孩在前面跑，然后停下脚步看他揉手腕子，哈哈哈地笑了起来。

也许她得了艾滋病？或者是个吸毒者？离开中国的时候我不知道西方人多么野蛮。在纽约，每一个女孩儿身上都有些我不曾指望的东西；在纽约，男人们看起来都那么粗鲁、咄咄逼人。也许这正是女人喜欢我的原因。单纯，天真，尽管这种状态也不会维持多久。在纽约，一个可以“同类相食”的建筑师在一座正在建设之中的大厦第九十九层的钢梁之间蹦来蹦去找乐子。她说，她不口交。“除非……”她咬着一根手指，正了正手里拿着的剪贴板。“喂，你用安全套吗？”我想这近似于公寓的简称，心里很高兴。一天之后，她就把我解雇了。想到这里，纽约真让人失望。

他们在合作社上面的餐馆一起吃午饭。透过污渍斑斑的玻璃窗看大海。他们旁边那张桌子，坐了几个日本商人，点了一大盘海鲜。这几个人起初很安静，可是上菜之后，一个个兴高采烈，嘻嘻哈哈，把塔巴斯科辣酱油淋到螃蟹上面。有一个人想拉开百叶窗，结果弄坏了窗子，把散落下来的叶片，扔到窗外，继续大嚼大咬，哈哈大笑。

“看见了吗？”她摇了摇头。

“别人注意到的事情，我常常视而不见。”她说。

“为什么？”

他想知道，写作是不是一件很隐秘的事情。他觉得很怪，这个行当既那么隐秘，又那么公开。

她说，写东西其实没有什么隐秘，只是这个行当比较特殊罢了。没有人能真的帮助你写作。

“是一个寂寞的职业。”

“就像没有人能帮助你死？”

“正是。”她说。接着又补充道：“有些事情你总是无法完成。而正因为无法完成，我们才能不停地做下去。”

“另外一个人却有可能毁了你要做的事情。”

“我可没这样说过。”

一股血从那个日本商人手上流了下来。他想，那是塔巴斯科辣酱油。他们开了个大大的玩笑。他却变得脸色苍白。

“你了解日本人吗？”她问。

“我母亲是日本人。建立伪满洲国的时候，母亲跟随她的父亲来到中国。我这个外公是日本皇军的一个大佐。”

他看着她那张脸。她听到这个消息似乎并不觉得惊讶。他们默默地吃完午饭。他要了一瓶法国白兰地，但发现她几乎没喝。她好像一直有病，他脑子里闪过这样一个念头。一只麻雀发现一块面包渣。

对面，日本商人们开始吃鱼。一片寂静。为什么？是怕鱼刺卡了嗓子，不敢说笑？不，那只是近乎于圣餐的仪式。

她几乎什么也没吃。她这种食不甘味，使得他面对那条鱼也索然无味，使得他忘记了钟表的滴答声，忘记了对蓝天、对静默、对巨大的期待恒久的焦虑。他为她担心，又不知道从何说起。他心里想，如果你不吃东西，一定因为你离家很远。

“从前，有个叫游宝的男孩儿，”他说，“人们都管他叫‘鱼饼’。他家里的人都是满洲国奉天的高官。十二岁那年，鱼饼突然信了道教。”

她俯身向前，生怕打断他。小女儿走到那几个商人跟前。他们用结结巴巴的英语跟她说话。

那是 1909 年。罗伯特・培利已经到达北极，布莱里奥驾驶飞机穿越英吉利海峡，亨利・福特已经大批量生产 T 型汽车发动机，托尔斯泰第二年将与世长辞。在奉天，鱼饼的姑妈林曦——最漂亮的姑妈——又开始缠脚。他当然无数次见过姑妈趿拉着很小的丝绸拖鞋一瘸一拐出入于闺房。她那副“莲步轻移”的样子，对于他很有吸引力。他想象着她衣衫下面曼妙的身姿。在鱼饼看来，女人都应该这样走路，即使没有缠过脚。

今天，他在书房里跟老师学英语的时候，看见姑妈在窗玻璃外面神秘兮兮地对他笑。

起初，他没理睬她。姑妈们很少对他微笑。林曦的微笑让他心海荡起层层涟漪。阿月浑子树在抽泣，蝉在鸣唱，云彩退到大山那边。林曦的微笑仿佛成了一件大事。那以后好几天，同样的微笑一次次出现。她走回闺房的脚步揪扯着他的心，她嫣然一笑仿佛一架精巧的机器折磨着他。

第五天，他抛开老师和书本，跟着她，走进她的房间。眼睛习惯了屋内的昏暗之后，看见姑妈正在拉厚重的窗帘。她背对着他。五个丫鬟跪在石头地板上。她转身的时候，她们都连忙站起来，围着她团团转。林曦摘下缀着两个红色流苏的头饰，一个丫鬟把头饰拿走。另外两个丫鬟扶着她在雕刻着龙、虎的乌木太师椅上坐下。丫鬟们赶紧搬来一个小长凳，放到椅子前面给她垫脚。然后上茶。

“游宝，”她对他说，“你喜欢姑姑吗？”

“喜欢，亲爱的姑姑。”

“游宝，你最近是不是遇到过什么重大的事情？”

他搜肠刮肚，不知道该如何回答姑姑的问题。他想起他曾经试图从父亲屋顶上推下那只猫，想起小皇帝被一群外国人簇拥着出现在北京的宫殿。还想起辽阔的平原、落地的尘埃，想起冬天即将到来，晶莹的雨水珠落在裸露的皮肤上面。他摇了摇头。

“游宝，脱了衣服。”

他不肯。他只在医生面前脱衣服。不在姑妈面前脱衣服。

“脱掉衣服。”

她的语气那么轻柔，他便想，她只是想让他穿得更好点儿。父亲总是责备他衣冠不整、邋里邋遢，嘱咐丫鬟们给他那头“桀骜不驯”的头发打发蜡，剪指甲，擦鼻涕。他脱掉袍子和鞋。

“把裤子也脱了。”

他哆哆嗦嗦脱了裤子。

“你最近做过梦吗？”她问。

他摇了摇头。

她打了个手势，一个丫鬟拿来一块叠好的床单，在她面前铺开。他改变了主意。

“我梦见一只猫。”

姑妈指了指床单上一块污渍。

“我梦见过你，亲爱的姑姑。”

他吓得发抖。林曦面带微笑看着他。“我要告诉你点事儿，”她说，“你还不明白的事儿。如果你按照我说的办，你就能长寿。你愿意听我的话吗？”

他点点头。

“你已经长大成人了。”

丫鬟咯咯咯地笑。他觉得特别丢人。林曦让她们都出去。她们像白蝴蝶一样，飘然而下，退到隔壁房间。

姑妈呷了一口茶。屋子一个角落供奉着一尊很大的玉佛，那是慈禧太后送给她的。她一步三晃又在那张椅子上坐下。

“脱掉我的拖鞋。”

他小心翼翼走过去。

“过来，别害怕。”

他碰了碰那亮闪闪的绸缎，轻轻地脱下一只拖鞋，然后脱下另外一只。昏暗中，白色的裹脚布赫然出现在眼前。

“解开。”

屋子里一片寂静，只有水滴落下的声音。解开裹脚布，长长的丝带无声无息地滑落在地上。他感觉到，自己正在揭示的知识不是可以轻易获取到的。不用人告诉，他就知道自己正在走向最隐秘、最不为人知的禁区，因此这也是他一生中最神圣、最被优惠的经历。

她的脚趾已经被折断，和脚心长到一起，非常柔软、光滑。毕竟，这双脚在滚烫的香汤里浸泡过十年。那一双小脚闪着幽幽的光，莫名其妙地让他兴奋起来。她招呼他靠近一点。这样一来，他的私处便和她漂亮的畸形挨到一起。然后，她说出一番更让他莫名其妙的话来：

“从古代到现代的过渡，任何时候都会发生。”她说，“在中国，更是随时都可能发生。时机本身并不重要，过渡却是危险的。在这方面，我们还没有经验。”

他当然不解其意，可是阴茎开始勃起。现代性是一种期盼的形式。

“如果你能避免射精，”她补充道，“那只是意味着你能存活下去。”他觉得浑身燥热，昏暗的屋子里，她身穿一袭薄如蝉翼的丝绸长袍，屋子好像在扩张、收缩，他似乎听见隔壁房间传来丫鬟们咯咯咯的笑声。他觉得她的脚趾握住了他的阴茎。他的感觉那么灵敏，嗅出檀香和香烛的味道。他喘着粗气，心里想既然还在梦中，就让这梦境一直延续下去，永远不醒。他喃喃着，说出尽可能多的话，似乎是为了消磨时间。突然之间，她用另外一只脚猛地踢了他一下。

“你明白我说的话了吗？”

他觉得眼泪迷住眼睛，吓得点了点头。

“看猫吃鱼的时候，你注意到什么？”

他不知道。看见她目光闪闪，使劲儿想着。

“优雅。”他说。

“还有呢？”

“克制。”他说。

“还有呢！”

“轻松。”他大声说。

寂静。他相信，已经过了姑姑这一关。

“轻松，优雅，克制，”她重复着，“克制……只有这样，你才能顺应万物的变化，否则就如骨鲠在喉。这就是‘道’。这种理念可以帮助你抵御时间的流逝，帮助你避免被变化的万物吞没。想想看吧。”

寂静更加幽深。

“走吧。”

鱼饼向家里跑去，长袍搭在胳膊上，裤边儿扫着金黄的秋叶。“现代性”爬过他的腹股沟，在他的背上喘息。

那几个日本商人已经吃完盘中的食物。她注视着他，仿佛远离现实生活，处于一种神游状态。想到她也许压根儿就没注意听他的话，他心里很不舒服。透过破损的百叶窗，他看见一条双体船在波峰浪谷间颠簸。

“谁是鱼饼？”

“我的父亲。”

第十一章

“博拉乔！”他对服务员说。他常常只是说出一个单词的声音，并不管拼写是否正确。

“你是说要一瓶啤酒，老兄？”

“没错儿。”

风越来越大，遮阳伞像扬起的风帆，仿佛要把桌子掀翻。他觉得自己好像坐在一条搁浅的小船上。

我在海岸酒店的时候，图书管理员劳拉打来电话。她在电话那头嗲声嗲气，让我猜她是谁。我给她报出一大堆中国人的名字，她听了很生气。她想来看我，可是我连一点儿兴趣也没有。一看到这位穿高跟鞋、丝绸衬衫、职业套装的“编目技师”，我那位作家就永远消失。或者她会消失吗？有一件事情我明白：随时随地控制自己的感情。只需想一想太阳升起时天边鱼肚白的晨曦，早晨不受妨碍的明暗对比，潮水有节奏地把白色的泡沫推回去。易拉罐、塑料瓶、蓬松的棉球、紫色的皮下注射器、夜里用过的胀鼓鼓的安全套。想想那些讨好献媚的发明，寻欢作乐的技巧。相互之间搞得一团糟。我经常纳闷，作家的思想是不是总在别的什么地方？我们俩一起的时候，我既言犹未尽，又礼貌有加。而她几乎不怎么说话。实际上，我觉得是我在影响她。她变得更像中国人。恪守礼仪。她已经礼貌周全。即使那只是一个面具，一种假象，一种保护。然而，她不会从我身上学到这一切。除非……除非她在经历一种变革：照搬外在的我，我坚硬的蟑螂外壳，我的残忍、我的行为举止，我的……如果一定要说出来的话……我的不可思议，无法预测。

劳拉则让我感到窒息。她时而咄咄逼人，让你紧张不安，时而温柔顺从，让你不知所措。你会觉得她简直就是个感情敲诈勒索者，处于崩溃的边缘。我认为，她根本就不需要我。她只是想把我“分类编目”。

我对劳拉说，我在写一本书，需要一个人待着。她对这个理由表示尊重。“写的什么内容？”她问道。

这件事就这样结束了。打那以后，我再也没有见过她，只是在报纸社交版看到过她和她的律师丈夫一张照片。

他在画满菱形、三角形、玻璃屋顶的笔记本上记下这些事情。现在他又拿出那个红黑相间的小笔记本。笔记本后面印着“上海制造”几个字。

他正准备写，“博拉乔！”服务员满脸堆笑地喊着，把一大杯啤酒放到他的面前。

在上海大学，他赢得了到海外留学的机会。这是该校有史以来第一次选派学生出国学习。他很惊讶，只用了一年的时间，他就得以成行。世事已经变了。他在想，仅仅几年前，好多事情还不合法。天真无邪是不明智的。不关心政治就是天真，而无知不是借口。谁都觉得自己是聪明反被聪明误。继续向前。不要过分热衷于意识形态的事儿，看风使舵，不要引火烧身。不要什么事都抨击，什么人都指责。被动。接受。感恩。现在，他飞往巴黎。

这件事情和“跃进”有关。尽管他知道“跃进”是推动之后的事情。

当然，他是拴在线上的风筝。这也是他们放他出去的原因。他打点好行装。巴黎是他魂牵梦萦的地方。他到图书馆看画册，凝望着那些黑白老照片。巴黎，他对那里的生活一无所知。所有那些湿乎乎的大街，豪华的商店，所有那些拿破仑三世时代的公寓依然充满活力，而不只是苟活于这个世界。上海曾经有东方巴黎之称。那屋顶，阁楼的窗户。男孩子们捉蜻蜓，用绳子拴着它们像放风筝一样玩儿，直到绳子太重，蜻蜓支撑不住，一头栽到地上。

他要离开女儿和妻子费莉希蒂了。她坚持用这个西方人的名字。因为只有她能准确地念出这几个字。他并不真的想离开这个家。费莉希蒂生性易变，女儿身体很弱。小宝宝压根儿就不说话。所以他给她取名“浪琴”，意思是“安静”，或者“平静”。他想起从前有人把女婴扔到山坡上，祖坟旁边。农民听见婴儿先是嚎哭，渐渐地归于沉寂。没有人敢到那坟上去。小小的骷髅七零八落随处可见，老祖宗赫然耸立在峡谷之上，与灰白的天空融合在一起。宛如历代王朝的缩影。现在，他们只是停留在火车站上，甚至不会踏上旅程。

费莉希蒂为女儿的健康状况焦急不安。医生朋友告诉她，没有什么可担心的。小宝宝有点异常，但这种情况也不少见。她脑袋很大，见了谁都笑。有时候小家伙朝爸爸眨巴着眼睛，然后会一动不动睡上十个小时。

费莉希蒂的家人突然变得非常热情，催促他赶快走。这可是国际性的职业，他们一次又一次地说。要不然就得当个普通干部。这些事情都得去做。费莉希蒂嘴角挂着一丝微笑，摇摇头，又微笑。她在高中教英语，瘦小、神情紧张，似乎总是处于崩溃的边缘。夜里，他们抱着本《法语入门》一起学法语。几个月后，攒了一点儿钱，买了个二手录音机。录音机里的法国人说法语时，他们一个字也听不懂。他们想尽可能像外国人一样生活，期待有朝一日他们能一起去海外生活。“你在国外，不要惦记家里的事情，”费莉希蒂说，“靠我这点工资也能养活了浪琴，没问题。”她补充道，“我们永远都不会分开。”她并不真正想把这一点当作附加条件。

第十二章

巴黎。

亲爱的费莉希蒂，在这个地方，你真能发疯。这个地方比美国还美国。因为他们把那些带有成见的美国的东西上升为艺术，然后做出非常法国化的解释：从大众化的时尚中提炼出一种品味。如果你看到超短裙、黑色紧身裤、坐在公共汽车站椅子上等车的姑娘们凝视的目光之外的东西，你就会争论。因为法国人就是这样，宝贝儿。在这儿，你可以谈论政治，这让我多多少少领略了什么是自由。因为你无论说什么都不会受到威胁，谁无论做什么事都不必偷偷摸摸。你知道在老家是什么样……谁都不说话，有的人溜之乎也。谁都说话，又都默不做声……可是这儿的人都爱说三道四，尽管仔细分析，慢慢推敲，你会发现有些人说的话纯属无稽之谈，而大多数给人启示的过程，是发现悖论（不是对抗性的矛盾，这种矛盾只有中国存在），充满智慧，不乏双关语。宝贝儿，这简直让我发疯——每逢想起老家那些人。他们相信那些根本不起作用的东西，结果累得精疲力竭，只是想休息，想恢复体力。这里能源丰富，汽车……是的，汽车……你得躲着点儿，因为会把你撞倒。这都是时尚的一部分，宝贝儿。还有葡萄酒、食物，我好像以前从来没有看见过。大块的牛排，整片的牛肉，血水还往外流。棍子一样的面包。新鲜蔬菜、水果和葡萄酒。不像上海的冬天，我们只吃咸鱼、大米，喝白开水。容易得坏血病，躺在床上冷得哆哆嗦嗦，全靠“汤婆子”[①]取暖。他们这儿有中央空调。建筑物十分宏伟，就像我们见过的照片。只是看起来更漂亮，因为色彩。这里的人穿得五颜六色。有的人被叫作“汉堡包”，是指穿制服的警察。仅仅因为他们的衣服色彩单调。就像我们老家的人。但是他们像美国人一样，在汉堡包便利店吃快餐，常常查对你的证件。突然之间，我又想起家……便给你写信。我住的这幢房子楼下有个老太太，用洗衣机洗衣服。就像以前我们在商店橱窗里看到的那种。他们不用洗衣板、木桶。水龙头里流出的热水源源不断，我有足够的时间洗个热水澡。尽管我学习非常努力，还是时不时去电影院看个电影。我和几位朋友常常聚在一起吃饭，喝酒！酒的事儿我下次写信的时候再告诉你。我们聊家乡，还尽量试着和当地人讲法语。这种语言对我们而言很难，听老师讲课就更可想而知了。我们几个一起学习的同学，有时候花钱请已经在这里居住多年的中国人当翻译。他们抱怨法国的官僚主义，尽管我不知道有什么可抱怨的。也许他们已

①汤婆子：装热水用以取暖的铜壶，中国南方人称之为“汤婆子”。

经忘了中国。那里的情形比卡夫卡笔下的故事更糟。尽管我要排长队，走过一个半街区，才能拿到我的carte de sejour[①]。我想，相对而言，也算不上多么辛苦。好了，我得走了，宝贝儿。瞧，我是用这个正方形笔记本上的纸给你写这封信的。写中文倒蛮合适。但我不想让你家里人看到这些我只想对你说的话。我爱你，我非常想念浪琴，希望你们俩都好。你看我的法语怎么样了？

亲爱的丈夫，

我是你的妻子，不是你的宝贝儿，你怎么一直在信里称我为宝贝儿呢？我一点儿也看不懂你信里都写了些什么。我们都很好。母亲和父亲轮流照看浪琴。她真是个奇迹……不哭，一声也不哭。没发生什么事情。和你的生活相比，我们的生活乏味透顶。

巴黎

亲爱的妻子，

我们经常到市区北面一座很大的公寓大楼里面那家啤酒店……去机场的时候，你从路边就能看见那幢大楼。那是郊外的工业区，住在这儿的人都在工厂里干活儿。学生们——包括我的朋友——晚上都爱来这儿，在临时凑合的教室里教中文，挣点小钱。信口开河大谈政治。他们说的那些话，你在上海绝对不会听

① carte de sejour：法语，“居住卡”的意思。

到……我们经常到这家啤酒店，认识了一帮狂热追随毛的学生。他们穿着蓝色中山装，留着油腻腻的长头发，建议我们炸了阿蒙农维拉小岛。据说，雅克·卢梭[①]就埋葬在那里。因为卢梭是原始型的资产阶级反动派，不像伏尔泰[②]一样，是革命者。如果我们想要和工人运动团结在一起，就要做出点姿态。眼下仿佛已经到了紧要关头，法国政府似乎不出这个十年就得倒台。于是我们五个人接受了挑战。首先要去见一个名叫玛丽-法郎士的人。她会告诉我们和谁联系取炸药，等等，等等。细节我就不在这里赘述了。长话短说，我们到了巴黎富人区——离圣安娜大街[③]不远。五个人挤进电梯。电梯吱吱嘎嘎响着，慢慢地往上爬。正是吃午饭的时候，每到一层都能闻到咖啡、酒、香烟、大蒜、烤牛肉、污水的味道……我们敲了敲一扇厚重的门。一个男人答应了一声，走出来和我们握了握手，然后走进电梯，消失了。一位我见过的最漂亮的姑娘——除了你，最亲爱的——把我们领进公寓，一人倒了一杯葡萄酒，自我介绍说，她叫玛丽-法郎士。她交给我们一个包裹，还问我们是否介意她跟我们一起去阿

①雅克·卢梭（Jean-Jacques Rousseau, 1712年6月28日—1778年7月2日）：法国十八世纪伟大的启蒙思想家、哲学家、教育家、文学家，18世纪法国大革命的思想先驱，杰出的民主政论家和浪漫主义文学流派的开创者，启蒙运动最卓越的代表人物之一。他死后埋葬在巴黎先贤祠，并非阿蒙农维拉。阿蒙农维拉是他去世的地方。

②伏尔泰 (Voltair,1694—1778): 法国启蒙思想家、哲学家、作家、历史学家。

③圣安娜大街：巴黎的一条时尚街。

蒙农维拉。因为她闲着无聊，也熟悉去阿蒙农维拉的路。不管怎么说，我们又挤回到那个狭小的电梯，钻进秦月那辆旧雪铁龙。你知道秦月。他说最近给你打过电话。我们开车来到阿蒙农维拉。阿蒙农维拉在一片大森林边儿上。那地方有时候会发现被狼啃了一半儿的尸体。是的，狼。快到那儿的时候，车停了下来。我和玛丽–法郎士在车牌上抹了些泥巴，这样就不会被人追踪。到那幢房子之后，我们给了门房一点儿钱，她朝小岛的方向指了指，那片著名的白杨树在冬日的暮色中毫无遮蔽地出现在眼前。我们想找一条船到对岸。当然根本没有船的踪影。我们当中有一个人发现，船库旁边有一条船沉到湖底，船上放了好多石头。他们显然是冬天故意把船沉到水底。这样一来，游客就不会想到乘船在冰冻的水里划行，就可以避免淹死的危险。无事可干，我们就在周围转悠，看到卢梭的“元桥”。“元桥”柱子上，用拉丁文刻着充满高尚思想的铭文。四周却是破砖烂瓦、用过的纸巾、欧洲蕨和屎。闲来无事，我们只好又踢下几块破石头，开车走人。那颗炸弹还在车里。玛丽–法郎士说，那是颗定时炸弹，到时候就能把我们都炸得粉身碎骨。于是，我们赶快在一个修道院废墟旁边下车，把炸弹塞在一片茅草里。那里有个牌子，上面写着：紫丁香花园。我们几个人正要上车，看见三辆警车向我们飞驶过来。我们朝不同方向撒腿就跑。我跑进森林之后，好像又跑了好几个小时，天突然黑了下来，没有人追我。远处传来好像炸弹爆炸的声音。后来的事情你都知道了，亲爱的。我们当中四个人被驱逐出境。玛丽-法郎士出了什么事，我不清楚。我觉得我把什么东西留在了身后：一种我无法解释的飘忽不定的感情，一座我试图炸掉，却毫发未损的小岛……最近这几个月，我一直埋头学习，没有再浪费时间。幸运的话，下个月就能毕业，夏天就能回家。但愿你和浪琴都好……

（他再往中国写信的时候，是写给他的朋友。我恋爱了，他写道，和一个漂亮的法国女人……

与称之为爱情的东西相伴的真是奇妙……那是一种想要倾诉的欲望，尽管本来应该保密。）

亲爱的丈夫，

你看起来真是发疯了。从你的信里，我真的看不出你是在编故事，还是讲的都是真话。你还能用中文写信给我，告诉我真相、抚慰我的心吗？我不喜欢你在那儿过的那种生活。我认为中国才是你和我应该生活的地方。我坚定地相信，我们应该打消所有在别的国家生活的念头，因为我们属于这里。浪琴的情况不好。她虽然一声不吭，但一天到晚总是咳嗽。医生也很担心。你能不能在不影响学业的情况下尽早回国？

巴黎

亲爱的费莉希蒂，

我现在的住址是圣安娜大街。你能把它记下来吗？这是老楼里一套很大的公寓房，但电梯很小。是埃迪·张的朋友的房子。你知道埃迪，一个足智多谋的家伙。他认识几个外交官。他们又认识这个女孩儿。她便把房子租给我几个月，租金很便宜。我工作非常努力。听到浪琴的身体不好，我非常难过。你带她看过医生吗？我想问题不会太大，你可能太着急了。注意保暖，给她吃好。你知道，游泳的时候，每次你脚触到水底的岩石时就跳起来，头露出水面，吸一口气。我相信，生活就是这样。只要你抱着乐观的态度，就会柳暗花明。

他经常大谈乐观主义，大谈生活，大谈自由，大谈及时行乐。他很喜欢冒险。事实上，现实生活变得扑朔迷离，充满对声色口腹之乐的渴望。有时候，在巴黎潮湿的冬天每一个角落，因希望而快乐。他的乐观主义似乎和性相伴……还有咖啡，偶遇。在大街上或者大学校园里，每一次和女孩儿擦肩而过，他都会想到做爱的巧妙手法。掌握足够的法语之后，他就给她们讲古代中国的故事，吸引她们。结果屡试不爽。性和历史的结合，时代和色情的结合，结结巴巴的法语和颇为滑稽的误解的结合。

他有一只技巧纯熟的手和一张椭圆形的脸。他迷倒了她们，事后又厌恶她们。

“我是一个实践者，”他开口便对那些充满浪漫情怀而又不乏好奇特质的瘦小姑娘说，“那些古老而又神秘的技巧的实践者。”

第十三章

现在想起当年的“乐观主义”，他觉得真是荒唐。

他离开露台，走下一溜台阶，走到海滨步行道，穿过马路，在几棵松树下面站定。如果岁月有时候让你觉得滑稽可笑，他想，回忆起年轻时候的往事或许更让你汗颜。

他坚信，这些令人心痛的记忆也是生活不可或缺的一部分。现在，他又常常陷入感情的漩涡。而这种感情是早已经历过了的、“二手”的感情。他试图明确地表达出这种感情，就像制作一幢楼房的石膏模型，先将基本的部分拼凑起来，重新塑造生活。这当儿，他会持续不断地回到青年时代的兴奋与激动之中，虽则短暂，但也因此而预想到，由于缺乏生命的气息，缺乏明确的地点，那个石膏模型不会展示实质性的东西。

她找了个临时看孩子的保姆，我们又一起去海滨一家海鲜酒家吃饭。酒家那边，弧光灯下，碎浪像斑斓的白银，拍打着沙滩。我喝多了酒，脚碰到她的脚，她没有挪开。我心里的感觉很难描述……是的，我觉得我仿佛又转换到中国……教给世人性的实践……一种宣泄。我觉得历史可以创造……她的文明之路可以改变。我似乎以每小时一百英里的速度“遐想”。她挽起我的手，说，正如中国人一定知道的那样，一旦技巧本身没有完结，就变得危险。那一刻，我便明白，我俩的关系是一种不真实的关系。因为，生活中发生的种种事情把我们搞得心力交瘁，建立在这种基础上的关系……一定有一块巨石被海浪掀起。灯光下蓦然升起一大团白沫。她就此发表一番议论，缩回手，永恒的爱情烟消云散，我们俩又一次为未来采取防范措施，而且发现这样做很有必要。我喘不过气来。一根鱼刺卡在喉咙里。她把我带回酒店，给她的医生打了个电话。不一会儿，一位女医生来到我的房间，看了看我的喉咙，给我实施了局部麻醉，然后用镊子拔出那根刺。我没事了，她们走了之后，我一边喝酒，一边听舒伯特①，直到黎明。那音乐的声浪里充满了他与悲哀的抗争。而那悲哀源于沮丧和梅毒。

浪琴死的时候，他连气都喘不过来。

她那个总是平静安详的小女儿是他从法国回来之后死的。他没有参加论文答辩匆匆忙忙赶回来。妻子费莉希蒂骂他残酷、没有心肝、自私自利。他觉得自己也要死了。他用纸做了几个小玩具，在女儿的坟前烧掉。他觉得一切都乱套了，好像灵魂

①舒伯特（Schubert，1797—1828）：奥地利籍日耳曼人，著名作曲家。从1822年起，舒伯特就和梅毒作斗争。尽管有人提出其他的病因，最终的病症很可能是伤寒症。去世时年仅三十一岁。

出窍，一个人坐在山坡上，一坐就是好几个小时，就像一块石头，一动不动地坐着，蝴蝶落在手背上，都不知道。那以后好几天，他站在厨房水池子旁边，凝望着别的楼房，任凭水龙头里哗哗的流水冲两只手。后来有一天，他在墙角堆了一堆破布，浸透了煤油，然后在一个煤油桶上坐下，沾满水的手指试图点燃一根又一根火柴。

他面对大海，坐在一张长凳上。一根松树枝落到身边。啤酒下肚，他觉得迷迷糊糊，极力回想那天躺在沙滩上，一本书遮挡着眼睛，在她身边进入梦乡的情景。她的小女儿往他手上泼了一小桶海水，把他弄醒。她笑了起来，笑声就像山间潺潺的流水声。小姑娘像个小动物，爬到他的身上。

你不会因死亡而改变世界。手上的凉水帮助他回到眼前的世界。他想，此刻他之所以那么平静，也许是因为那个孩子把她内心的清纯与安宁传递给了他。他又一次从水底升起，在水面之上，吸一口新鲜空气，体会从生活和“后见之明”中获得的加倍的聪明。

此刻，在澳大利亚，他不想再说什么。他又打开笔记本，开始画草图。他挥动着生花妙笔在从来不存在的地方编织奇迹，画出根本不可能的建筑物和奇异的风景。也许他不可能存在于当下。但是突然之间，他发现这些地方重新出现在眼前。有些地方，作家一露面，便充满生机，平添色彩。码头上冒出绿色的杂草，乱扔着腐烂了的木板，看台凳子上摆满烈日下暴晒的鱼干、鱼片。绿头苍蝇飞来飞去。花岗岩防波堤上，半透明的小螃蟹在阳光下爬来爬去。一长溜蜂窝状的漂浮物散发出的气味把一条流浪狗弄得头晕眼花，每跑一码，就朝一群跳蚤撒几滴尿。他的酒店……奇怪，他怎么会管它叫他的……像一座水族馆闪闪发光。

“告诉我你小时候的事儿。”

没什么好说的，他说。他不记得母亲是谁。她也许很早就死了，或者离开他们了。他说不清楚。姑妈、叔叔、堂兄堂妹和他们住在一起。还有几个姑妈，和他没有血缘关系，她们都是父亲的女朋友，身上散发着一股脂粉味和樟脑味儿，穿着很漂亮的紧身缎子长裙。不过没有外人的时候才能穿。因为这种打扮那时候被禁止，认为是颓废。她们跟着留声机里播放的强哥·莱恩哈特[①]和法国俱乐部[②]的乐曲跳舞。这些姑妈让他坐在怀里抚摸她们丰满的乳房，她们摩挲着他的脖颈。依偎在姑妈们香气袭人、妙不可言的温柔之乡，他真想一死了之。这几位姑妈政治嗅觉灵敏，沉浸在腐化堕落之中，没有工作单位，日子过得像妃子一样。

学校里，老师教城里的学生学习农村人的生活方式。每个学生都要带一样东西种到学校操场旁边的菜园里，要向农民学习。他拿来一瓣蒜，种到地里，连芽也没发。别的孩子种的东

①强哥·莱恩哈特（Django Reinhardt）：20世纪30年代相当杰出的原声爵士吉他手，不但提供了历代以来的吉他手们源源不绝的灵感，同时也让许多创作者竭尽全力地创作作品。

②法国俱乐部（Hot Club France）：1931年由爵士乐迷建于巴黎的俱乐部。旨在促进爵士乐的发展。

西都长了出来。一个月之后，小学生们种下的各种球茎都开了花。他把脑门儿贴在泥土上，希望自己的脑子变成土壤，从手指间筛到泥土中，开出智慧之花。老师让他把大蒜挖出来。原来他把蒜瓣儿横着放在地里。这样放的种子永远不会长出来。午休的时候，他便把那瓣蒜吃了。

他这一辈子总是把那些自己不能做到完美的东西毁掉。在学校，他能把辛辛苦苦用火柴棍搭建的房子一脚踩烂。现在，也还会把很复杂的建筑物的石膏模型打个粉碎。妻子费莉希蒂发现他躲在厨房，一根接着一根地划火柴。她救了他，但离开他，回娘家去了。“这种毁灭很有代表性，”他说，“它会不断衍生，只有最初的模型被毁掉才能结束。但是因为他敢于毁坏，他获得了更大的成功和奖赏。”

“这里有一种邪恶，一种残酷。”

“完美主义者就不应该去建造什么东西。”她说。

她把脸转到一边。他想，真奇怪，以前他从来没有从这个角度看她这张脸。

“现在，该你讲了。”

作家一直生活在不完美和不整洁之中，她的童年犹如一团乱麻。他们家有三个女孩儿，她说。都是些小流氓，整个夏天在海边光着脚跑来跑去，吓唬人。她们都骨瘦如柴，从来不会受什么伤，就像嗓子沙哑的狗，恶狠狠地朝人们吐唾沫，叫骂。

没有一个人有理想、有抱负，她说。后来，她大约十六七岁的时候，有一天，父亲突然离开家，一个多星期没有回来。母亲坚持说，是为了她的缘故。

父亲在海岬附近有一小块地。他在沙丘上用纤维板搭了一个小棚屋。他背着一小桶朗姆酒，带着他那条无精打采的灰狗[①]——蟑螂在脚上乱爬——去捕鱼的时候，晚上就住着那里。周末，他就在海滨干点儿类似义工的活儿，给人家看看门，当救生员，指挥交通……一会儿跑到沙滩，一会儿跑到海岬……收点散碎银两。指挥汽车往悬崖旁边倒车，用推土机把垃圾推到好像炸弹坑似的水坑里。手里提着大锤，咋咋呼呼，赶跑偷猎者和小孩儿。他身强力壮，曾经当过专业摔跤运动员。他粗壮的脖颈后面有几道古怪的皱褶，她觉得那是他野蛮好斗的标志。

一个清冷的六月天，那些乱七八糟的东西比平常埋到坑里的垃圾腐烂得更快。眼睛塌陷到眼眶里的鱼头闪着珍珠般的光彩。弯曲变形的罐头盒，破玻璃瓶，爆裂了的桶，毒气随着带酸味儿的绿雾，弥漫开来……父亲突然良心发现。绝大多数情况下，他根本不考虑什么良心不良心。他宣称，这是跟日本人学的。可是在这个清冷的冬日，情况全然不同。垃圾堆像温泉一样冒泡，像熔岩一样四处流淌。尽管他已经习惯了这种现象，并且创建了这样一个理论：闷燃的物质产生的地热在一个星期前就燃烧，防腐，并且覆盖了下面的物质，产生了表面的运动。通常是在这样一个日子——他良心发现的日子。

他看见一堆报纸上面什么东西在风中瑟瑟抖动。原来是小孩儿的外套。他心里一动。走过热气腾腾的垃圾山，踩着一堆堆生了蛆虫的烂菜叶，发了霉的馅饼，捡起那件外套。哦，天哪！

①灰狗：一种猎犬，体型瘦长，跑得很快。

哦，耻辱！他翻着一堆堆垃圾，手好像被什么东西烫了一下。罪恶！他叫喊着。邪恶！有人得付出代价。总得有人付出代价。他踢开一卷卷电线，朝一块铁皮下面看了看，又有了主意。这里简直是炼狱。他期待着一场好戏在眼前拉开大幕。他穿过一堆堆垃圾，被惊起的老鼠足有猫那么大。然后，他好像碰到别的什么东西。他知道，“好戏”就在这儿。

天下着雨，风穿堂而入，炉子里的火苗蹿起来。狗哼哼着，伸了个懒腰，汪汪汪地叫了起来。棚屋外面传来马达的轰鸣。不一会儿，一辆汽车驶了过来。两个渔民从汽车里钻出来，直起腰。是老斯托克·威尔逊和他收养的儿子。两个家伙正摆弄绑在汽车顶上的鱼竿。人们都知道，那个男孩儿实际上是他女儿生的儿子。

“你那儿有什么呀，塞克？”斯托克哑着嗓子问。

“一个婴儿。”

他正来回推着一辆不知道从哪儿捡来的破旧的婴儿车。斯托克斜着眼睛，吐了一口唾沫。

“我想，你要告诉我，是你捡来的。”

“没错儿。”

“你这个老杂种，塞克。我不知道你还有这雅兴。”

他们花了几分钟的时间探讨收养手续的事儿。斯托克指着男孩儿“现身说法”，小家伙挪动着两只脚，大张着嘴巴，鱼钩从帽子上耷拉下来，晃来晃去。

塞克讲了事情的来龙去脉。有的女人抛弃自己生下的孩子。她们和男朋友干肮脏的勾当。你知道，都是外国人。真是不幸啊！这些女人生下孩子，就爱干这种事儿。他告诉他们，他是怎样从垃圾堆里捡的这个孩子。

一个星期之内，这件事情就会传遍全镇。

塞克告诉斯托克和那个男孩儿，那天傍晚，他在热气蒸腾的瓦砾碎石堆看见一个身影。

“我看见他从朦胧的雾气中站起来，抱着一包东西，一瘸一拐，往山下走。他留着山羊胡子，一看就是个亚洲人。他站在一堆枯萎的水仙花旁边，踢着那堆旧报纸。是个入侵者！我对自己说。我把大锤举过头顶，踩着脚下的垃圾，朝他走去。他看见我之后，也向我走来。两条小腿儿迈得很快，就像活塞。他挥舞着长柄铁锹，说实话，挺可怕。”

雾气越来越浓，“海中巨兽”挥舞铁锹，东砍西劈。塞克则高举大锤，左右横扫，在火与水蒸腾起的雾气里，在漆黑的天空下，展开一场史前的恶斗。没多久，大锤击中目标，陌生人弯下腰，面带微笑，跌倒在地，溅起一串串火星和灰烬。

塞克捡起那包东西。

塞克说，那是一个绿中透黄的、完全成形的婴儿，面朝上躺在棕色麻布下面，身上还有血污。是个女婴，闭着眼睛，几乎半透明。黑头发，肉鼻子，视而不见的黑眼睛。

更重要的是，看起来像是中国人。

好像什么东西从他的身体吸了出来。塞克很费力地吸了一口气，觉得胸口很疼。有一会儿，他在爬陡峭的山崖。他爬了过去，但是喘不过气。那是一个寂然无声的世界。他直起腰，觉得自己在抽泣，喉咙里仿佛从很远很远的地方传来一阵呻吟，就像缅甸山洞里吹过的风。

然后，听见仿佛应答的咯咯声。塞克又看了看，闻了闻，捅捅这儿，戳戳那儿，把垃圾拢到一起，堆成一堆，没有意识到他在竖起果肉状的堆石标记。他只是想给这个地方做一个记号。他的手在颤抖。他朝四周看了看。这是他的秘密。一句格言出现在他的脑海之中：摸摸中国人讨个吉利，碾压过一个中国人，你就完蛋。

他压低嗓门儿，对那个小小的躯体说话，把她抱起来，捧在手心里，带回到他的棚屋。喂她牛奶和一滴朗姆酒。他还烧了一锅水，用烫伤的手指洗干净她那张干瘦的小脸。他打算把孩子带回家。他知道妻子会说什么。她不会让他收留这个孩子。她甚至会把他拒之门外，根本不承认他也有过辉煌的时候。就连他说，他在海岸看到一头巨大的座头鲸——那可是大家都认为的好兆头——也无济于事。这个婴儿……她不想和她有任何关系。他还知道，这将使他们已经不牢固的婚姻彻底解体。

第二天，他看见那个婴儿变得强壮，也不发烧了。第三天，他把她托在手里，小宝宝已经很正常了。她把屎拉在他手上，打饱嗝，还哭了起来。

“我可烦透了，”塞克对斯托克说。那场恶斗把他也弄得脱臼了。

他和那个小孩儿在棚屋里待了好几天。全靠雨水、黑莓活着。他把那些东西嚼成糊糊喂那个婴儿。他胳膊疼得要命，仿佛天旋地转。一天早晨，他从小棚屋走出来，想到警察局坦白自首。可是回到海岬的时候，吊在胸前的胳膊，居然恢复如初，一点儿也不疼了。

运气就像风转向一样，说不定什么时候你就交了好运，他对斯托克和男孩儿说。

不过，他知道，不是什么好运气。只不过是讲故事的人故意那么说罢了。

“狗在哪儿呢？”男孩儿问。他摇头晃脑，眼睛瞅着铁皮屋顶上的窟窿。没人理他。

塞克说，垃圾堆越来越高，汽车没有他的指挥，来回兜圈子，全然忘记他的存在。他又跑到垃圾场。新倒的垃圾在最上面那层抖动。他又开始向下挖，浑身沾满散发着臭气的污物。一直挖到发热的土层。什么也没有发现。那个陌生人没有留下半点踪迹。没有尸体，也没有任何可以告诉他他不是在做梦的证据。

塞克到城里，想找个医生。他仿佛精神错乱，连疼痛都成了享受。他在一个奶站橱窗前面停下脚步，看见一个宛如从地狱里来的人在窗玻璃上看着他。他的无檐小帽上落满小树枝，短夹克衫撕开许多道口子，沾满灰尘、树叶，被泥水泡白了的脚趾从破靴子里钻出来。他怀里抱的那个婴儿像煮熟了的小鸡仔儿。

他走过一个像是教堂的地方，听见里面在唱赞美诗。推开门，看见里面的人。那些人好像都东倒西歪。信徒们排成一行，一位牧师从一个信徒身边走到另一个信徒身边，把手放在头顶上，然后向后一推。被推的人倒在其他信众的怀里。他们一边看着天花板唱歌，一边前仰后合地摇晃着身子。谁也没有注意到他也站在队伍里，眼花缭乱，迷惑不解，因为想到胳膊的伤痛可以治愈，激动得满脸通红。牧师，一个大约四十岁的男人，抬起头看着天空，用很流利的声调说：“主啊，让这个人痊愈吧！”他的手颤抖着，汗水小溪般从脖子后面流下。被他摸脑袋的那个人顺势向后倒下。

该他了。牧师把手放在他汗水浸透的小圆帽上。信众们立刻聚集到他那散发着臭味的短夹克后面。“灵疗师”看到他胸前吊着的胳膊后，脸上露出微笑。

“主啊，让这个人痊愈吧！”

塞克又一次感觉到自己濒临死亡。有人跌跌撞撞、踉踉跄跄走到他身边，他没有向后倒下。

“主啊，让这个人脱胎换骨，成为新人！”牧师大声喊道，使劲儿推了推塞克头上那顶无檐小帽。

他还直挺挺地站着。牧师的脸涨得通红，脑子里想着柔道的技巧，琢磨平衡点在哪儿。他使劲按塞克的头，可是立刻遭遇了“反作用”。他咬牙切齿地说：“放松，倒下，你这个杂种。”

塞克心里发慌，闭上眼睛，想让自己集中神志，不知道该说什么。他走错了教堂。牧师嘴里嘟囔着什么，又推了推他的脑袋。

“主啊……”

那人突然抓住他的腰。

“主啊……”

他身子一歪，“咚”的一声倒在大理石台阶上。牧师连忙去抓他。信徒们以为这是表演的一部分，越发大声唱了起来。可是牧师看到这个人脸变得青紫，呼吸微弱，而且很不稳定。他解开他的上衣，看见一个婴儿。“快叫医生！”他对那些面带微笑的信徒们喊道。他们站在那儿，像一群绵羊。不会说话的浑蛋。

“所以，”塞克对他的两位听众说，“我得收养她，还要自个儿把她拉扯大。”

斯托克于是明白，塞克这次可真是干了件大事。他从塞克抱着那个孩子、充满爱意地抚摸她的样子就知道，他不会把她当作捡来的孩子，不会把她当作收养的孩子。他也知道，塞克在一段时间内，不会钓鱼去了。他吐了一口唾沫，因为轻蔑或者因为感同身受。作为一个脾气不好的人，他真不知道自己是出于哪种感情。

第十四章

“雅典娜是从宙斯的脑袋里生出来的。”他在酒店旁边的啤酒花园里给她读着什么。

“什么意思？”

他的意思是，从打看见一个女人躺在沙滩上读书，他就在心里创造她。

“意思是，男人在那儿讲故事，女人却仍然独自守着真相。”

“胡扯。”

他们有条件地同意五点钟在露台上见面。孩子没和她在一起。她说她不能喝酒，两个人只点了些软饮料。

他对她说，他在读君特·格拉斯[①]的《头脑中诞生的人或德国人死绝了》。讲故事的人在去上海的路上，想九亿德国人的

①君特·格拉斯（Gunter Grass,1927—2015）：德意志联邦共和国作家。著有长篇小说《铁皮鼓》《猫与鼠》等。

可能性。普鲁士官僚主义的传统使得这种“校正”成为可以想象的事情……然后或许就可以按照中国人的办法去做……做爱是个讳莫如深的话题，未婚不能同居，不能给他们避孕器具。

“不给避孕器具？”

“道德是官僚主义的东西，中国式‘咒语’。卡夫卡都知道。”

他心里想，早在周朝，公元前大约一千年前，宫女会观察并且记录皇帝和皇后交媾的准确时间和日期。皇帝和皇后交媾之前，先和许多宫女做爱而不射精，目的是增强他的性能力。

那天，他在报纸上看到这样一则消息：从1991年10月起，中国大学校园里禁止学生拥抱接吻，勾肩搭背。第542条。

她的思路没有因此而转移，突然打断他的话，说：“也许这就是卡夫卡从来不谈性的原因。他给未婚妻费莉丝的信就像备忘录……我的意思是，枯燥无味，他却没有意识到这一点。”

“不，那是一种欲望的延伸，一种暂时的停止。就像你讲那个小孩儿的故事。完全沉浸于那故事之中。我看明白了这一点。一种无限的延长。”

他不想发生任何事情。他感觉到她也是这样想的。人们总是受各种因素制约：忠诚，迷信，没把握，但最重要的是受欲望的制约。她把满头红发烫成波浪形，一双眼睛看起来很大。

她向远处眺望。太阳在大理石栏杆上涂上金辉。

看到她面颊绯红，他想，或许自己说错了话。但是他也意识到，恐怕主要是因为他的话触到她的痛处，而不是谦恭使然。

他们让这个难堪的时刻成为过去。

“和我一起散散步。”他站起身来说，很为自己的果断惊讶。

“我想，”她说，突然挽起他的胳膊。他颤抖了一下，好像跳到放满热水的浴缸里，“倘若德国真有九亿人，世界会像对待中国人一样，对待他们。”

曾经有这样的时尚，宫女们在男性奴隶身上试验春药。有时候，和三四个男人在一张床上睡觉。然后把奴隶杀了。

“性和死亡。在中国，吃饱饭更重要。”他说。

她并不真的和他是一体的。也许他是个偏执狂，对种族、性十分敏感。他既不想拥有什么人，也不想被别人拥有。他们沿着跳舞场慢慢地走着。也许她觉得所谓异国情调像官僚主义一样令人讨厌。他永远不会以此引诱她。

我的父亲身穿无尾夜礼服，坐在新中国大舞厅。如果你只见过他身穿汗衫，趿拉木屐，围个橡皮围裙的样子，绝对不会想到，他也会身着夜礼服出现在这种灯红酒绿的地方。那时候他还年轻，头发喷了发胶。旁边坐着一个漂亮女人，穿一件紧身缎子长裙。女人站起来和他跳舞的时候，你会看到她个子很高，身材苗条，乌黑的发髻盘在脑后，插着玉簪。他们踏着我父亲称之为“文艺范儿”的舞步，而不是运动员的步伐跳华尔兹。两个人舞步翩翩，就像暹罗人的双胞胎兄妹。后来，父亲走到乐队指挥跟前，和他轻声说了几句什么。乐队突然停止演奏，指挥对大伙儿宣布，他们非常高兴我父亲今天到场。因为他要为大家演奏一首乐曲。父亲走上舞台，接过人家递给他的萨克斯风，取下哨嘴，从口袋里掏出一个银哨嘴按了上去，开始演奏《忧伤宝贝》。人们都停下舞步，围拢过来听他演奏。

一曲完了，他们都拼命鼓掌，打口哨，让他再来一首。可是父亲从乐队指挥台跳下来，拉着那个漂亮女人匆匆离开舞厅，消失在夜色之中。

现在，看着他头戴一顶破帽子，脚穿一双木头趿拉板儿，你绝对不会想到他昔日的风光。你不会想到，他曾经出入于歌舞厅，吃俄式蛋糕，跳狐步舞一直到深夜，然后到厦门书局漫无目的地浏览一下书架上的书。他们那儿供应鸦片、烟枪、茶。楼上还有刚下船的美国姑娘……是的，你不会想到他昔日的风光！瞧他现在骑着自行车直奔黄浦江，过了大桥，来到刚靠岸的拖船上，跟人家讨价还价买鱼和鳗鱼。他把买好的鱼放到一个足有一人高的大桶里，把桶绑到自行车上，吃力地推着走过大桥。有一次，他踉踉跄跄，倒在马路上。桶里的鱼全都掉进排水沟。过路人连偷带抢，把鱼塞到衬衫下面溜之乎也。父亲跳到臭水沟里“抢救”他刚买的鱼，虽然浑身沾满污泥，回来时还是两手空空。他把自己关在五户人家共用的卫生间，洗那一身臭气冲天的污泥时，门外聚集了一堆大声嚷嚷着要接水做饭的人们。是的，你现在不会那样想了——他曾经和有权有势的商人、银行家勾肩搭背。半英里长的码头上摆着就餐的桌子，侍者垂手而立，他在一头拉小提琴，还把香槟酒拿给在雨地里等着抬轿子的轿夫……是的，你现在不会那样想了——听他坐在便壶上痛苦地呻吟，然后端着便壶，一边看里面的血，一边步履蹒跚往楼下公用的大桶里倒的时候；听他大声叫喊着，往公共电车里挤的时候；眼见他一天到晚，身上散发着鱼腥味儿的时候……跟他一起切鱼片、撒盐、晾鱼干儿的时候，你不会想到他曾经在西伯利亚冰冻的湖面上滑冰，曾经周游世界，带回家一个个子很高、盘着发髻、插着玉簪的漂亮女人。她声音浑厚，大家都挺喜欢她，直到——是的，我相信你不会这样想——家里人发现她是个高级妓女，说穿了就是娼妓。不过，这并没有影响他们俩的关系。人们又怀疑，她是不是女人……不，不是现在，也不是姥姥告诉我之后，你不必这样想。就是那时候。人们说，姥姥疯了。她是我母亲的母亲。有一次，提起我父亲，她说，“他让我想起中国奶酪：尽是肥油，没滋没味儿”。她甚至做了张海报谴责他。还是我几位姑妈极力劝阻，老人家才没把海报拿出来。不管怎么说，他娶了她的女儿。可她不承认这门亲事。

她说，我母亲是因为我死的。

“那时候，没有人阻拦我离开中国。”

“你为什么没有离开？”

“我也不知道。其实父亲去世之后，我就没有理由非得待在上海。我有护照，有各种证书，在巴黎有关系有朋友。我知道，如果不离开中国，我会变成别的类型的人。孤独。那种孤独混乱了你生存的基础。你没有衡量自己的标准。你认为道德上不可避免的原则，变成妥协和最糟糕的自欺欺人。可是如果你离开，也一事无成。中国人总是因此而进退两难。”

他们在商店周围走来走去。她看着橱窗里的中国古董。

“我想，那是一种丑陋、甚至可怕的东西的堆积，”他突然说，“人们不再想逃离。”

他想起一座超现实主义的雕像——他在巴黎看到的《屠杀无辜者》。都是被切割的胳膊、腿和被长矛扎死的孩子们。

“倘若你把恐怖镌刻在石头上，你可以面对。最糟糕的是你不知道的那些东西。就像让·热内[①]说的那样，‘只有那些从来没有进过监狱的人，才害怕监狱’。一旦熟悉了一个地方，你也就不会心存恐惧了。”

他们走进那家商店，看丝绸屏风，小凳子，微型陶罐。一个角落放着一个很大的姜罐。一个柚木箱子大如棺材，还有很大的木头浴盆。“中国本土以外的所谓中国手工艺品都有点变态。”他说。“所有这些涂了清漆的物件儿，都像葬礼上的贡品。在中国，人们没有闲情逸致去展示这种病态的、能导致幽闭恐惧症的玩意儿。他们不愿意生命因沉思默想而延长……只是寄希望于‘物质材料’。外人有所不知的是，”他的声音变得沙哑，“博物馆那些藏品构成了性器具。古代中国和它的封闭、它有限的空间……想想看，那是我们已经知道的世界上最大的国家，可是那些很小的物件儿、那些乱七八糟的‘微缩景观’，却让它受阻、窒息。实际上变成了对时间的豁免。既没有弥赛亚[②]，也没有预言家。小似乎就意味安全，是对某些现象、某种易变性的‘解毒剂’。这样一来，生命就变得更鲜活，更容易被控制。但是他们也会制作巨大的容器，试图承载生命而又无法如愿。事实是，生命——哪怕从最小的意义解读——从来不只属于你自己。在中国，孤独是最少体验、最无价值的状态。”

他不知道她听了这番话会有什么反应。他看出她在沉思默想，目光从他肩头越过，透过玻璃橱窗，眺望丛林和从大海缩回来的曲曲弯弯的海岸。

①让·热内（Jean Genet,1910–1986）：法国作家，剧作家。

②弥赛亚：犹太人期待的救世主。

太尖刻了，她心里想。犹如远去的潮水，这里的情形就是这样。你向一个男人表示爱情的时候，仿佛背上压着石头。被阳光灼伤的脸……平静的大海……情感的宣泄……你一路捧着沙子回家。在那个特别的时刻，她想起每一样东西的大小，缺乏生命的核心，没有供应补给品的办法。就像这个规模宏大的酒店餐厅，大而无味的牛排。她对他说：

“实用。你设计的这个酒店不雅致，但很实用。没有一个中心。你太西洋化了。”

她想报复他的自命不凡。她站在那儿，一双眼睛目光炯炯，瘦弱的身躯对他仿佛麻木了一般。

他皱着眉头说：“如果你一辈子都住在酒店，你就不会要什么中心。酒店毕竟不是家。”

为什么要假装“疏离”也是关系亲密的一种表现呢？他深深地吸了一口气。自己也说不清楚他说的家是什么意思。没有熙熙攘攘的人群，可以自由自在地说话，空气流通。他设计酒店的时候，故意不在壁炉前留出较大的空间或者设计一个“中心”。正是这种理念——他是一个概念模糊、四处奔波的部族的一部分——给他以慰藉。知道其他地方是一件多么可怕的事情，会使你待在这里觉得更难，更苦。这里的一切都会让你记忆崩溃，脑子成了粉末，心在悲哀地跳动，对周围的事物迷惑不解。

他挽起她的胳膊。阳光明媚，两个人拾级而下，来到另外一块平地。这块地铺着砖，一直延伸到大海。喷泉不时把水雾洒到他们的皮肤之上。他指给她看远处那条船的桅杆、缆索结构、裸露的桁架、吊舱、舷外支架……

“那是一条快速帆船，”他说，“总是保持扬帆远航的姿态。你可以从骨骼似的结构看到建筑的原则。你看，舷外支架能承载很大的重量。你看突出的横梁，完全可以抵挡地球引力。每一样东西都在顺从，又在抗拒。”

像她，也像他。就是这种顺从而又抗拒的东西把他们联系在一起。他举起胳膊，朝天际一挥，说：

“我想让卡夫卡摆脱恐惧。设法赋予被你称之为挖空了‘中心’的建筑物新的含义……创造弯曲的后缘、转弯仰角，把你关在里面……缺位而又多功能的中心，迫切地需要私密、缘由和凝聚力。真正的含义必须涉及方方面面。”

她微笑着说：“你有恐惧症。想想看。一个患结构恐惧症的建筑师。”

她并非否定他的经验，只是他们分属不同的序列。而在这序列中，他发现人的生存条件有巨大的不同。他对她的态度仍然表示怀疑，认为她也许一直怀疑他那种“欧洲敏感性”，希望他以中国人的方式做事。他，和许多别人一样，最多是从古老的过去走来的一个“老古董”。最糟糕的是个难民。但是，他第一次感觉到她受过的苦比他想象的还要多。

“都是因为童年不幸呀！”她说，态度变得温和，意识到他没有理解她的幽默。

他上汽车，下汽车，都怀着儿时就有的恐惧。学校像监狱，事实上，战争年代那儿就是个监狱。每天早晨六点，奶奶送他上学的时候，真像打仗一样。车门吱吱嘎嘎响着，奶奶把他使劲往车里推。他蹲伏在门口，背靠司机旁边那道栏杆，仔细观察，等他停车。还打量着比他大一点的孩子们脸上的表情，拿不准是跟着他们前一站下车，还是后一站下。因为他们总是在到学校前偷偷抽支烟。无论早下还是晚下，都可以步走一站路，把烟抽完。每天早晨，都被那种不眠之夜留下的特别的气味、口臭、油条、粥、潮乎乎的衣服散发的气味包围着，从拥挤不堪的汽车看到的只有人们使劲抖着床单、被褥，晾晒刚洗过的衣服，扔掉没用的东西。然后是学校的天花板，快速出口。小同学们互相乱挤。不知道是谁，使劲掐了一下他的胳膊。第一节课是品德教育课，高唱《大海航行靠舵手》。那天他装病提前回家。他拿着他那只英勇善战的蟋蟀，走了很远的路，发誓如果能平安无事把它带回家，就把它放了。可是等他回了家，打开草编的笼子，真的把它放了，看到它跑到别人家的屋顶上，他觉得自己真的病了。他浑身没劲儿、直恶心，在床上躺了一整天。他被逃离某个地方又不得不再回来的痛苦折磨着。有一天，他对自己说，他想躺在没有柱子的屋顶下面，在一个完全属于自己的房间里，周围没有呼哧呼哧喘着粗气、身上散发着樟脑味儿的姑姑们。他想走到阳光下，觉得脑子里塞满棉花，变得麻木。夜晚，父亲抽出藏在草垫子下面那本老子的书，在他面前打开，几个世纪前的奇异展现在眼前。自行车前面的灯把一缕白色的光无声无息地斜射到天花板上。他悄悄地走出去，极目远眺，仿佛看见古代哲学家们的幽灵和街灯四周一团团小昆虫一起飞舞，飘忽不定。

糟糕。情况变得越来越糟糕。我没法儿让事情这样自消自灭。也许女人不信任我是因为我不会表白，她们就喜欢听“我爱死你了……”这样的甜言蜜语。我发现刻意追求某种关系太累。在办公室，女孩子们觉得我这个人索然无味，或者有什么秘密，或者认为我是个同性恋者。这是一个不能容忍隐私的国家。爱情当然没有性别属性，有时候甚至与身体无关。但是生理上的需求却横扫了一切方式、风俗、习惯，填平了各种深沟大壑、雷区、流沙。使得事情变得清楚明晰起来。那个女人还在海滩上。我回去工作，她几乎不再存在于我的脑海之中。我无法告诉她，我无力再给自己增加任何负担，必须一个人生活。我在办公室那些女孩子们的气味和她们营造的氛围中很是惬意。我的合伙人又设下圈套，想要更多的佣金。我工作的时间很长，也很努力。养身之道对我很有好处。这时候，刚从加拿大来的一位远方堂妹分散了我的注意力。她在多伦多开了一家餐馆，这次带女儿来旅行。我从来没见过她这个女儿。十八岁，相貌平平。而且特别单纯。海外出生的中国姑娘都天真烂漫，这正是她们的迷人之处。堂妹说，她的女儿会做饭，会缝纫。这种介绍法儿可不怎么高明。我带她们到悉尼转了转。堂妹走路的时候拖着一双脚，就像个老太太。我只记得，小时候我们一起玩游戏的时候，看过她的屁眼儿。

“告诉我，”在中国城一家饭馆吃饭的时候，堂妹问我，“你想没想过再婚？”

她女儿直勾勾地看着我。这种事儿没法儿拐弯抹角。就像谈生意，只能直截了当。

“想过。”

“中国人吗？”

“不是。”

“洋鬼子？”

“一个女人。”

“单身？”

“有个女儿。”

“审讯”结束。堂妹满脸惋惜。她在椅子上往后靠了靠，好像这种坏运气也感染了她。两天之后，她们就又飞回加拿大。

他经常想起作家，相信她不会再和他有什么交往。可是有一天，完全出乎预料，她给他打来一个电话。

“我这儿有你的一个笔记本，”她在电话那边说，“里面有你画的一些草图。你喉咙里卡了鱼刺那天，你把本子丢在餐馆里了。我给你寄过去，还是下次见面时给你拿去？”

风像吹长笛一样，吹过电缆……对他而言，宛如一种疗伤的办法。现在，他发现自己一个人站在澳大利亚东海岸一座豪华酒店外面。已近黄昏。现在已经是和她第一次见面两年之后，他依然想着他向她介绍屋顶时打的那个手势。他举起胳膊，朝天空一挥，那种傲气，还有他的孤寂。

第十五章

他签下设计这家酒店的合同后，来到澳大利亚，心里有一种怪怪的感觉。他在香港设计的两家酒店，有一家已经准备拆除。可是在澳大利亚，这块土地有着永远的归宿，土地两侧是波光粼粼的大海。主人们对时间的要求却很严。对他来说，这一切都很熟悉。中午吃便餐的时候，亚舒达兄弟中的一位说，他们需要快速跟进。胖亚舒达转了转脖颈，把一根手指伸到嘴里抠后面的牙齿时说出这番话。镶着白瓷砖的自助食堂突然间变得好像一条宽敞的通道。

一切发生得很突然，他甚至记得具体日期。那天，他正在检验早晨刚到码头的意大利石板和烟色玻璃。他拒绝匆匆忙忙赶工期，他们便威胁他，扬言把合同给另外一个建筑师。这时，他接到工程师打来的电话。他说，海面下卫生间的排水系统深度不够，下水道需要重新设计。这可是个大问题。

回海岸时，合伙人和他开玩笑。他们一边查看设计图纸，一边大笑，也许是为了缓和一下气氛。“看来不得不作废这个鬼东西了。”他们说，粗大的手指摸着那张蓝图。“作废”。有些英文单词他念得还不准。他们说的双关语，他也听不出其中的妙处，至于成语、俚语更是一头雾水。

他们说的是一条水道。你听懂了吗？

Nala，这个印度语单词他知道有多少个意思吗？小溪，山涧，沉淀了“一代又一代”淤泥的水道。那里包含着柔和的诗意，岁月的变迁，幼儿牙牙学语时的天真和垂暮老人慨叹人生时的无奈。Nala 仿佛一个万能的词，什么时候、什么场合都可以用。宛如一条长河贯穿你生命的始终。水和屎尿。充裕的负能量。在地球引力的作用下，通过落水管，将所有那些没用的东西、不满意的东西，从上而下排除掉。

“这个该死的错误……你是怎么想的？”合伙人在车里问他。他打开另外一张蓝图，放在膝盖上。“问题确实很严重，”他说，从车窗向码头望去。

这时候，他突然想出一个主意。为什么船上安装通海阀？因为靠这个阀门就可以既把船上的污水排出去，又可以把海水抽上来。这样就可以达到某种平衡。

他们到工地的时候，主人已经到了。亚舒达兄弟戴着硬顶礼帽，领带在风中飘，看起来就像小丑。他们看起来很激动。“海底酒吧”——他们管它叫“水族馆”——会出问题的。他们一开始就提醒过他。亚舒达兄弟带他到地下施工现场。到处都是瓦砾、碎石、水管、污泥。从填充口算起，现在已经是在二十米深的地下。他们说至少需要一公里长的管道。

他在轻轻地哼着什么歌曲。拐弯处一个电灯泡就像月亮一闪一闪。在这地下洞穴，电压很低，看到落在瓷砖墙面上自己的身影一会儿拉长，一会儿变短，他很是惊讶。也许他的建筑理念还是老派的。最初，他是按照巴黎地铁设计这些通道的。潜意识里，他是个乐于助人的人、一个人道主义者、一个有反叛精神的建筑师。他想使用那种手工就可以维修的抽水机，轻轻一按就能更换的屏风，他想让沉淀罐里的污泥浊水自动排放，同时又可以通过手工操作达到同样的目的。维修保养应该有一种美学哲学。

这个时刻很恐怖吗？取消，作废。Nala。他做出这样的决定。只有他一个人知道。像一台没有完成的外科手术一样，把原来的管道像切割下来的大动脉血管一样扔到大海深处，另外一端和雨水渠重新连到一起，用阀门控制。他可以建造一个通海阀，下暴雨的时候，打开阀门排放污水。这是国内解决污水和雨水排放问题的所谓二进制方法。这样就可以每天早晨都将肠胃制造的污物随着潮水一起，去肥沃海岸线的土地……抑或让酒店永远沉下去，漂流到大海。出出进进……他是死亡与生殖能力兼备的建筑师。他需要这个支柱，它可以让他从头再来。

第十六章

“你为什么要来这儿？”

“我长期预定了这里的房间。每年都要来一个月，目的是启发我想出一些新点子，然后离开悉尼。可是现在悉尼是我唯一愿意待的地方，我觉得在这里很舒服。其他地方仿佛都是一堵墙，拉下来的一扇扇百叶窗。没有别的面孔。在悉尼，我可以听到人们的吵闹声，听到乌合之众野蛮的叫喊声。有时候我觉得很害怕，然而正是这种害怕使我知道我是谁。两个星期前，有个男人从马路那边走过来，径直走到我的面前朝我叫喊。他和我面对面，唾沫星子喷了我一脸。鼻孔大张、眼睛仿佛冒火。一个穿着外套的大块头男人。骂够了他才悻悻地离开。两个头戴黑色帽子、留着胡子的人走过来，问我有没有事。我说，没事儿，只不过朝我叫喊几声罢了。没别的事儿。”

其实他说的不是真实情况。他没有讲他是怎么和那个人扭打在一起，掐住那个人的脖子，那个人蹲下去，喘不过气来。千钧一发之际，两个头戴黑帽子的人从后面把他抱住。他回身刚想踢过去，脚抽筋，疼得要命，只好伸出拳头找平衡，想站稳。怎么会突然发生这样的事情，他也不知道为什么。也许因为漫长的、无法想象的过去埋葬在表面之下……暴力，疯狂，恐惧。

她第一次到他房间里的时候，小屋被非常美妙的、柔和的光笼罩着。

“你记得那个夜晚吗？”

“怎么能忘记？你差点儿噎死。”

“我记得你送我出去的时候，指着酒店，解释说，你是按照从卡夫卡那儿学来的理念，在你所描绘的‘软风’[①]中重新建造这幢大楼的。我们约定再次相见……只要我们俩都愿意……时间定在第二年冬天，离我们在海滩上初次相识几乎一年……但是我们俩都很难做到这一点。所以，我就来还你的笔记本。”

“第二次，你径直推开我的房门。大约七点。我压根儿就没想到你会来。”

“寒冷的夜晚，我们喝啤酒，你不得不把暖气开大。然后你给我讲了一点你的经历。”

“你也讲了你的经历。”

没什么奇特的，她说。他们只是生活在这座海边小城的一户普通人家。父亲、母亲、两个姐姐。每次姐姐们回来度假，

①软风：气象术语。

家里都会发生些事情。她们最后一次回家，天都好像要塌了。她们刚回来那几天，家里总是乐乐呵呵。大海，鱼，父亲带她们坐一条新船出海。过了几天彼此熟悉起来，天天都是老一套，又开始“各自为政”。吃饭的时候谁也不吱声，父亲回家越来越晚。放在餐具垫上的晚餐早已凉透。等他回家的时候，母亲不见了。他想给大伙儿助助兴，就讲笑话，喝酒。后来便从卧室传来他的叫喊声。叫得吓人，她无法忍受。姐姐们都跟男朋友出去了。她留在家里，想帮帮忙，但是什么忙也帮不上。

她家对面住着一个自称作家的家伙。就在海滨步行道旁边。那是一座装着护墙板的老式房子。她和两个姐姐经常看见他。午饭时间，他走出家门取邮件。他大约四十多岁，大部分时间都围一条厚围巾。她们都说，他肯定是个酒鬼。他的身体每况愈下。他把大多数邮件扔到一边。她依然看得见他倚在篱笆墙上站在那里。

有一个星期日，她又看见他站在那儿，胳膊搭在篱笆柱子上，脑袋放在胳膊上。他喝得烂醉如泥，没有力气抬起脚回家。开着车到教堂做礼拜的老熟人从他门前经过，从车窗那边凝视着他，说几句不咸不淡的套话，打个招呼，摇摇头，扬长而去。她走过去，跟他搭话。他站在那儿，仿佛融化在燥热中。

“你是作家，对吗？”她问道。

无知和好奇混杂在一起。

换个夜晚，他一定会借题发挥，用“色迷迷”的诗句掩盖自己那一口方言，赞美她秀发飘飘，赞美她嘴角挂着的微笑，美丽的赤脚，成熟得能掐出水来的身体。

“是的。”

他的眼睛闭上，睁开，盯着她的腿。这些她都知道。

“没出版过多少东西。”他说。

醉意朦胧中，漫长的下午闪着微光。她想，十二点前喝酒可能好处多多。太阳还在桁杆之上，看起来依然充满勇气和活力。

“可你仍然在写作，不是吗？你的邮件里经常有支票。大伙儿都说你靠稿费为生。”

“啊，都是无知和充满恶意的饶舌。”

作家朝四周瞥了一眼。她用脚趾扒拉着沙砾，身体前倾，乳房在薄薄的棉布罩衫下面向上翘着。她知道他在看。

“进来坐坐？”

他两只脚啪嗒啪嗒踩在地上，趔趔趄趄，哼哼唧唧，推开铁丝网门。阳光在门廊投下的暗影变得斜长。她犹豫着，渴望他书房里的昏暗，渴望经历人们常常警告女孩子的那种危险。弹簧门又突然打开，重力好像打到她的身上，她进去的时候晃了一下，把头发往后拢了拢，闻到一股落满灰尘的书籍和酒的气味。什么也没看见，只看见那个壮实的男人坐在餐桌旁边的椅子上……

“喝杯茶？”

他把凹进去一大块的茶壶推到她面前，壶嘴里冒着一缕热气。没有紧张，没有以前她和她认识的那些男孩子结交时的危机之感。没有他们把已然筋疲力尽的肉体向她凑过去，然后怀着懊悔、羞愧、骄傲消失之后，留给女人的尴尬和恐惧。她遇到这种事情一直小心谨慎。她知道，他只是想聊天，聊他的寂寞。她坐下来，倒了一杯茶。

“你想聊天？”

“也许吧，”他说，“也许你善解人意，早熟。”他停了一下，继续说：“还有，也许我是个华人。”

他说这话是什么意思？他留着山羊胡子，也许有十六英石[①]重。她母亲曾经说过，这个家伙是亚洲人。可是他人高马大，不怎么像。他说自己是华人，意思是他们之间有障碍。因为有的人对外国人总是避之唯恐不及。有的人愿意帮助他们。这事儿他心里跟明镜似的。而且他毕竟是作家。作家总是这样……高瞻远瞩，有深刻的见解……她从卧室敞开的房门看见一面脏兮兮的镜子上方挂着复活节时采的几根棕榈树枝。

“我快写完我最伟大的著作了。”他说。

他的前臂刺着图案。

“我这个人不合群，懒得搭理人。今儿个算你走运。”

“为什么？”

“稻子收成不好。”

“天哪，我不懂。”

他的眼睛闪闪发光。

“如果一件事情要有好的结果时，中国人就认为，总议论这件事会带来厄运。你瞧，一位中国农民。玉米黄灿灿，稻谷闪金光。水牛黑鼻子湿乎乎的，天空显得格外柔和，女人们在田地里唱歌。你对他说，‘今年好收成’。他摇摇头，‘太糟糕了，我们很快就都死了’。我知道他的意思是什么。这可不

①英石：英石起源古代时的一种惯常做法——将石头作为称量之用。在英国，根据《度量衡单位条例 :1995》的规定：1 英石等于 6.35029318 公斤。

是迷信，是一种奥秘。”

“什么奥秘？”

“你看中国人盖房子。他们一个小时就能搭起架子。砍好的竹子用藤条紧紧地绑起来，然后开始造泥巴墙。非常缓慢。这缓慢里就有奥秘。他们是在建立一种秩序。墙可以持续好久好久，框架却会腐朽。如果发生这种事情，他们就把屋子推倒。生命是其自身奥秘的重现。死亡是对创造的拒绝，对加入的拒绝。没有什么东西是长久的，除了玉。他们经常用玉来做棺材。”

她假装听懂了他的话，对他是否是个酒色之徒的怀疑已经烟消云散。他虽然极力不去看她，但难以掩饰目光中的悲伤哀怨。

他经常倚靠在前面的篱笆墙上和她聊天，在许多方面都让人觉得他很可怜。妈妈大声叫喊着，让她回家。有一天，她对妈妈说：“为什么我们不能请他来家里吃顿饭？”这下子完了。他们不允许再和他见面。

有一天晚上，她偷偷溜到他家，看到他坐在桌子旁边，把强迫自己吃下去的东西都吐了出来。她想扶他上床。他摇了摇头。太不好意思了，他说。

她和他一起躺在床上。暮色带着一种暗紫透过窗户洒到屋里。涛声阵阵，将它的韵律渐渐扩展开来。

他教给她如何快走，然后放慢脚步。他告诉她，人都可以有秘密，但是把秘密永远包藏起来就不对了。

“这件事、这番话一直重重地压在我心上，刺痛我，伴我。他说的那些话就像豆荚剥开之后蹦出来的豆子，很晚以后才得见天日。”

“这就是你的第一本书？”

“是的。”

“你说过，这本书是你最得意的作品。”

“是的，”她说，“这本书来源于生活，来源于创造力错误的方向。”

他摸了摸下巴。她的故事需要一个计数器。

第十七章

公元850年，一代名妓鱼玄机[①]爱上了诗人温庭筠。

事情是这样的。

首先，人们普遍认为，妓女不会爱上什么人。爱情永远不能和“生意”沾边儿。唐朝——中国历史上最繁荣也最放荡不羁的时期——妓女的地位和妾不一样。妾就是为了性、为了生儿育女，名妓则是高等职业舞女，琴棋书画、吟诗作赋无所不能……和她们跳舞像计程车一样，按时间付费。

她的朋友薛涛[②]在这方面劝告过她。薛涛衡量男人有自己的

①鱼玄机，女，晚唐诗人，长安（今陕西西安）人。初名鱼幼微，字蕙兰。咸通（唐懿宗年号，860—874）中为补阙李亿妾，以李妻不能容，进长安咸宜观出家为女道士。与文学家温庭筠为忘年交，唱和甚多。后被京兆尹温璋以打死婢女之罪名处死。鱼玄机性聪慧，有才思，好读书，尤工诗。与李冶、薛涛、刘采春并称唐代四大女诗人。其诗作现存五十首，收于《全唐诗》。有《鱼玄机集》一卷。其事迹见《唐才子传》等书。

②薛涛（约768-832）：字洪度，京兆长安（今陕西西安）人。唐代女诗人，成都乐妓。

一套标准：欣赏我的智慧，装点我的人生，可是触摸我的身体，就没那么简单，你就得和你的内心世界做一番抗争。她的意思是怕染上梅毒吗？不，她的意思是，她是一名乐妓，不是一样玩物。她是女道士。想碰我神圣的身体，哥儿们，你最好有品行端正的证书。皇帝当然例外。皇子嘛，也得花几斤黄金。

“你要记住，”薛涛对她的朋友鱼玄机说，“名妓不是妓女。和社会交往相比，肉欲是次要的……要有策略，要机敏，理智主义……只有这样，女人才能不被美貌所累，才能超过别人，胜过别人。”

她说的没错，真正貌美如花的名妓并不多。男人们趋之若鹜的是和这些妙龄女子一起享受吟诗作赋、花前月下的快乐。他们喜欢和她们睿智的对话，唇枪舌剑，嬉笑怒骂，打情骂俏。诗人来寻求灵感。但是诗人造访也不是什么好事儿。因为他们总会躲藏在激情的“屏风”后面，以同样的才华吸引这些“才女”，让她们坠入爱河。可是薛涛没有把这一点告诉她的朋友鱼玄机。最好把这些知识隐藏起来，毕竟交易不能受损。诗人倘若有权有势，经常到同一个名妓那儿，就可以听到一些小道消息。如果他们付的钱少，而且不愿意激情外露，最好找一个头脑冷静的道姑，因而也只能听到点官方消息。

当年诗人温庭筠到鱼家造访，一眼看中年轻的鱼玄机，给她写了一首诗，她对了下半阙。有时候，她的笔下也不乏淫词艳语：

淫雨落屋顶，
恰似肌肤亲。

润我细无声，

悠悠一春梦。

他以老子的格言为基础，开始用微妙而又复杂的言语向鱼玄机求爱。“这样说，”他说，“也是一种克制。”他又说道：“可以与日月同辉。”她以一种非常优雅、意味深长的舞姿，翩翩起舞。将欲望和智慧完美地结合在一起，将短暂的相聚化为永恒。

他大着胆子和鱼玄机谈论“长生不老”的秘诀，鱼玄机用道姑们的风流佚事反驳他，“千年等一回”。他们在一起仿佛谈了一千年。长时间的对话“雨与土”，暗喻精液和女人分泌物的结合，姿势的融合，性的快乐的哲学含义。没有相互的爱抚，没有肌肤之亲，鱼玄机和诗人开始相爱。也就在那时，他离她而去，声称到一个遥远的山林里居住。那儿有一座庙宇，邀请他去朗读他的诗歌。

名妓应该知道，她们之所以被叫作名妓，原因很简单，像鱼玄机和温庭筠这种关系随时都可以解除。温庭筠因为在妓院里待了一段时间，回到山林时又变得精力充沛，心情舒畅，又成了一个堂堂正正的好男人。鱼玄机却一直烦躁不安。

一年之后，诗人回来。两个人又开始促膝长谈。她又得了相思病。温庭筠出现在门口。他被太阳晒得皮肤黝黑，看起来很壮实。他坐在垫子上，两条腿的肌肉很是发达。看来隐居生活对他大有好处。鱼玄机给他跳舞。但是因为她满心渴望和幽怨，茶饭不思，踉踉跄跄，倒在地上。她也吟诗作赋，但是她的诗句生涩蹩脚，找不到韵律。她不止一次强迫他承认，自由体诗歌更进步，更具有实验性。她求他再给她讲“长生不老”的秘诀，他说，已经忘了。

后来，他又走了。这次去一个不太远的城市，又过上风流倜傥的诗人狂放无羁的生活，居然和一位官员的妻子生了三个孩子。那个女人的丈夫是个地方官，发誓要取诗人的首级。温庭筠闻讯逃跑，越发经常出入于青楼妓院。他说，他需要恢复自己的名誉。鱼玄机请教她的朋友薛涛，在钱财方面给她出点主意。可是，现在她深深地爱着温庭筠，绝不可能和他斤斤计较。她一文钱也不和他要，只求他下次离开时带她远走高飞。

公元852年，这一带遭了大灾。农民饿死在田地里。尸体膨胀、发臭，浮在河面上，漂向远方。诗人温庭筠抱怨，在这样恶劣的环境下，无法吟诗作赋。他说，我的诗只能在阳光明媚、微风习习、风景如画的时候才能吟唱。他指责鱼玄机不能给他带来创作的灵感。

“你的诗，”他说，“太蹩脚了。”

因为爱他，她说，她是胡言乱语。“你从来就没有恋爱过吗？”她问。

“我，”他以一种无法原谅的狂傲说，“我从来不胡言乱语。”

然后，他就扬长而去，再也没有回来。

薛涛来到朋友的房间，安慰她。“名妓的座右铭是，”她说道，“死前要超然。”她说的既对也错。诗人走了之后，鱼玄机到了另外一个城市。她以令人赞赏的超然与坚持，买通一个婢女引诱诗人，然后杀死那个姑娘，嫁祸于诗人。但是，生活从来都不像诗歌那样浪漫，最后，她被抓住，判处死刑。

鱼玄机死后，人们对她的诗非常赞赏，谁都想弄到一本。

至于温庭筠，再也没听到他的消息。不过当代学者都希望他的诗能再现辉煌，都说他写得相当不错。

那个女人背对豪华酒店，眺望大海。

“听你讲故事，时间过得真快。”

“只要有机会，我们就相互讲更多的故事，没有完结的时候。”过了一会儿，他又说：“我知道，你生病了。”

她没有回答。

那时候，我多么希望她的目光落在我的身上。她的烦躁不安不是因为想指责，而是因为和我一条心，不见外。多么希望我们肩并肩在海滨散步，手指勾在一起，将身影留在沙滩上。她会踩着自己的影子，跳了起来。那可怕的沉重之下尚存的轻捷一定一直缠绕着她。她越来越瘦，冬日的阳光下，轻的像一根草。她身上有一种超然，好像还有更重要的秘密与已经说出来的事情保持着平衡。事情就是这样。倘若她心里藏着什么，你总能知道。

“告诉我，”她用不容置疑的口吻说，“那可怕的岁月。”

第十八章

上海在下雪，但我一无所知。昨天有人把一张卫生纸塞到我的单人牢房，上面写着：上海在下雪。我想这一定又是什么鬼把戏。他们想让我想家，让我渴望外面的清凉。然后，我或许就会坦白交代。他们希望我以某种形式交代问题。我必须看到自己表述中的错误。我已经写了八十三次交代材料。在方方正正的纸上，每次都搜肠刮肚，但总不能让他们满意。他们需要那样一种类型的认罪书：一条一条列出罪状。可是因为我不知道自己犯了什么罪，无法满足他们的要求。我只知道我犯过一个错：我在人民公园建的那座纪念塔外面那块牌匾上信手写了几个不该写的字。但是，他们并不想知道这个。因为那几个字刚写就抹掉了，并没有存在过。也许还有别的不太直接的罪行，比方说——说出来令人尴尬——想上大学，拒绝只写中文，讨厌眼界狭小的乡土观念，喜欢外国人，不善坚持国家意识，鼓吹世界大同主义。最主要的是，不肯为了所谓自身的进步和发展屈尊俯就。

于是我开始编造罪行，寻思迟早都会编出符合他们要求的所谓罪状。倘若那样，就可以把我划分为普通罪犯，而不是政治犯。作为政治犯，我连监狱里那点权利也没有。我连便桶也没有，只好在墙角大小便，然后用写交代材料的纸包起来。第二天，他们会再给我一些纸。我还是用这些纸派刚才说的用场，没有写什么交代材料。他们就用木头棍子打我。

那个夏天，中国南方高温酷暑。即使在阴凉地，气温也高达摄氏四十三度。他们不让我出去干活儿。如果我像普通犯人那样干活儿，就能多得到一点食物。于是，我就在脑子里设计一座酒店。这座酒店的形状像一艘船。在这个“泰坦尼克号”上，我享受珍馐美味。船长和我的妻子跳舞。统舱的隔板散发着劳动者血与汗的味道。现在让我告诉你，其实我也不赞同这样的做法：因为经济暂时繁荣就狂妄自大，富豪统治集团的蛮横无理，文化人包藏着的敌意。我只是对未来抱着不变的希望。我从那些没有这样的未来就已经死亡的人的角度看问题……无权无势的人的逻辑。

我不得不想出更多的罪行。不，不是罪行更多，而是种类更多。我给自己列出一百条罪状，但看不出这些“罪状”和我有什么关系。从国外回来的时候，没有给家里带足够的礼物，我写道。这倒是真的。从法国回来的时候，我只给费莉希蒂买了一条迷你裙。她只穿了一次。上下楼梯。孩子们都挤到楼梯口，趴在地上看她裙子下面有什么。我给父亲买了一张强哥·莱恩哈特的唱片。他把它放在留声机转盘上，看唱片静静地转来转去。原来他们早就把扬声器拿走播放革命歌曲去了。

后来，我突然发现自己关键的罪行。我是个逃兵，我写道，资产阶级的逃兵。我担不起责任。在别人濒临死亡的时候，只顾自己，只想逃之夭夭。对我而言，现实好像永远蒙着一层纱。客观事物和我之间，永远有一种茫然不解、无法沟通。其实从我开始思索的那一刻起，就已经溜之乎也。

第二天，他们允许我出去干活儿。闻得见别人的汗味儿。这种感觉真奇怪！那是监狱的气味。和洗衣房有关系。你的蓝制服每两周漂洗一次，留下一股空虚之气……没有人，你甚至希望衣缝里的虱子与你相伴。在外面的阳光下，你可以生存下来。但是别人就未必。那小小的白色颗粒在空中飞舞。肝炎。

我每天都往裤兜里装点土带回牢房。他们也装着没有看见。我在牢房里用这些土造了一座“大酒店”。“建造”的过程中，我仿佛恢复了对世界的感觉。“酒店”的结构不和谐、不对称。我在里面故意恢复了一种空旷。这种空旷和我那时真实的思想感情非常接近。我已经没有控制和支配的欲望。这种欲望已经被牢狱之灾彻底粉碎。有一只老鼠在牢房里面跑来跑去。它跑的时候，就会产生电脉冲。电火花稍纵即逝，我的思想又回到静止、冷静和空阔的状态。如果我能把这只老鼠放到“大酒店”里，我就能对自己的处境有一种客观的认知。梦想会重新燃起火花，记忆会重新回到脑海之中。

老鼠遇到危险时，会逃离沉船。他们应该造救生艇。

所以，那只是一个空壳。我应该怎么办呢？他们允许我把那个模型留下……好像那是为我的空虚塑起的纪念碑。你看我一直用着的那个竹子框架，框架上放的那些塑料袋。玻璃。彩色玻璃屋顶。随着天空颜色变化的天花板。令人难以置信的地基……我是在我的家庭彻底崩溃之后，完成这个地基的。我紧抱这个“泰坦尼克”不放。后来，他们把我送到另外一座城市。我坐着一辆带篷的大卡车，一个卫兵看守着我。他是乡下人，一边抠鼻子，一边朝我笑。抠完鼻子，手指又放回到AK-47突击步枪的扳机上。汽车马达在海滩上轰鸣。早晨，我们来到广东另外一座监狱。他们小心翼翼地端着我的“大酒店”模型，把它和我一起关进一间宽敞的牢房。它变成一个象征，既是我的罪行，又是我的“坦白交代”。

一个星期之后，吃，喝，锻炼身体，我的思维开始活跃。我只想着如何在这儿待下去。我考虑怎样才能证明自己清白无辜……我对此真是一无所知。我被关在这儿和我是否清白无辜似乎并无关系。关系如此之小，我实际上开始创作。对于他们，这也是在我身上取得的一种成功。他们已经减轻了我的罪行。

对于一个能设计、会盖房子的人来说这意味着什么呀！你要学会为自己庆祝。你一次又一次用谎言欺骗自己。任何能够支撑起一座大厦的结构，也能够支撑住你的弱点。共同起作用的是时间。我正在这样想，监狱长走了进来。他很胖，镶着金牙，皱眉头的时候，好像也在微笑。他命令我开始工作……在一张桌子旁边！还给我送来几样最基本的工具：丁字尺，计算尺，铅笔，绘图纸。监狱长说：“我们想建一座火车站。”

想想看，我那时多么高兴，多么激动，心里充满要取悦于他们的愿望。他们把模型放到我旁边。我意识到他们错把“大酒店”模型当成火车站。这可真是美丽的误解，非常重要的社会角色转换的标志。我现在是“工作人员”了。我想象，他们看过米兰火车站的照片，也许还看到过伦敦圣潘克拉斯火车站，巴黎的奥赛站。形状像装了玻璃屋顶的飞机棚。

一天天过去了，我的设计渐渐成形。我把设计图纸交了上去。他们请来工程师和我研究。这几个人都戴着宽边眼镜，冷冰冰的、面无表情，但很有能力。都曾经在莫斯科留学。渐渐地工地开始画线、打桩，施工。挖好地基之后，便开始焊接钢筋框架。我开始计算各种负荷。屋顶格栅结构带来的主要问题……自重和薄板材料，工作负载，活载重应力，风暴载荷，风力载荷。我埋头工作，注重每一个细节。觉得自己作为设计师，非常重要。没有人干涉他的计划。七个月之后，一座崭新的车站拔地而起。我兴高采烈，几乎忘记自己还是个囚犯。每天晚上回到单人牢房，就像回到旅馆。满脑子都是和工程师、监工、别的建筑师以及党员领导干部谈话的内容。他们都赞赏我的工作。我为国家作出了贡献。

后来，我被送到北边另外一座监狱。

那儿没有人知道他。他只是又一个掐着手指算日子悔罪的犯人。一个普通未判决的囚犯。他从监狱里可以听到的极其有限的消息得知，一位美国总统访问中国。有人看到一个代表团考察一座新火车站。他说那座车站是他设计的。警卫警告他，再胡说八道，就给他服镇静剂。

火车出出进进，来回巡视，呼哧呼哧喘着粗气。落日一闪一闪，就像尘土飞扬的火车站信号灯闪着微弱的光。玻璃被烟熏得灰蒙蒙的。

火车转轨分流颇有技巧。技巧就是要快，要准确。因为五十吨的火车头不能立刻就对信号作出反应。是的，它们就像大象，尽管没有智力或者记忆。你给火车头发信号的时候，至少要比它作出反应提前十秒。就像指挥家指挥一个懒散、不听指挥的交响乐团。最终，你不得不和他们开个玩笑——按程序指挥每一个行动，而不让它察觉。否则它们就会喷着气，哼哼唧唧，在你摘开两节车厢之间的挂钩遇到困难时，试图把你碾成两半。你的头夹在缓冲器之间，包裹在蒸汽之中，松开“脐带”——沉重的、油腻腻的黑色电缆——让它耷拉在后面。那时候，你就得跳，向上跳。因为下面每一样东西和你的距离都不足一英寸。

我们单位有许多跳高能手。温庭筠是“能手”中的冠军。我们管他叫温疯子。因为只要有一点点响动，他就会跳起来。甚至会在睡梦中跳起来。我就亲眼看见他半夜三更从褥垫上蹦起来。有时候，人们上厕所从他身边轻轻走过时，温疯子都觉得是蒸汽发动机在耳边轰鸣。他会一下子跳到天花板，然后再弹回来。温疯子总是睡在双层床的上铺，因为，如果你在他上面，就别想安宁。他是个诗人，患神经衰弱症。在这样恶劣的环境，我无法写作，他抱怨说。

轮到温疯子转轨的时候，大家都远远地躲开。不只是因为每次转轨，他都得折腾两三次，都会隔几秒钟就跳一下，全然不管是否要刹车，或者在最后一刻失去勇气。还因为人们都认为这个“疯子”运气不好，已经出了三次事故。当然不全是“疯子”的责任，但是他把你搞得那么紧张，有时候你都忘了拔腿就跑，结果你很可能失去一条腿，或者被拖到那个庞然大物下面……

天气特别冷，你可以看见灰色的天空有冰，悬垂在薄雾之中。寒风穿过大铁门，吹到院子里。人们都蜷缩在火车头后面。卫兵在堆满木头的车间旁边生了一堆火。屋檐下结着冰挂，窗玻璃不时发出清脆的响声，冻裂的玻璃片像长矛一样刺向下面的积雪。

一列火车驶过。出奇地安静。钢铁制造的车轮碾过滑溜溜的铁轨，用尖细的声音和震颤弥补了周围的寂静。火车头刹车、后退，喷吐出一团团蒸汽。温疯子从垃圾堆里找到一块像冻豆腐一样的东西，贴在滚烫的机车上融化上面的冰。我们经常在卫兵扔的垃圾里发现香蕉皮、稻壳。我们很会捉田鼠，然后开肠剥肚，烤熟了也是一道美味。

“你怎么知道是豆腐？”大伙儿取笑温疯子，“也许是肥皂呢！”

“没错儿，肥皂。你也可以拿它派点用场，疯子。把你嘴里的脏东西清洗出来。如果是豆腐，我就拿一副好鞋带儿跟你换。”

“如果是豆腐，我吃，你看着，”“疯子”说，“我不需要什么狗屁鞋带儿。再说融化之前，你也看不出那是什么玩意儿。我也不爱跟人打赌。”

“当心别都化了，要不然就成糊糊了。这交易不错吧——如果化了，我拿一副鞋带换，你干吗？”

“不干。”温疯子说，伸出舌头舔了舔那黄乎乎的玩意儿，做了一个鬼脸，“告诉你，我不要什么狗屁鞋带儿。你以为我会拿它上吊吗？”

“这可是个好主意。”

有一个家伙往自己靴子上撒了一泡尿，冲掉上面一坨冰。

“你知道，”他们告诉疯子，“纳粹德国曾经用人油做肥皂。这是再教育学习班的老师给我们讲的。”

“你应该换鞋带儿。”疯子把那块黄乎乎的玩意儿又扔回到垃圾堆的时候，大伙儿异口同声地说。

我早在别人认识“疯子”之前就认识了他。我知道，正是神经质才让他活了下来。这是他的秘密。如果神经消耗了大部分血液，脑子就会缺血。这就是他为什么跳得那么高的原因……他从来不想这些。现在，在这个寒冷的日子，他在火车车厢之间跳来跳去，那顶蓝帽子宛如漂浮在蒸汽和烟雾之上，上下翻飞。他们安排我和他一起干活儿。我知道，我必须和他保持同样的节奏，要不然就会被车压死。

我有一样工具——没人看见的时候，我从车间里找到的一根长木棍。和“疯子”一起干活儿，你得当心点。我不愿意和他一起钻到两节车厢之间，发信号……我可不想搭上一条命。火车司机总是不耐烦。他们得按时间表发车。他们不愿意让“疯子”转轨。他们管他叫“弹跳能手”，让他靠边站，发信号，我不得不摘开挂钩。

我用那根木棍的时候，动作非常熟练。一节节相连的车厢以很快的速度开到站台旁边，然后连到正在那边等待的火车头上。我的任务是站在站台边，等信号，摘挂钩。你必须在刹那之间完成这个动作。因为那些车厢到达这个位置的时候，虽然速度不快，但是已经开始加速。你可以跳到两节车厢之间，摘开挂钩，迅速跳下，跟着向前跑几步，就像跳华尔兹。如果节奏掌握得好，你又有劲儿，干一天也没问题。

我的木棍是极具独创性的发明。我原地不动，就能用它十分灵巧地撬开栓锁，摘开挂钩，推开钢索。我的胳膊很壮，一点危险也没有。

温疯子站着那儿朝两只手呵着热气，上下耸着肩膀，好像在还没有出现任何问题的时候就跟人家解释，不是他的错儿。他有时候挖鼻子，挠后背，新来的司机或许认为他发信号后退。

“别乱动！”我朝他叫喊。

但是他听不见我的叫喊声，把手拢在耳朵旁边，火车司机便误认为是发信号让他往前开。火车没有停下，缓冲器被挤压，我轻击挂钩，“疯子”发信号。我在车厢之间跳来跳去，先“华尔兹”，后“皮鲁埃特旋转[①]”。出去进来，进来出去。一节节火车车厢从我身边加速通过。

这时候，从一节车厢飘出一块纸，懒洋洋地在风中旋转着，落到车厢与铁轨之间，在灰尘覆盖的弹簧上瑟瑟抖动。纸，我特别渴望有张纸。眼睛一直盯着。“疯子”也看到了那张纸。我知道，他一定以为那是半张烟盒纸。

车轮开始滚动。“疯子”一个箭步冲过去，从卷曲的弹簧上拿起那张纸，放在鼻子底下闻着，来回晃动着。司机以为是倒车的信号。火车头倒退，重重地撞在车厢上。我被夹在两节车厢中间，连忙往下跳。我跳了，但是车厢快速摆动的侧板一下子又把我卷进去，旋转起来。

“疯子”向天空举着那张纸。

---

①皮鲁埃特旋转：芭蕾中，脚尖立地的旋转。

短短几秒钟，鲜血像喷泉一样，在雪地上喷洒出难得一见的图案。然后，像瓶子里流出来的红葡萄酒，在洁白的羽绒上蔓延开来。在那个烟雾迷蒙的冬天的下午，扑扑跳动的动脉流干了鲜血……我在一个玻璃温室里，四周摆满了美丽的百合花。它们的花朵宛如血肉下垂着。我沉入地下。

你知道要死时的感觉。但是也没那么容易。在那条长长的走廊，我的声音只是轻轻的耳语。他们把我送进医院，非常慢。他们抓住“疯子”，从他口袋里掏出香烟，拆开之后，把烟丝捂到我腹股沟的伤口上。黑红色的血从手指间渗出。温诗人在长长的走廊跑着，让大家归还他的香烟。

我在医院躺了两个月。他们对我说：你忏悔了。你已经表现出身上有股正气。你自由了。他们发给我一张证书。兹证明游博文成功地接受了再教育。医生告诉我，我没有生育能力了。他把乙醚敷在伤口上。

我到了南方。他们分配给我一样工作。我设计结实的对称的苏式楼房。我设计的房子非常结实，在南方最厉害的台风中也没有倒塌。

第十九章

傍晚，在东澳大利亚中部海岸他设计的酒店门外，他又渐渐回过神来。一块香烟盒纸在风中飘舞。阳光暖暖的，尽管已经是仲冬。他身后的岩石上，两个袒胸露背的女人在抽烟，眺望大海。

他想起她给他写的那封信，笔迹颤颤巍巍。

还记得你讲的那个名妓鱼玄机的故事吗？我想把她放在我的小说里。你看，我现在已经变成她了……

这是一种暗示吗？希望他讲更多的故事。后来，他得出结论，是一种拒绝。他想，当你强调身体在生命中的重要性时，麻烦就来了。像狗一样，排练同一个动作。现在，他面对全然不同的两样东西，就像同时面对磁铁的两极。他有必要成为另外一个人。预料之外的另外一个人。没有歉疚感，只是希望并且接受爱情的责任。但是，他必须首先让自己犯罪。爱情的罪恶——接受“再教育”的时候，他相信那是腐朽没落的想象。不，不要为身体的残缺感到羞愧，而要为思想的裂变而羞愧。因为那种幻象和奉献精神永远都在否定他。他不能也不愿意排练那种良心与道德的刚直不阿。

他在山崖下走了好几个小时，观察洪水排水口和海边岩石间的潮水潭。海边布满碎石，散发着一股鱼腥味。那些给人以健康假象的裸体正在死灭。

晚上，他去喝酒。一遍又一遍地想她。她的沉默让他举步不前。那是她的塞壬之歌[①]。他脚下的地毯在旋转，女服务员把酒砰的一声放在他面前。一个玻璃杯碎了，酒杯边儿掉到她手里。“半夜两点了，先生。我们要关门了！”他觉得壁纸都鼓了起来，彻骨的寒意流遍全身。他步履蹒跚，走到水族馆，看里面的鱼。他背靠玻璃墙，吐了起来。然后像墙上挂着的那幅照片上的板球运动员，直起腰来。灰烬杯[②]锦标赛。1932年。真见鬼！酒吧里的男服务员骂了一句。一位依偎在情人怀里的女士倒吸了一口凉气。海浪滚滚。他从储藏室拿了一个桶，喷了点地毯清污剂，自己清理吐出来的秽物。“给你，”那个男服务员给了他一瓶苏打水。真是糟糕透了。然后，安慰了他几句：“吐就吐了吧，伙计，没什么大不了的。”

他回到房间，睡觉的时候，很想弄明白，她都写了些什么？

①塞壬之歌：希腊神话里有一群女妖，人首鸟身，名叫“塞壬”。她们是阿刻罗俄斯的女儿们，妖娆异常，美艳不可方物。塞壬以歌喉魅惑过往的水手，歌声犹如魔音，婉转清澈，闻者失神，故而听见的水手们均触礁而亡，无一幸免，塞壬随后则吞食他们的身体。

②灰烬杯锦标赛：英国和澳大利亚之间举行的板球赛，闻名于世。板球柱焚烧后留下的灰烬，保存在伦敦洛兹板球场，作为板球赛的锦标。故名灰烬杯锦标赛。

第二十章

他去她家造访。那是城那边一幢老旧的带檐板的房子。花园里马缨丹长得非常茂盛。屋后的山崖上，滑翔风筝像一只史前的鸟儿盘旋着，蓦然升起。三幢房子之下，就是岩石。他想，退潮后步走着就可以到海滩和海滩那边那座酒店。篱笆倒了，树桩光秃秃的就像木头墩子。里面却温暖舒适。尽管天气暖和，壁炉里还生着火。她的母亲住在后面的房间里，没有露面。他们俩喝茶，她说什么都压低嗓门儿，似乎有点尴尬。他因为不请自来，也很不好意思。他注意到她收集旧底片。这是她的癖好。风景与人物瞬息之间留下的半透明的影像，像 X 光片，或者蝴蝶。阳光下褪色的短暂的生命。干花。篮子。一个旧餐具柜，上面放着她父亲的照片。阿格炉。他们坐在厨房里，透过破了的窗玻璃，看变化的天空。

她脸上的悲哀让我心里非常难过，但是又不由得想，是不是我的错觉？相信我，我会跨过那鸿沟，越过那栏杆，把她的手握在我的手里，给墙角的老留声机上好发条，踩着爵士钢琴的节奏跳舞。早就忘记音乐的节奏，或许只是在已经腐烂的油毡上踏步。她散发着脂粉味的面颊贴着我的脸。她把手指举到我的嘴唇旁边。所有这些手势、动作仿佛植根于我的身上，但我浑然不知。那是早已死去的父亲的动作。黑暗的屋子里，他像幽灵一样跳舞。我对父亲其人知之甚少。不，实际上我在这些问题上实在太无能。木讷呆板，滑稽可笑，面无表情。我觉得最重要的应该是严厉、冷酷，对什么都持讥讽、怀疑的态度。去寻找那个压根儿就没有存在过的“失去的世界”，寻找两个人之间从来就没有发生过的浪漫。被残酷剥削的旧中国和原始的集权主义之间的矛盾；北平闹市区汗流浃背拉洋车的苦力和从他们手里接过冰镇香槟酒的粗俗的旅行者之间的矛盾。所有这一切都从被抛弃了的历史漂流而来，从最初的时刻慢慢走来。

他再看见她的时候，她脸色苍白，更瘦了。

他们坐在一间凹室里。巨大的“舷窗”向头顶的天空和脚下的大海敞开。柔和的阳光照射进来，她的女儿塞丽娜又长了一英寸。他曾经说过，这个名字真好听，想起自己的女儿浪琴。她要是活着，该上中学了。就像街头那些吵吵闹闹的小姑娘，在自我意识像潮水一样涌来，摧毁一切之前，背着书包，头发蓬乱，友好而又充满好奇地凝视着他。

“你脸色苍白。”他对女人说。

“哦，没事儿，”她说，“写东西累的。”

她说话的时候，很不自然。她想赶快跨过他们之间那条鸿沟，继续……继续讲完那个故事。

他心里想，故事里时间的事儿很有趣，几秒钟就可以说清许多年的事，还可以无限地遐想。

他看着她的孩子，小家伙站在一个倒扣着的陶土盆子上面，做出些奇奇怪怪的舞蹈动作，对着自己的影子叫喊。“真不愧为诗人的孩子。”他说。妈妈直起腰，有点心神不定。两架战斗机低空掠过，海面上传来震耳欲聋的轰鸣，碎裂了韦奇伍德瓷蓝色的天空。她看见他嘴角挂着一丝讥诮。

“你对诗人的态度挺尖刻呀！”她说。

“仅仅因为他们能把风马牛不相及的东西联系到一起。就像我把一个什么东西的绰号变成一座楼房。”

一只苍蝇落到她杯子边儿上。

她说：“我有一次看了一个波兰电影。电影里有个男人得了癌症住院治疗，手术做得相当成功。清醒过来之后，他看到的第一样东西是趴在体温计上的一只苍蝇。那时候，我想到，这真是社会主义医疗体系的悲哀。我的心碎了。塞丽娜也和我一起看电影，她突然说：

‘这不挺好的嘛！’

‘什么？’

‘那只苍蝇。’

‘苍蝇有什么好？’

‘那个人现在能看见它了。’”

“我再也看不清楚东西了，”她说，“什么东西都不会再出现第二次。你看到某种迹象，却没有答案。有时候，太阳没有升起，你便知道，你没有经得起考验。夜里，一块田地被从不同的方向穿越，表明它的不可改变，尽管你看不到它的方向。你努力想顿悟、猛醒，可是什么也没有。只有一种算不上光明磊落的自我妥协的感觉。你内心深处仿佛和水晶冻结在一起。”

他点了点头。

然后说，她要再次学会感知……认识到个人的本源，遵循客观规律，接受人生经历的后果。

他看到她心烦意乱，便说：“我给你讲个故事吧……”

唐朝和明朝四百多年间，中国发生了巨大的变化。被称之为性欲的东西开始产生影响。在这种影响之下，某些行为和实践被贴上“责任”“道德”的标签，而不是为了所谓“健康”或者“平静”。有人说，梅毒就在这期间流入中国。也有的人说，儒家思想控制了整个国家，形成与北方蒙古人和满族人相抗衡的力量。不管怎么说，性活动变得神秘，成为象征主义和道德法典的一部分。带有情色的文学艺术得以发展，与之相关的描述变得羞涩。总而言之，为了健康和长生不老做爱的观念已经彻底结束。

偷来的果子更甜。

1578 年的夏天，唐寅成为著名的浪漫情色画家。

夜晚，唐寅在做他夜间的功课。

——什么叫“夜间的功课”？

——别打断。夜间的功课是男人的工作。男人的功课是忙完一天的公务之后，自己干的私活儿。傍晚，凉风习习，男人开始干活儿。不过夜半时分最好。那时候，风转向，茉莉花不再吐出被压抑的芳香。寒气袭人，万籁俱寂，男人们独自伏案工作。夜间的功课是写作。夜间的功课纯属乐趣。毛笔写下一行行表意性文字。那些字发现它们的存在像宣纸一样易碎短暂，又像玉石一样完美长久。看那墨迹潇潇洒洒，真如龙飞凤舞。

——浪漫的废话。

——我说过，不要打断我的话。我们的话题不是浪漫主义。

“很热，”唐寅抱怨说，“真希望有把扇子。”

蜡烛噼噼啪啪响着，灯花四溅，一只鸽子在栖木上咕咕地叫。他在写他做过的湿梦。在那梦中，他是一只蝴蝶。他意识到以前有人也做过这样的梦。哲学家庄子说过：是我梦见我是蝴蝶，还是蝴蝶梦见它是我？唐寅被一种神秘的负疚感控制。梦别人做过的梦是不是不正当？

我给了唐寅一把扇子。

他的妻子在隔壁给他绣一把扇子。她没有蜡烛，就着皎洁的月光飞针走线。彩色丝线穿过檀香木上的小孔编织着。

唐寅写下“绣”和“书”两个字，意思是刺绣和书写。这两个字声音相近，但意思相去甚远。她刺绣，他写作。她把每一样东西都连缀起来，他却把连缀到一起的东西拆散开来。她凝聚，他炸裂。唐写字，琳琳缝纫。这是一个男人的世界。也许除了皇宫里的妃子，她们实际上管理着自己的“王国”。在她们的“王国”，同性恋猖獗。“我知道。”唐对自己说。工作的时候，他的同事鲁大青医生，是的，那位发明春药的炼丹师的后人，对他这样说。鲁从前是宫廷御医，现在失宠，因为他泄露了皇宫里妃子们的外阴都被扩大的秘密。

唐用如下的文字记录了那些细节。五个宫女看着皇帝交媾，他写道，有的帮忙，有的一丝不苟地记下每一个细节。日期，开始的时间，完事儿的时间。她们大受刺激，浑身酥软回到自己的房间。

用文字记录下这个过程虽然很有诱惑力，但也犯忌。

琳琳做了一把非常漂亮的扇子。天还很热，没有习习凉风。唐寅听见峡谷那边传来一声声虎啸。

他也是一只期望有机会交媾的老虎。琳琳对性不太感兴趣，她从小到大都认为做爱很脏。新婚之夜，他们艳福不浅。他拿出一个阴茎环。“天哪，这是什么玩意儿？”她大声说，以为是让她用的。“我们要打一仗。”他搜肠刮肚，从读过的那位杰出的长寿哲学家老子的“指南”里寻词索句：老虎躺在那儿等待着，你通过克制自己，击败敌人。先“示弱”，等一会儿；插入，再等一会儿。突破白虎的洞穴时，控制住敌人的火力。然后，你去写一本书。

琳琳不觉得有什么乐趣。洞房花烛夜似乎延续了好几个月。琳琳说，干那事儿的时候，她简直要死。以后，她可不想再冒险了。

唐寅删掉了那儿行字。我为此感到耻辱，他写道。他笔下的人物显得都很粗野。龙和凤失去了往日的优雅，好像在……哦，我没法儿对你讲……纠缠在一起，在交媾。好像唐在“中国人打仗的艺术”那本书里看到的图画。用对手的力量制服对手。正所谓“以子之矛攻子之盾”。他觉得兴奋激动，肚子里沉甸甸的。庄子说过，“道”也会遇到麻烦。

还是很热。唐俯身看他的作品。他看到，他的写作是以绘画的形式完成的。在中国绘画史上，他第一次精确地、细致入微地描绘了性。与此同时，地方官员考虑要通过法律，禁止这种行为。因为他要把作品藏到一令令宣纸下面，也因为他把书法改造成为描写色情的作品，唐寅在这一领域进行了全新的探索。他被视为异端而遭禁……跨越了艺术的边界，最终又破坏了真正产生影响的规范与流派。

我是一只梦见自己是老虎的蝴蝶，他说，觉得自己很强壮，充满阳刚之气。

我把冷风送到他的房间，蜡烛被风吹灭。

随后的几个星期，唐寅画了五十幅画，都伴以非常漂亮的书法。有一天夜里，他拿出来让琳琳看。琳琳不认识多少字，也欣赏不了诗歌，就直接看画儿。

“下流！”她叫了起来，“谁能干这种事呀！”

唐解释说，这些画只是一种象征。是阐述武术秘诀的寓言。这里说的是“七擒七纵”。

琳琳不信，但是“欲擒故纵”的故事似乎感染了她。“如果你假装自己是个盗匪，化装成王妃破门而入，那一定很刺激，让人兴奋激动。”

“你把窗户打开，”唐说，“你的情人偷偷地溜了进来。

除此而外，你可以从烟色玻璃那边看到外面的景象。”

于是唐寅化装成一个妃子。琳琳躺在床上，看他画的那些画。他从窗户爬了进去，结果琳琳吓得把书扔在地上，扯开嗓门儿大叫起来。他用多了同事给他的化妆品，把自己弄得像个吸血鬼。邻居们都跑了过来。三个老人把唐寅拖走，关到竹笼子里，直到早晨，太阳出来才认出原来是唐寅。“你为什么要吓唬你老婆？”他们问，“如果你想惩罚她，为什么不打她一顿？”

唐摇了摇头：“我不想吓唬她，也不想打她。我是想引诱她。”

人们都觉得这简直不可思议，都建议他去看医生。

唐寅回家后，琳琳看起来似乎特别后悔。她把自己做的那把特别漂亮的扇子送给丈夫。唐寅把他那些画儿放到一边。“这种表演没用，”他对自己说，“答案一定隐藏在那些秘密背后。可是秘密在哪儿呢？”他挠了挠头，又听见老虎的吼声。

四百年后的一天中午，我透过茶色玻璃向外张望。这是这个世界最喧闹的时刻。鸡咯咯咯地叫着。老太太尖叫，小孩儿嚎哭，田地里的农民咒骂。唐寅在城里一家药店里干活儿。把干了的猴骨头研磨成粉末。这种粉末是女人缠足时必需的东西。茶色玻璃那边，琳琳和她的朋友——名妓周芍互相脱光衣服，用丝带把一个精工雕刻的象牙阳具绑在腰间，两个人便开始寻欢作乐。

秘密，唐寅说，把煮好的大米捣成糨糊，舔了舔手指，把糨糊抹到扇骨上，把他画的那些色情画裁成两条，粘在扇骨上，然后折叠起来。他觉得这个小把戏很聪明，很好玩。完成之后，他就有了一把双面扇。从左到右打开，扇面上出现一幅传统的水墨画，上面还题着两句短诗：

一弯冷月洒清辉，
夜夜思君不见归。

但是从右到左打开，扇面就出现色情的图画。

唐寅舔了舔手指，忘记手里还拿着毛笔，结果舔了一嘴墨汁。

现在，他有了一个秘密。但是这个秘密会把他引向何方呢？一个人拥有属于自己的秘密不犯法，他需要的是一个公开的秘密。倘若那样，琳琳就会嫉妒。流言蜚语会诱惑她。也许他应该去卖扇子。

第二天早晨，唐寅脑子里装着几个好主意，溜达到市场。也许每把扇子上面他都可以画点激发人们性欲的图画。又是一个天气炎热的早晨，他站在大街街角沉思默想。这时候，来了一顶皇家的轿子。抬轿子的轿夫热得哼哼唧唧。唐寅几乎没有注意到这一干人，只顾自己扇扇子。轿子在他面前停下，一根尖尖的手指指着他，四个骑马的人把他团团围住，长矛大刀逼近了他。“怎么了？”他大声叫喊着，“等等！我干什么了？为什么要抓我？”他们逼迫他跟着轿子，一路跟头把式向皇宫走去。

事情原来是这样的：皇宫里的一位妃子到城里闲逛时，看到他的扇子。打错了方向。她非常喜欢扇面上的画。那是她看见过的最美的“春宫图”。

在皇宫里，他们给唐换上新衣服，让他住在宽敞的屋子里，给他拿来笔墨纸张和颜料。头几天，他什么也不做，只是想念琳琳。一个星期后，几位他见过的最美丽的女人都来求他画扇面。他画了几幅风景画，说，作为画家他还有许多不足。只有她们让他相信，她们对他的秘密真感兴趣，他才能浓墨重彩，放开手脚去作画。

于是，唐寅开始过一种那时候许多中国人称之为“神仙般的生活”。每天夜里，都会有一个王妃出现在他的面前。他知道，他这是偷皇帝的女人。他从她们前臂上看明白了这一点。不过，只要他画扇面，就不会出什么大事。

唐寅变成不老的神仙。

一年之后，他相信，他至少能再活一百年。他开始厌烦那种生活。他和王妃们厮混在一起。为了保护他，这些女人管他叫她们的阉奴。这种日子过长了他便觉得没什么意思。他的身体也不怎么好，不是这儿疼就是那儿痒。当然不会像抓住一只鸽子那样让人兴奋激动，也不会像你把手指伸到美丽的花心中那样想入非非。

有一天晚上，他在御花园里散步，听见一只老虎吼叫。那声音来自很远的地方，似乎来自他家附近那条峡谷。唐寅耸了耸肩，从树上摘下一个李子，虽然知道这是绝对禁止的。他咬了一口，似乎进入一个压根儿就不存在的空间，体会到给他以启蒙的宿命论的真谛。“万物，”他对自己说，“终将合为一。”他感到一种不可捉摸的、神圣的东西。他的生命中就缺少这样简单的经验。

公元1579年，宫廷画家唐寅被处死。砍头之前。他在衙门念自己的罪状：偷吃皇上的李子，破坏了皇宫的规矩。

李子，当然是一个模棱两可的性的象征。

唐寅读“罪状”的时候一副胜利者的姿态。目击者称，他面带微笑，好像已经掌握了长生不老的秘诀。也许唐寅发现了那个公开的秘密——要从歉疚中恢复简单、质朴的感情。

他们又要了些酒。酒吧服务员满脸堆笑，一副献媚讨好的样子。有人告诉他，和那个消瘦、面色苍白的女人坐在一起、头戴帽子、滑稽可笑的华人，是这座酒店的设计师。

“你离开中国之后就到了美国。”她说。服务员换了湿乎乎的茶杯垫，放好酒杯，拿走烟灰缸。

“是的，在美国待了两年。”

“在那儿做什么？”

“又学了一遍建筑。”

“我不想听你盖房子的事儿……琳琳怎么了？”

“没人说得清楚。有人说她也成了名妓，日子过得快快乐乐，赚了好多钱。还有人说她当了尼姑，写过一首诗，题目是《绣花女悲歌》：

妻不如妾，
妾不如奴，
奴不如妓。
老鸨能赚钱，
妓女被压迫。

倘若信我言，
女人心相连。
同舟找真爱，
不被男人骗。

服务员还站在那儿听他们说话。“我也试着吟诗作赋，”他说，“可最终喜欢上杯中物。”

凹室里寂静无声，太阳已经沉没在酒店后面，在海面上留下一片血色。讲完故事，他的心里空空如也。好像除了他在那些草图边边角角画的小图之外，什么也没有。

她说:“说起来很怪。你讲故事的时候，我完全忘记了自己。但是再回到现实生活之中，我还是很快乐。仿佛又恢复了一个时间段。”

时间就像水母，可以扩张，也可以收缩。

他回答道：“至少我们在一起做了一些事情。”

“瞧，”她回过头，看了一眼女儿，“塞丽娜睡着了。”

“那就别打搅她了。”他抬起头看着玻璃屋顶，开始讲另外一个故事。

第二十一章

约瑟夫·帕克森是个园丁。你知道，他手里拿着老公爵的百合花和威士忌在花园里转悠的时候，踩到一株花草之上。真糟糕！他跳到水塘里，水齐胸。他应该把花送到水塘那边。花完好无损。是珍稀的王莲，或者亚马逊百合，或者原本就是同一种花？他要是真知道就好了。这里的光线太暗，典型的维多利亚时代的温室。砖墙、玻璃屋顶。可是在英格兰，太阳难得一见，墙壁总是潮乎乎的。德比郡昏暗的日光下，百合花都枯萎了。你或许会说，大森林里光线比这儿还暗，花草照样茁壮生长。你别忘了，森林里的阳光是透过树枝树叶，而不是穿过烟雾洒向大地的。乔看了看他踩上的那株花草。这株花很粗壮。他纳闷得花多大的力气才能折断花枝。枝繁叶茂，树冠的直径足有五英尺，非常柔韧。树影遮蔽了房屋。一个热气球飘过。该死的贵公子们正在天上聚会。香槟酒瓶塞子砰的一声落在玻璃屋顶上。嗨！停下！他向外跑去。这些花花公子！他捡起一个花盆，使劲扔了出去。花盆飞出十英尺，像炮弹一样落在地上，“炸”成碎片。好了，乔伊老弟，他对自己说，你怎么像个宪章派[①]？好像想在水上行走。他又跑了回去。百合花还放在那儿，完好无损。有结节的花枝依然俏丽。他悄声说，如果我能用钢铁和玻璃盖一座温室，这些花草肯定会枝繁叶茂。老公爵会封我个骑士。

1840 年，约瑟夫·帕克森为德文郡的公爵建了第一座钢铁和玻璃结构的温室。温室的柱子都用钢管制作而成，肋骨状、八边形。玻璃像百合花的叶子一样，在那框架上面舒展开来。1850 年，他又建了一座带屋脊和沟槽的玻璃温室——百合花温室。这个温室经受住从爱尔兰海吹来的十级台风的考验，而从霍利赫德[②]到斯凯格内斯的房子都被掀翻了房顶。

夏天，花花公子们又坐着热气球飞了过去。吊篮缓缓地、笨重地向前飞行。吊篮里坐着万国博览会组织者之一，他发现了这个不同寻常的温室。此人名叫欧内斯特·泰德沃特，是孔索尔特王子的美国朋友和家务总管。泰德沃特个子很高，他只需排放出一点点“热气”，气球就会砸在“百合花温室”上。

“我们碰到一个问题，”欧内斯特·泰德沃特说，“万国博览会上砖木结构的建筑物太多了。”

他把热气球的火拧得小一点，点燃一支方头雪茄。热气球摇晃着，仿佛要掉下来。

①宪章派：积极参与宪章运动的人士。宪章运动是 1836 至 1848 年英国工人们为得到自己应有的权利而掀起的工人运动，这次运动有一个政治纲领——《人民宪章》，因此得名为宪章运动。

②霍利赫德：英国霍利赫德岛上港市。

“当心气球，先生。”帕克森说。

“事实是，乔，”泰德沃特说，没理睬他的提醒，“有些该死的建筑师不明白，这是一个移动的时代，而不是高大上的时代。他们根本就不懂得交通运输、轻便明亮、灵活多样、短暂无常、经济实用。你知道，他们对自己的屁股怎么回事儿也不清楚。不知道该擦屁股，还是舔屁股。所以乔，我们不想树立什么纪念碑，不必怀旧。我们只要现代的东西。我们需要艺术，需要工艺，我们需要……乔，那个单词是技术。”

热气球排气后，帕克森扶着这位企业家从下面钻出来。约瑟夫·帕克森很了解泰德沃特。知道他的座右铭：顺其自然，随大流。

“瞧这座百合花温室，先生。”他对泰德沃特说，“坚不可摧，还具有流动性，是工程技术的奇迹，但也体现了我们的美学思想。”

“天哪，帕克森！”泰德沃特大声说，“你二者兼顾，合二而一，真不错！你的英语也蛮不错，用词简洁明了，乔。我们需要把艺术和工程结合起来。你建造这样一座百合花温室要多长时间？我的意思是一座真正的大温室？”

“哦，”约瑟夫·帕克森说，“这座用了大约一年的时间，先生。”

“我给你六个月的时间，”欧内斯特·泰德沃特说，“我要在意大利罗马圣彼得大教堂建一座比你这个温室大四倍的花房。宛如几吨重的流动的玻璃。你明白我的意思了吗？如果你建成这座花房，你就可以被授予骑士的爵位，还可以成为国会议员。”

1851年，约瑟夫·帕克森为万国博览会建了一座水晶宫。剩下的便是历史。那是第一座玻璃和铸铁结构的建筑物，也是第一座模块化的建筑物。帕克森已经想到用钢代替铁，但那时候钢产量供不应求，很难如愿。博览会结束后，玻璃花房被移到西德纳姆。1936年，一场大火把花房夷为平地，铁架子融化为铁水。

欧内斯特·泰德沃特回到美洲，内战期间靠向美利坚联盟国——南军出售钢铁大发横财。几年后，谁也不想再留下那场战争的记忆，他却收集了许多照片。他去世之后，他的儿子把几千吨玻璃卖给建筑商，建造温室的屋顶。

“所以，没有什么是永恒的？”她问道。

“连死亡也不是。”

第二十二章

流动性和力量。卡夫卡有后者而没有前者。从这种意义上讲，卡夫卡不是现代主义者。我设计的房子是船，有潜在的在水上游走的能力。这便是我们给船下定义的基本的要素……一种负面的潜能。帕克森看百合花的时候，看到那花开得正盛，但很快就会凋谢，便明白了这个道理。你说，有一次你写的书和这种情况很相似。你说，因为总也写不完，所以总在支撑着你。下一次你来看我的时候，我给你讲讲汕头的花船。

他在悉尼的办公室给她写这封信。她回答道：

卡夫卡也写信。信使得他没有丢开写作。而写作从绝望中拯救了他。他以此替代了爱情。但是很难。爱，被爱，需要比信更多的东西。他实际上是个情人，而不是作家。那些信只是犹如避孕药物的东西。玻璃屋顶也是。我怀疑故事也是。它们的形象在真正的阳光下便化为乌有。

他回信道：

你在信中问我是怎样离开中国的。因为我们见面的次数多了，你给我写信的次数便越来越少。我只担心一件事情：说不定哪天，你告诉我，不能再来酒店看我。

第二十三章

我真想告诉你，为什么澳门叫 Macau，告诉你火药是怎么发明的。

我在上海大学遇到一个研究酶的专家。他们不让她离开那里，只想让她搞研究。而她留在那里是因为热爱她的工作，不是因为喜欢那所大学。有一天，她在实验室外面的信箱里发现一张照片。照片上，她的丈夫搂着一个身材苗条、头发乌黑的中国姑娘。那姑娘看起来已经完全西化，大大的眼睛，化了妆，肩膀上搭着一块花围巾。两个人站在科德角他们的家门口。丈夫脸上色迷迷的表情一览无余。照片是谁放在这儿的已经不重要。他们像 X 光射线一下子就穿透了她的心。“瞧瞧！”她叫喊着冲进实验室。“瞧瞧！”她脱下在实验室穿的白大褂儿，脱下外套，扯开衬衫。她实在受够了。“瞧瞧，瞧瞧我！”同事们都把头转到一边。“我不够漂亮吗？不够忠诚吗？你还要从我身上得到什么呢？”她捶胸顿足。人们说，隔壁房间都能听到她敲打自己的声音。同事们抓着她的胳膊。有的人想把她弄到楼下，给她注射镇静剂。

单位让她休息一个月，给一半工资。其实给全部工资日子也很艰难。

她来看我。

我把我的设计图纸拿给她看。我说，我总是生活在恐惧之中。她说，两个人即使生活在恐惧之中，也可以互相安慰。

可还是没有希望。我们俩都没有从对方身上感受到让你兴奋激动的东西。她说，她叫廖梅。我们俩住到一起属于非法同居。我对她说，在一个极权国家，有罪与无罪的界限很模糊。结果谁都目光短浅。她很紧张，我们俩总是争论不休。

六月的一个深夜，我们坐一条小舢板偷偷来到海岸边，警惕地看着巡逻的炮艇。掌舵的那个女人哄着一个嘤嘤啜泣的小孩儿。她摩挲着船桨，就像握着舵柄。舰队沿着海岸线来来回回游弋的时候，灯光照亮了海岬。我们抓紧时间，闭上眼睛打个瞌睡。夜色从大海那边弥漫开来，但是有时候风向会变，茉莉花香和水牛的叫声从陆地飘来。不过笼罩大海的还是无边的寂静。坐在舵轮旁边的女人让我惊讶。她把我们设法给她弄来的那点黄金藏在胸罩里，面带微笑，显得十分镇静。我们已经在这儿藏了四个夜晚，白天就躲到小海湾里。小舢板消失后，吃点散发着臭味儿的鱼。每天晚上，那个女人驾着小船过来，有时候船上还坐着几个村子里的小孩儿。他们都知道我们想要逃离这个地方。他们帮我们看公路上有没有汽车，海面上有没有巡逻艇。还指给我们哪儿可以拉屎，没人打搅。有一天夜里，我在沙滩上挖了个坑，结果碰上一具死尸，一只手，很小，好像一只孩子的手从沙土里伸出来，吓得我拔腿就跑，拉了一裤子。

旅程将要结束的时候，那个女人对我们说，其实坐摩托车到海边要便宜得多……她也雇会开摩托车的人干这活儿，都是比较远的村庄里关系不错的亲戚，用的都是假证明。这些家伙是他们“一揽子计划”中的一部分。不过坐船更刺激，她笑着说。已经是最后一段航程，海面上一片漆黑。我对廖梅说：在户外工作的人，担心和焦虑就会少些。真是这样。建筑工人，工地上的工程师都没什么恐惧。只有坐在办公室里的建筑设计师才和焦虑长期作战。

“卡夫卡，”廖梅说，“他懂得酶。”

“什么？”

“真的。他对酶的了解比许多人都早。在他的房间里……他做什么来着？哦，新陈代谢。真的，别笑。直到 1926 年，第一个酶才被确认为蛋白质。比方说，就连科学家也不知道胃蛋白酶的存在。卡夫卡两年前就死于肺结核。他是个素食主义者，患有厌食症，瘦得可怜。你如果喂反刍动物蛋白质，它会发疯。他不吃肉，受不了，特别是动物内脏。但是有时候，他也会大嚼大咬。他迷上了菲利斯的大板牙。他的疯狂是持有异议的一种形式。他对酶知道得一清二楚。”

“他怎么知道的？”

“他怎么知道的？因为他知道……肠胃如何把食物变化成肉。游牧民族知道这一点已经很久了。他们知道，如果你把牛奶装到动物胃做的袋子里，牛奶就会变成奶酪。他的身体里充满了凝乳酶，慢慢地发酵。除此而外，他充满了动物的恐惧。他总想放慢心跳的速度。”

焦虑、担心。擒与纵。纵与擒。此刻，爱情是一种焦虑。此刻，等待潮水涨满的时候，我想，我爱上了廖梅。我们从小舢板一侧爬下来，游过最后两英里到澳门的时候，她的身体对于我，无可挽回地发生了变化。她不是游泳能手。起初，我给她讲汕头花船的故事，让她打起精神。

第二十四章

“汕头花船是怎么回事儿？”

“我很高兴，你终于要听这个故事了。你知道，我会去看你的。”

“我知道。可这并不是我需要的。我必须强迫自己，在还有条件的时候做点力所能及的事情。我来，只是为了听故事。”

听了她开玩笑的话，他很高兴。她是个奋斗到底的女人。

“好呀。塞丽娜怎么样？”

“她很好，和我姐姐在一起。别改变话题。”

“好的。你愿意再到一间凹室里坐坐吗？已经不是仲冬了。”

“我已经换季，走在时间前面了。”

“在凹室坐对你的身体有好处。”

“对不起，我可不这样想。”

“那就是我的不对了。我这个人变得很怪。那就在这儿坐吧。”

“外国人管那座城市叫 Swatow。实际上应该叫汕头。在中国东南沿海，韩江入海口。这条河形成一个三角洲。几个入海口向内陆地区延伸好几英里。港口承受着可怕的台风的袭击。1922 年，一场台风曾经夺走五万人的生命。明朝的时候，港口有许多流动的妓院，也成了台风袭击的对象。

“鲁大青医生是个炼金术士。他的祖先都干这行。有一位以发明“虎牌”春药而著称，鲁大青则以炼长生不老丹闻名于世。可实际上，谁用了他的长生不老丹，谁就一命归西。他毒死了臭名昭著的海滨重臣方国珍[①]（大约公元 1367 年），导致了元朝的覆灭。所以，可以毫不夸张地说，名不见经传的鲁医生在创建大明王朝的过程中功不可没。当然在中国历史上有许多个像鲁医生这样的人。你在哪儿都能见到他们。个子不高，很胖，通常长得很丑，留着长胡子，目光闪闪，手指通红。每个小城镇都有个“鲁医生”。可是汕头的鲁大青手指特别红。他迷上了硫化汞——朱砂。他说，要想长生不老，朱砂比“虎牌”春药效果好得多。硫化汞是赤色硫化水银，红色，可以致人死命。可是由于朱砂和女性生殖器有关，男人们趋之若鹜。哦，我也

①方国珍（1319—1374）：台州黄岩（今浙江黄岩）人，元末明初浙东农民起义军领袖。后受元朝招降，在朝廷任职，之后又拥兵自重，后被朱元璋击败，投降朱元璋，公元 1369 年（洪武二年），留守应天（今南京）。公元 1374 年（洪武七年），方国珍病逝。本文所说，被毒死，与史实不符。

许扯得太远了……那个故事的题目是……”

花船上的恋情

那天风很大。当地人注意到鲁大青的手指发黑，都说他肯定没干好事儿。他步履匆匆，正在过三角洲附近的浮桥，身穿丝绸长袍，手里拿着杵和钵。他想在妓女们身上试验一下他刚研制出的合剂。那么，他跑到浮桥上干什么呢？天气这么不好，浪花拍打着桥上的木板晃来晃去。渔民们还没有出海。鲁大青是那种有开拓精神的中国人。他既天性豁达，又是个实干家。他有一次看到韩江口漂浮在水上的流动妓院，就想把它们都排成一行，每条船中间搭块板子，连成一条线。嫖客们在船里寻欢作乐的时候，别人还可以拿它当浮桥使。

他和明朝的开国皇帝朱元璋一样，也两耳垂肩。他之所以生出搭建浮桥的念头，是因为观察过许多蒙古人建造的桥梁。而他有所不知的是，蒙古人造桥的想法是从波斯人那儿来的。公元前480年，波斯人为薛西斯一世①在赫勒斯庞特②搭建了第一座浮桥。鲁医生并非达官贵人，他倡导用花船搭建成的浮桥不可能有什么响亮的名字，干脆给它取了个“叹息桥”。

但是鲁大青不只是工程师和炼金术士，还是艺术家。他给当地的戏班子和妓院供应化妆品、设计服装。他总能引领时尚的潮流。这就意味着，他不但有想象的天才，还有极好的记忆

①薛西斯一世（Xerxes，约公元前519—465年）：又译泽克西斯一世或泽尔士一世，是波斯帝国的国王（公元前485—465年在位）。基督教会认为他可能是圣经中提到的波斯国王亚哈随鲁，但并无实证支持此观点。

②赫勒斯庞特：达达尼尔海峡的古希腊名。

力。时尚和历史感结合到一起，就是一种力量。他因制作上好的朱砂粉而广为人知，那是被叫作“快乐”的胭脂，用来涂眼影。可是自从蒙古人入侵中原，中国人对这种大红颜色的喜爱就逐渐减退。而特别瘦的女人备受人们青睐。“敏感的男人”看到她们便情欲勃发，活力四射。渐渐地舞蹈消失，女人开始缠脚[①]。他发现，道家关于性使人健壮的理论已经变成淡而无味的道德说教和恋足癖。中国产生了众多的诗人，却缺少绘图员和将军。他还发现，黑眼圈很快就会变得时髦。他叹了一口气，如果能有点实实在在的用处就好了。

鲁医生研制了一种新配方。一种黑色的粉末，百分之七十五的硝酸钾，百分之十五的碳，百分之十的硫黄。他推荐女人们用这种黑色粉末涂眼影。在三个小妾身上做了试验，觉得效果很好，很是兴奋激动，又让她们开始节食瘦身。此刻，他站在叹息桥上气喘吁吁，和专业人士一起测试效果到底如何。在这个配方里，朱砂依然起辅助作用。男人们告诉他，如果把这种粉末抹到“玉柱”上，“快乐”就会让他们长生不老。

他趴在每一条小船的舱口，听里面男欢女爱，对于他那是悦耳的音乐。他走到桥中央，坐下来，拿出笔和纸，采访每一个用过那种黑粉末的人。调查的结果让他大吃一惊。鲁大青断定，他已经发明了一种新春药。风乍起，浮桥上的木板在浪和风的挤压下，吱吱嘎嘎地响着。他看见海港那边，灰蒙蒙的雨

①译者注：关于我国女子缠足的起源说法不同。有的说始于五代，有的说始于唐朝，也有始于宋朝之说，但不可能始于明朝，故这里的说法是错误的。

雾笼罩着连绵逶迤的山峦，让他蓦然想起远方的妻子。年轻时候，他们懵懂无知，没享受什么性的快乐。可是有一天……有一天他发现了一种合剂，让他五十岁的时候还性趣盎然，贪得无厌。他着魔似的记下合剂的配方和使用者的体验。这当儿，他想到，妻子一点儿也没有分享他的“自由价值”。

现在他爱上了一个名叫阿玛的船妇，匆匆忙忙向她那条船走去。还没到舱门口，就听见一阵咯咯咯的笑声。他连忙停下脚步，喘着粗气。一个年轻官员一边走出舱门，一边整理袍子。杂种！一顿饭的工夫也要寻欢作乐。他也许一会儿就得死。他们都得死，至少那些不懂得节制的家伙来日无多。

阿玛打招呼，让他进来。他刚关上舱门，便下起雨来。船舱里很暖和也很安全。阿玛画着时髦的黑眼圈儿，围着他转来转去，给他倒米酒。角落放着一个红灯笼。这是他喜欢的。空间不大但很舒适，什么东西都伸手可及。喝完酒，吟罢诗，他们开始记录一百五十种姿势的第一种。

台风刮了三天才渐渐停息，然后突然停了下来。鲁大青一直奋笔疾书。他要在亲爱的阿玛的帮助下，写一本最具权威性的《长生不老指南》。旁边放着他常看的手册：通玄大师的《爱的艺术》。

“慢慢插入是不是和鲤鱼上钩的动作相似？快速插入是不是像鸟迎风飞翔？”他问自己。他觉得这种相似原本圣洁，这样一来却变得世俗。他认为没有什么“相似”，只有拙劣的模仿。他想不通过模仿掌握真理，希望通过充满艺术的姿势获得真知。

台风的威力巨大，关在家里的人谁也没有注意到，大风已经将花船的绳子刮断。妓女和嫖客们正在打捞掉到水里的东西。也没有人看见，有一条船已经穿过防波堤，漂向大海。

小船里，小灯笼的红光照射在丝绸、锦缎和面罩上。鲁大青几乎没有注意到船在波峰浪谷间颠簸。这毕竟是大自然的节奏与韵律。“不要紧，”稍微平静一点的时候鲁医生说，“我的浮桥不会沉没。特别是船上有那么多长生不老之人。呵——呵——呵！”

又过了一天一夜。花船像口棺材，柚木造成，非常结实，适合航海。性与死是生命的两大基石。医生记录姿势133：“隔山取火”。从后面插入。这对双方会产生什么影响呢？特别是加一点那种黑色的粉末。阿玛气喘吁吁地叫喊着：“你要弄死我了！饶了我吧！”

“哦，”鲁说，“我想，黑粉末的作用真不错。”

姿势一四五：“蜡烛倒垂”。鲁医生突发奇想。

如果男人在先前抹朱砂的地方抹上这种黑色粉末会怎么样呢？太棒了，真是天才！我发现了又一个妙用。他决定自己先试一试。阿玛柔情似水，为他精心准备。

在这同一场台风中，海盗普洛斯波罗·达·科斯塔指挥的一艘葡萄牙轻快帆船也在南中国海遭受风暴袭击。船帆被撕坏，船员们都紧紧地抱着支索。船舱里，装波特酒的桶都破了，酒流得到处都是，老鼠肚皮朝天漂浮在酒上，已经被酒精完全麻醉。客舱里，一群女人吱哇乱叫。她们都是从方国珍的总督驻地抓来的。

花船驶过几座小岛。鲁大青医生发现黑粉末对他一点作用也不起。只是有一点点刺痛。真是幻想迷住了你的眼睛。他想到甲板上透口气。推开舱门，看见从船头到船尾，黑压压的大山耸立在眼前。他爬出舱门，外面一片漆黑。

“喂！阿玛！”他喊道，“我们走得很远了。一定离大山很近了。”

阿玛仿佛从神志恍惚中清醒过来。她觉得冷水灌进船舱，连忙去拿灯笼，跟在鲁大青身后爬了出去。滑了一下。

“不是山！”她大声说，伸手去抓鲁大青腿的时候，灯笼撞在精工制作的栏杆上一下子碎了。燃烧的油像小瀑布一样，从鲁医生的腿上流下来。

海盗普洛斯波罗·达·科斯塔站在波峰之上，无法相信一条小小的舢板上面有一个人用爆炸的火光在两条腿之间发信号。

那条轻快帆船跌入浪谷，浪花滚滚。他站在船首，看见那个男人已经消失。他刚才站的地方有一个幽灵。小船起火。幽灵又一次出现在火焰之中。一个女人挺立在船头，像一个破浪女神。

突然之间，大雨停歇，连风暴也屏声敛息。黑幽幽的海浪从燃烧的花船旁边汹涌而过的时候依然凶险万端。他们把那个女人拉了上来。她脸色苍白，一道道黑色的、燃烧过的粉末清晰可见。这时候，轻快帆船旁边的滔滔巨浪奇迹般地平静下来。

“太奇怪了！”普洛斯波罗·达·科斯塔说。他和船上的人一致认为，她是个中国的女神。

他们驶入一个海湾。防波堤那面海水平静如镜。一百条小渔船排列在避风港里。轻快帆船肆无忌惮从小船中间闯过，驶到停泊地，平安地躲过这场劫难。

他们把这个海湾叫作“阿玛高”，意思是阿玛海湾。后来就变成 Macau。当地渔民为阿玛建了一座庙。尽管那以后，这个地方成了赌博和妓院盛行的地方。达·科斯塔回到里斯本之后被奉为英雄和探险家。大家都说他是又一个马可·波罗。他讲述了那个中国人点燃一种黑色粉末发射信号的奇异的故事。发信号，打旗语。无声无息中潜藏着死亡。不久，欧洲人发现，那种黑色粉末可以用来发射子弹。

第二十五章

他们眺望着大海，几乎相拥在一起。

“那个廖梅怎么了？”

“我告诉她在水里蹬腿的时候不要太使劲儿，把手搭在我的肩膀上。天黑得伸手不见五指，甚至连一缕月光也没有。什么黏糊糊的东西粘在我脚上。远处隐隐约约传来马达声。我让廖梅说话。只有这样，才能让她不要总想着被水淹死。我让她给我讲酶的事儿。”

“我在引起肿瘤的病毒里，发现一种特别的酶，”廖梅气喘吁吁地说，“我通过一种新技术，刚刚分离出一些样本。我发现，白血病患者的白细胞里有一种RNA依赖DNA的聚合酶。”

“没错儿，”我说，假装能听懂她说的话，“你看水里的磷光。”

她不说话了，我又催她往下讲。

“新技术是什么？”

“以前，他们用萤光免疫检验法，给病毒染色，在强光下便可以看见。用这种办法他们可以检测到病毒，但是不知道病毒怎么会侵害到肌体。”

“你的新技术有什么不同？”

“我证明，我自己就可以检测到病毒，只需抑制自己的免疫系统。”

“你怎么抑制？”

“通过宿命论和忧郁症。”

“你的意思是，一个人如果自己想得癌症，就能得？”

“没错儿。你把这个信息输送到 DNA 分子里……想死的愿望。在电子显微镜下，这个愿望就像一团结晶体。”

我知道廖梅一直就有点神神叨叨。这番话似乎给了她力量，下定决心要游完这段艰难的旅程。后来，我们终于上岸。一艘警察的汽艇驶过来，打开探照灯，我们一下子完全暴露在亮光之下。这时候才发现，水里还有大约五十多个人。他们都是从珠江口游过来的。这阵子，因为不知道周围还有人，我们俩一直在说话，在他们听来，一定像猴子一样叽叽喳喳。有一个人走过来，说我们很走运，没被他们弄死。“只是因为我们都想听你的故事，”他说。

两个月以后廖梅死于香港。谁也不知道她是一位了不起的生物物理学家。我让她把自己的研究成果写下来，可是太晚了，她几乎连自己的名字也记不得了。她瘦得简直成了相片儿。她特别容易骨折，就连躺在医院病床上也会出问题。

酒店外面，下起小雨，后来渐渐变大。海鸥在平静的大海上浮游，然后迎风起飞。天低云暗，海水变得幽黑。

他们靠得很近。他使劲吻她。她好像有点迷惑不解。

“已经有一段时间了。”她说。他也会说同样的话，而且更多。

“为什么？”

“我需要信任你。”

“你怎么会想到这一点？”他连自己都不信任。可是此刻，一种无法调和的情感在心头撞击，笛卡尔[①]的“二元论”怎么说的来着……我是哑巴，所以我爱。哦，那爱的甜蜜。

“我要为你疗伤。我要让你快乐。你会看到的。”

激烈跳动的心仿佛要跳到嗓子眼儿里。她那火焰般燃烧的头发，死亡的面具，不乏悲情的讥讽。没有人在这样的情况下说过这样的话。对于他，唯一可以派上用场的就是那种老掉牙的绵绵情话。他想，如果我们不是不忠实于自己，就都得为同情怜悯而死。

“你愿意我写下这个故事吗？”她问道。

“廖梅的故事？”

“是的。”

他耸了耸肩。“她已经在你的照料之下了。”

①笛卡尔（René Descartes,1596—1650 年）：法国著名哲学家、物理学家、数学家、神学家，出生于法国安德尔－卢瓦尔省的图赖讷拉海（现改名为笛卡尔以纪念），逝世于瑞典斯德哥尔摩。

第二十六章

站在悉尼一座医院大楼的玻璃屋顶下面，他已经不再想花船。通往外面的门锁着。他看见，为了防止病人自杀，就连栏杆也被围了起来。建造高楼的时候，他们忘记解构人类的本性，然后不得不规定些条条框框，阻止死亡对人们的诱惑。雨水从凹进去的墙壁流下，给他一种坐在船里的感觉。

他来医院考察过好多次。他们从来不从美学角度出发设计大楼。他猜想病人们压根儿就不会在乎什么美学不美学。盆栽的植物看起来枝繁叶茂，尽管散发出一股说不出来的味道……一股凝乳难闻的味道。是的，就是那种味儿。牛奶在玻璃上流淌、凝结之后散发的气味。他觉得有点热。玻璃门那边，空着的轮椅在一片寂静中吱吱扭扭响着。医院里的工作人员穿着胶底鞋，步履轻捷，走在光滑的地板上，展示着他们的健康。可是在这儿，在这玻璃屋顶下面，他梦想着生活会是什么样子。他又抽了抽鼻子，想要找出眼下……从来也没有家……只是病友……

或者客人。

医院—酒店

有一次，在中国的一个调车场，他看到救护车轮胎留下的血印。在这儿，手推车装满盛废物的袋子从你身旁走过。电视机闪烁的时候，人在帷幕后面死去。焚尸炉在高高的屋顶上方抹掉了死亡的证据。你从来没有在这里看见过真正的血迹。至少作为一个来访者不会。护士长办公室旁边那张病床是死亡之床。你可以看到生命之火在那里明灭不定。作为建筑师，他觉得自己对存放死者的建筑物负有责任。

他偷偷地看了她一眼。她还在睡梦中，两个姐姐坐在旁边，握着她的手，女儿玩旁边一个按钮。没有丈夫，没有情人，没有过去的岁月留给她的任何痕迹，只有孤单陪伴在身边。她把日子过成这个样子，实在可怜。他讲给她的那些故事也许只是加快了她走向死亡的步伐。但是她为自己能见到他，真心地高兴。

他曾经送给她一牛皮纸袋子中草药。

她脸上露出微笑。

“这有什么可笑的，”他觉得很受伤害，“这是根据秘方配制而成的，能提高人的免疫力。”

她摇了摇头。“我几乎什么东西都咽不下去了。”

她面颊绯红，给人一种健康的假相。他把那袋子药放到抽屉里。“没人看到的时候，我用热水给你冲点，只喝一小口。一小口。”

她没有搭话。说一句话都很费劲。

晚上十点钟，护士关了灯，来看病人的访客都被要求离开医院。他把药放到茶水里，喂她勉强喝了几口。

他每天都来看她，尽量避开她的姐姐姐夫、朋友，有时候要等好几个小时才能等到与她独处的机会。来看她的人川流不息，她的精神似乎好了一点。他站在高楼屋顶眺望这座城市，观察天气的变化，看下面的芸芸众生：拉长变形的救护车灯光闪烁，电动火车从钢铁大桥上驶过，行人步履匆匆从十字路口走过。他觉得自己特别像只猫。

两个星期之后，她的病情有点好转。医生们说，也许只是稍微好了一点儿。他来探视的“资格”似乎得到了大家的认可。他注意到，随着她的病情“好转”，来看望她的人越来越少。这样一来，他们俩就可以有更多的时间单独待在一起。大家当然都注意到了他，而且发现她见到他的时候就很高兴，所以都愿意给他们提供更多的机会。他总是安慰她病一定会好的。他给她讲小时候，那些走街串巷的理发匠给他理发的故事。他们像郎中一样背着小箱子。理发的时候，把工具拿出来，放在一块白布上面，再往椅子上面放一个小板凳，让小孩坐到板凳上。然后一边干活儿一边和家长哇哩哇啦地聊天。好像天下大事，他们无所不知。上海话是一种很有意思的方言，听起来仿佛和剪刀咔嚓咔嚓的响声一样清脆。如果方言会有味道的话，那么，广东话有一股咸鱼味儿、生姜味儿和木头筷子味儿。上海话就有理发匠的脂粉味儿——滑石粉撒向你脖子和耳朵上时散发出的那股淡淡的香味儿。他对她说，有时候理发匠把他弄得浑身痒痒，特别难受。理发匠给他挠痒痒的时候，又总是挠错了地方。不过有时候也很奇怪，即使挠错地方，也能解痒。针刺疗法也许就是这个原理。

在上海，没有单位领导批准，不能随便养宠物。通常要打报告，花好长时间才能批准。他有一条狗，是父亲从农村偷偷弄来的。那是一条小松狮犬，白爪子，蓝舌头。傍晚，他经常带它到屋顶拉屎撒尿。那条狗固定在靠近石头烟囱一个涂抹了焦油的地方拉屎。傍晚，风筝还在雾蒙蒙的天空飞舞，放风筝的玻璃丝，不时纠缠在一起，龙与虎在烟囱的管帽上方争斗。夜晚，他也成了这座城市的一部分。他在浑浊的空气和各种气味中一边喝茶，一边看那一串串明灭不定的街灯。夜晚，他觉得自己像一只麻雀，寻找可以睡觉的地方，梦想白天，在大海和蓝天之间航行。他发现，水天一色，“无隙可击”。他可以运用建筑学的理论，制造一个堪称一绝的“胶囊”，带着他穿透宇宙，到达世界那边……只有生活，没有恐惧……他靠在栏杆上，胳膊肘子陷在凝结了一层皮的粘鸟胶上，拖着脚向楼下走去，胶底鞋上粘着狗屎。这副样子回家肯定得挨耳光。他面颊生疼，眼泪汪汪，一声不吭吃晚饭。宠爱他的姑姑们柔声细语、好言相劝。他自然又说出一番表示懊悔的话。都是一成不变的“老生常谈”。

“就是这样，”他对她说，“这个国家就像停滞了一样，每一次爆发，都会让它重新定义一次。尽管钟锤发了疯似的摆动，钟却不会向你报告时间。”

那天夜里，他步走回到酒店……是的，另外一个酒店，遮蔽在楼群里，浸泡在雨水中。他看见轿车停在漩涡里动弹不得，无家可归的穷人在门洞里避雨。疯子大声叫喊，完全沉湎于幻想的王国。他浑身湿透，回到房间之后，给他的合伙人写了一封辞职信。

早晨，他去医院帮她穿好衣服，从她姐姐家接上塞丽娜，然后一起开车去海岸。路上他们停了十几次车，下去看风景，买鱼、虾，品尝白葡萄酒，吃各种冰淇淋。雨还没有停，小路变成沼泽地。瞭望塔被烟雨笼罩着，一路湿滑，仿佛要把他们引向地狱。她重病在身，吐了三次但很高兴。恢复过来之后，她脸上露出微笑。什么都不如掏空你自己强。这是罗马人的说法。中国人也一样，他说。排空了就会更纯洁。吐，拉，射精。她问他最后一项——射精是怎么回事。哦，他说，有时候人们不得不把什么“节制、适度”忘到九霄云外。总是节制，前列腺会出问题。两千年的试验终于和现代生物物理学相遇。

“这就是你最后要向我解释的事情吗？”进玻璃酒店的时候，她问道。酒店里的工作人员都认识他们，立刻把他们的行李送到豪华套间。“你的意思是我对现代科学不认可。”

塞丽娜跑在前面，把电梯按钮按了个遍。

“不是这个意思，”他说，“你并没有否认现代科学。对你而言，补救的办法是再回去。不过和你解释也没有用。这些日子，对于我，你还是个陌生人。因为，说话的那个人并不真正了解对方。”

“而那些沉默无言的人不会活着听到你说什么。”她补充道。

他拒绝接受她的这种说法。他们决定雨中散步。出去之前，他注意到她把三个吗啡注射器放到冰箱里。每一个上面都贴着红色标签。

“上面的字是医生写的。”

波浪拍打着悬崖，他们不能走得太远。塞丽娜握着他的手，揪他指关节上的汗毛。一溜黄色泡沫向海岸扑来，粘在海草和漂浮物上。海滩那边，一个渔民正把一条小船拉到岸上。“今夜会有王潮，”他说，两个人搀扶着从散发着臭味儿的杂草丛中走过，“你是塞斯家的女儿，是吗？”

“不是，”她说，回转身，把一缕头发从眼前撩开，试图弄明白自己心中有什么样的力量能够拽住并且拖回滚滚而去的退浪。

“他说国王[①]死了？”塞丽娜问。

“不是。王潮。”

“什么是‘王潮’？”

“‘王潮’的意思是从远方奔腾而来的巨浪。”

他把她抱起来，走过那片草地。

轻的像盐雾。风大了，海面上，一朵朵雪浪花奔涌而来。“那是‘羽浪’。”女人说。父亲教给她许多渔民的行话。就是这些东西把世界连接在一起。

她告诉他，父亲教她焊接。他们在自家后院造过一条船。“凡事三思而后行，”爸爸总是告诉她，“否则只能事倍功半，

①“王潮”的英文是：king tide，也可以翻译成“巨浪”。“国王死了”的英文是：king died 与 king tide 发音相似。塞丽娜是几岁的小孩，分不清这两个词的意思，故有此说。

甚至从头做起。”后来她焊接得比爸爸还好，心里很是舒坦。她焊过的钢板连缝也看不出来。可是，尽管活儿干得干净利落，也总有出错的时候。实际上，成功与否也只是瞬息之间的事情。父亲被淹死前的一个星期，她听见他在甲板下面说：“你前面干得非常漂亮，直到最后一分钟，才意识到，前功尽弃。”

“你这话是什么意思？爸爸，”她问道。

“我们都搞错了，”他在船体里面说，听起来瓮声瓮气，断断续续，“我们太不走运了！”

于是她明白，他要从头开始了。

从头开始。他知道，已经没有时间再从头开始了。他们浑身上下又淋得精湿。她的头发一缕一缕披在肩头，沉甸甸的套衫湿乎乎地贴在身上。他想，他们仿佛总是被一条绳子捆绑在那个“最初”之上。世界可以分开，他们俩却被这一瞬连接到一起。

回到酒店之后，塞丽娜到游戏室玩，他们俩泡温泉。热水洗掉了疲倦和紧张。镜子上水雾蒙蒙，他们白皙的身体仿佛变得枯瘦、皱缩。他开始讲故事。

第二十七章

公元七世纪，唐太宗颁发了一道命令，他每次洗澡的时候，都要有至少十二个美丽的女人陪伴。她们不但要给他更衣，而且还要顺应他的种种奇思妙想。这些女人里有一个很有名气的妃子——武才人。武才人把浴室四周都装上镜子，这个大胆的举动博得皇帝的欢心。因为不只那些佳丽的人数好像翻了一番，放眼望去，连天子自己也觉得那镜子折射出的景象让他有一种无处不在，独一无二的感觉。他想，他差不多是个平等主义者。如果大家都能分享他的快乐，那该多好。但是，他没有快乐可以表达。他有点迟钝。大家都认为皇帝没有什么感情可以表达，只能是一个不解之谜。于是，他很快就按照那个大浴室的样子重新装修了宫殿，请喜欢自恋的贵族来寻欢作乐。武才人晋升为贵妃，负责宫廷乐队和其他娱乐活动。

皇帝一点儿也不知道，他的正值青春期的太子迷上了武才人。她给太子生下个女儿，两个星期内又把这个孩子杀死，埋到皇宫外面。然后嫁祸于人，一口咬定是皇后害死了她的孩子。

皇帝大为震怒，把皇后关了起来。武才人成了皇后。但是有一天武皇后发现皇帝在他妻子的牢房前徘徊，气得朝皇帝大喊大叫，指责他和前皇后藕断丝连。整个宫殿只听见她泼妇般的叫骂声。尽管是夏天，宫女们都戴着耳罩。她不允许皇帝和妃子们睡觉。太监给她们脱光衣服之后，用被子包着送到皇帝面前。可是她总能施展什么魔法，从她们身上搜出武器。“你瞧，”她叫喊着，“那个女人十分危险。她虽然被关了起来，可还是想方设法要刺杀你。”

皇帝虽然不情愿，也不得不同意对前皇后处以鞭刑，然后把她的手脚砍掉，装到一个酒坛子里溺死。从此，武皇后独揽大权，皇帝变成一个无所事事的老人，每天一个人待在大浴室里，傻笑着喃喃自语，不假思索就签发命令。

武成了人所共知的玉娘娘。她以和年轻男子做爱为乐，成了历史上第一个女“万岁爷”。就像她装的那些镜子一样，她确实很聪明。但是她总是在那没有尽头、令人炫目的、疯狂的走廊里走来走去。年轻的太子因为歉疚，投海自尽。武皇后因为没有生下儿子继承王位，被皇帝下命令毒死。皇帝又回大浴室和美女们一起沐浴。他取掉所有镜子，虽然仍有美女相伴，但他觉得十分孤独。

他在吧台后面倒了点饮料，两个人坐在那儿看松树枝上落下来的像雨夹雪一样的水珠。

“你的故事像镜子一样，照出了事实真相。”她说。

“我想是这样。”

“当年，我母亲想把塞丽娜处理……父亲去办……”

“你不会是说……”

“不，当然不是。让人领养。”

“所以，他在最后一刻良心发现了？”

“和那些你无法勾销往事的人相处，你就无法重新开始。那个垃圾倾倒场和小孩儿的事……是我父亲编的故事。父母不能接受那是我的孩子的事实。所以父亲就假装孩子是他从垃圾堆里捡的，然后通过各种渠道，想把她送出去，让别人收养。这是精心编织、后果可怕的谎言。我在痛苦中躺了六个月，才有力量再拉扯我的宝贝儿。”

她俯身向前，看着窗外渐渐浓重的暮色。嘴里呼出的气在玻璃窗上留下一层雾气。

“可是你那位中国诗人给你送过钱。”

“他得了肝硬化之后留下那么一点儿钱，还有一幢人家遗弃的破房子。你看框架都已经腐烂。从最初开始，我们就在那里偷欢。但我从来没有觉得这有什么丢脸，人性可怕的缺点，也没有意识到会被人指责，要遵守什么社会的道德规范。”

她静静地睡了，他抚摸着她的头发，两个人似乎达成无言的盟约。塞丽娜可以是他的孩子。也许就是这个原因让他第一次在海滩看到她们时，不由自主停下脚步。

一小时后，她还在睡觉。怕惊了她的觉，他一动不动地站在窗前，眺望远方的灯塔。灯光在海湾闪烁。灯光下，雨丝雨线从天而降。他在想信号灯，想上夜班的工作，想他们的奇思妙想，直到越来越相互吸引，然后又像她的呼吸一样，轻轻推开。此刻，她的呼吸没有节奏，十分微弱。他拼命拽住那生命的游丝，希望阳光穿透雨云。

第二十八章

直到那时，他都没有碰过她。

漫漫长夜，他伸出手指抚摸着她，以绘图员的习惯，在心里描摹她的形体，想起有一次她说，谁也不能帮助你写作，就像谁也不能帮助你死一样。关于她的这些事情已经写了下来。卡夫卡的写作机器编写了 DNA 的密码。在这个漫漫长夜，在她睡觉的时候，他清理了一下自己的账目，为塞丽娜开设了一个信托基金。拿出他为这座酒店绘制的蓝图，展开，钉在桌子上，计算起来。

塞丽娜走进他的房间，向他道晚安。

“你知道吗？”他问道，“你妈妈要死了。”

她点了点头。有一会儿，她静静地站着，然后走到他身边。他摸了摸她的头发。

在那个漫长的夜晚，女人醒了好几次，听着窗外的雨声，说一位炼金术士送来了她的那剂药。

一缕灰色的光在天际形成一道皱褶，然后天又变黑。她还在睡觉。在那假曙光之下，他穿好衣服，下楼，沿着滨海步行道慢慢走着。海浪拍打小路，漫过大道。路那边，山体滑坡在悬崖峭壁上形成一道巨大的裂口。那里的房子似乎随时都会掉到大海里。为了警示，房子四周都用橘黄色的带子围了起来。没有一家商店营业。他爬上瞭望台，眺望大海。他以前从来没有见过这样的大海。波浪滔天，变成黑色，以摧枯拉朽的巨大的力量奔涌而来。他觉得自己的胃里也翻江倒海，一种早就有的恐惧攫住他的心。波涛滚滚，仿佛形成另外一个海，涟漪层层，水花翻滚，漩卷着砸到花岗岩防波堤上，又被大海吞没。水花激起的泡沫在洋面上漂浮，海浪卷起的飞沫消失在乌云之中。一个巨浪扑向海岸，海岬上，推土机像后退的蚂蚁，前后晃动着，把巨石推到海里。路面轰响着塌陷下去，山洞隆隆地响着，漩涡喷起高高的水柱，他觉得整个大地都开裂了。

他发现岩架上有一只死海鸥，便走了过去。海鸥雪白的羽毛、橘黄色的喙、有蹼的爪子——完好无损的形体、神奇孤独的死亡，就像对他施了催眠术。他继续向前走，完全没有意识到已经踏入险境。大地和大海骤然分开，他和安全栏杆之间出现一道深渊。他一次又一次被海水打得精湿。想爬下岩架，可是狂风又把他吹了回去。他紧紧抓住栏杆，尽量不往下看，突然，脚下一滑，一块大石板掉进万丈深渊。铁围栏还挺立着，他拼死一跃，跳过栏杆。那一瞬，他听见一声仿佛史前的叫喊，死神的叫喊，他想。跳。这一跳，他相信他洞察了一切。一只猫发疯似的从大街上跑过。

酒店里乱作一团。人们对他说，中层楼被水淹没。两扇玻璃门被狂风吹掉，但是令人难以置信的是，居然没有摔碎，只是两块大约三英尺宽的蜂窝状的玻璃板斜插到排水沟里。支架还得重新焊接。下午之前，没人会来。地毯都被海水浸泡，塑料椅子东倒西歪散落在大理石露天平台上。楼下的情况更糟。海平面以下，大浪打裂了支撑露台的水泥拱基，海水从镶嵌着很厚的玻璃的水泥框架的缝隙渗进“海底酒吧”。棕黄色的、散发着臭味的水从污水渠口涌了出来，这说明下水道堵塞。大海终于打败了他。如果这一层塌陷，整个酒店肯定会倒塌，被大海吞没。

他告诉酒店工作人员，尽量远离危险。“等风浪平息一点之后，”他说，“我们就派潜水员下去看看支墩的情况到底如何。”人们将信将疑地看着他。他觉得自己的整个生活都建造在一堆碎片之上。“这一次，”他想，“你可不能重新开始了。”他向楼上走去。

她醒了。因为休息了一会儿，脸色好了一点。他看了很是高兴。好一点也只是假象，她说……就像故事。可是现在他已经没有故事可讲了。就连编个什么故事、设计个什么情节的念头都让他反感。他一直在用短浅的眼光去构想、去设计一幢建筑，但是他犯了一个错误，因为内心深处他一直在寻找永恒……他以为他找到一个家，现在又开始漂泊。她和他一起漂泊了一段时间。谈她的生活，开诚布公，好像他们很早以前就相识。过去的几个月，他们一直倾心交谈，仿佛在听多少年前谈话的回声，证实早已消失的存在的意义。

此刻，我待在这里，没有感觉到肩上的责任，只是把她的头放到怀里，呷着威士忌，等待仿佛永远不会升起的太阳，听狂风呼啸、林涛大作，看雨带着盐分横扫而过，在玻璃上留下点点污渍。心里想，对我而言，在这个热带丛林，她轻车熟路，比我强大得多，她对当地的知识也比我广博得多，我只是一个会点雕虫小技的天真无知的探索者。隔壁，塞丽娜在玩游戏机，发出嘀嘀嗒嗒的响声。那是下个千年的“天籁之音”。她的额头很烫，我的掌心很干。我抚摸她的时候，手仿佛燃烧了一样。她喃喃着，好像要去参加圣灵降临节[①]。那一刻，我知道，我一定尽可能尊严十足地搀扶着她走完最后这一段路。但是我不知道该说什么。因为死亡是无形的，说安慰的话更没有用。我只能想到自我牺牲……同情……懊悔……听她呼吸。

给我讲故事，她哀求道。但是他已经没有故事可讲。没有灵感，没有快乐。

我只有讲故事的时候，他想，才能快乐。但是他已经筋疲力尽，被往事的回忆、被现今的设计磨蚀得千疮百孔，被想要概括、再现的冲动撕裂。沉湎在现实之中。这就是他的故事。岁月最后的结局。他抱着她的一堆书回来，给她读。但是这并不是她需要的。她需要的是他那些让她安心的喃喃细语。需要他带着她开始新的生活。她不愿意再听那些早就认为是欺骗的

①圣灵降临节：复活节后第七个星期日。

陈词滥调。

“告诉我，你那位诗人的故事。”他终于说，心里想，这是让她漂浮在生命之海的最好的办法。

“其实也没有多少好说的。”她说。听到我的请求，她有点不知所措。“他刚来的时候，和谁也不说话，”她说，“他在我家后院转悠，杂草没过胸口。悉尼郊区，烈日炎炎，蛇藏在草丛中。我们家后院挨着一个运动场。院子的围篱无人照管，木头都已经腐烂。我和姐姐们曾经在后院挖了一个水池。现在早已干涸，里面住了无数蜥蜴。记得小男孩儿们专门朝快要散架的篱笆踢球。砰！一根篱笆柱子倒下。那是秋天。河岸上，从欧洲移植来的树木泛出金黄。一溜慢坡通向那所公立学校。周末，万籁俱寂。窗玻璃不知道被什么人用石头打破，只好在上面贴了纸或者别的什么东西。风吹过，纸被吹起来，发出阵阵呜咽，平添几分凄清。他似乎心满意足。他看见过那些人从堤坝上扔石子儿。他们从我家门前小路上捡起几块沙砾，一甩手，玻璃发出轻微的爆裂声。后来他来看我，说（他一字一顿，好像从空贝壳里挖出来的什么东西）：圣人终不为大，故能成其大……老子的格言……好像那格言是和自行车零件、破橡皮球、带锯齿的消音器一起扔在院子里，被他偶然发现的。他也搜集我的‘名言警句’，并且对照我的行为举止。把什么东西都拿走。

“起初，我不怎么愿意他来。那时候对我们而言，最重要的是形式。我们坚持这个形式，不敢越雷池半步。后来我发现，这种坚守毫无意义。渐渐地，曾经是自由的东西很快变成壁垒。

“那一天，他在大礼堂朗读他的诗歌，第一次感受到成功的喜悦。掌声从来没有在他耳边消失。他看见那个中国女孩儿坐在后排，身穿黑色外套，脚蹬高跟皮鞋，飘飘然走出礼堂，钻进车窗是深色玻璃的‘奔驰’里。那一刻，他认为他在跨越那道壁垒，”她说，“那道藩篱。可是，如果她是坐在前排一位不声不响、满脸献媚的穷女孩儿，他又该作何感想呢？那女孩儿不得不赶快走出礼堂，在中国城的餐馆里从早晨六点干到半夜，还得躲避浑身油腻的厨师动手动脚。那是他的原则——才华横溢，却抛弃诗歌时坚持的原则。他宣称，那些诗句都来自内心深处，底层阶级，怀抱虚无的希望和对别人而言毫无意义的欲望。那些诗句来源于痛苦的回忆。我对他说：记住，你只是我家里的一个客人。我边说边指了指自己的心。为什么是身穿长皮大衣，头发乌黑，生活方式复杂的她呢？我并不认为他真的愿意这样做，但是这当儿受到了伤害。特别是当一个人的才华只是在一片虚无中表现的话。后来，他的肝，就像生命的中心一样，完全坍塌。”

她叹了一口气。他有一种想要私自闯入的冲动。但是白天已经变成黑夜。天气没有丝毫好转。沿海岸，大片土地被毁坏，房屋从山坡上滑落下来，坍塌在一起。冲浪俱乐部被潮水淹没。大街成了海洋的一部分。这是人们只有在电视上看到过的巨大的自然灾害。经理打来电话。酒店下面都被淹没，他一筹莫展。天气好转之前，谁都派不上用场。可是，建筑师应该为大楼被损坏负责。他匆忙而去，手里还拿着一本书。后来才装到口袋里。

我向下走去，一股在码头和防波堤下才能闻到的辛辣的、热烘烘的气味扑面而来。那是炎热的季节，垃圾堆蒸腾起来的气味，熏得我头晕目眩，我完全可能靠着栏杆倒在楼梯上。或者也许断电，周围一片漆黑。我已经不知道何年何月何日，只能使劲嗅着鼻子，感受现实中的种种。抬头望去，还没有一丝一缕的亮光，天空被夜色遮得严严实实。我只能继续向前，又下了两层楼，好像钻进一座巨大的显微镜。在中层楼摸索向前的时候，伸在前面的手觉得那么小，动作那么慢，周围那么暗。水已经没过小腿肚，酒店好像往左面偏了一下，一股碎片残骸的洪流滚滚而来。空瓶子，盘子，碟子，还有什么人的一件夹克衫。我又往下走了一层，水已经齐腰深。不能再往前走了。我爬上酒吧甲板，在被水冲回到几株盆栽草木之前，连忙从架子上取下一瓶威士忌……凹室里，插芙蓉花的广口瓶闪着微微的光。在那里，茂密的原始森林和连绵逶迤的山岭相遇，山坡上，笔直的松树和柔软的藤蔓纠缠在一起。炎热和寒冷交替，我觉得自己正在枯萎。我的手插在口袋里，感觉到她冰冷的、破碎的书页。那是岁月的更替，她的时间化作永恒。

突然之间，我的身体倾斜，不由自主靠在电冰箱上，手里还拿着那瓶威士忌。头顶传来一阵玻璃碎裂的哗啦声和可怕的碰撞声。我茫然不知所措，看见桌子上方的木头镶板颤动着，出现一条条黑色的裂缝，紧接着水和白色的粉末渗透下来。几乎同时，又传来一阵噼噼啪啪的响声，酒吧墙壁上的壁纸像花一样，在一片奇妙的蓝光中绽开。电灯泡闪了几下，完全熄灭。天花板上，蹿过一条火蛇，火焰吞没了墙上的插座。突然之间，楼里的人乱作一团，叫喊着，向楼下涌去。一个留着小胡子的中年男人只穿着一条短裤、一双短袜，顺着铺了地毯的楼梯往下跑，两条腿又细又白。一个年纪很大的女人跟在后面。她个子很大，只穿着内衣和衬裙，衣带飘飘，就像带了降落伞要跳伞的运动员。一个小服务员跑来跑去，不知所措。整幢大楼都在狂风中摇晃，看起来，上层窗户立刻就会被风刮掉，泥灰和砖石像冲天而起的巨浪，带着黄尘席卷而来，我连忙从楼梯井把头缩了回去。混乱中，一个男人从楼上跑下来。我从他笔直的身板、肥大的黑西服（现在沾满了泥灰）、黝黑的面皮、松弛的面颊、打碎的眼镜以及他那轻车熟路的架势，一眼认出他是酒店的主人——胖子亚苏达。他沿楼梯往下走的时候，一只手扶着墙壁。在壁纸上留下一个个鲜红的血手印。然后，又缩回来，压住装在上衣口袋里鲜红的手帕。所有这些都是慢动作，像舞台上的表演，像例行公事。

“当心！”我叫喊着。又一声爆炸在耳边响起。气浪冲过门厅，把亚苏达宽大的领带吹起来，打在他的脸上。滚滚烟尘中，我的叫喊宛如轻声耳语。他从我身边走过，脸上流着血。领带还在喉咙下面飘动。他向玻璃门走去。那两扇门奇迹般地没有损坏，轻轻一推，就被推开。大门敞开的那一霎，我看见外面站满了消防队员，头盔、水龙带影影绰绰。亚苏达朝我转过脸，一双眼睛看不清楚，手掌向上举起。“楼上几层都起火了，”他说。电线出了问题，玻璃屋顶爆炸。

她们还好，没出什么问题。他跑到楼上的时候，塞丽娜正满脸惊恐扶着妈妈从屋里走出来。他们一起向楼下的凹室走去。凹室面向大海，盆栽的花依然盛开着。火势已经控制，水拍打着脚面。他用毛毯包裹着她，抱在怀里。她显得那么小，转过脸，对他说："在极端的情况下，人的心脏会放慢跳动的速度，几乎完全停止，所以根本没有什么可怕的。只是归于平静。然后你就知道，你可以控制你的离去。"那个贴着红标签的皮下注射器还装在他中式外套的口袋里。没有使用。

他不由得心头一紧，把她抱得更紧。塞丽娜在抽泣。有一霎，他意识到自己几乎没有觉得正把她抱在怀里，可是现在，感觉到了她的力量。消防队员们走过来，告诉他们最好赶快离开这里。"她没事儿吧？"那些警官他都很熟，他们声色俱厉，似乎不马上离开，他们就会"暴力执法"。

"我们再待一会儿。"他说。

他们笑了起来："你难道不明白，伙计？你们必须立即疏散，离开现场……"

"塞丽娜，跟他们走。"他说。塞丽娜有点犹豫不决。一个消防队员把手放在她的肩膀上。

"我们一会儿就来找你。"

他点了点头。他们走了。

现在，万籁俱寂。黑暗让人觉得惬意。他和她一起在凹室躺下。

"庄子，"他说，"是个蝴蝶。但他认为自己是哲学家。他从一朵花飞到另外一朵花，传粉，授粉，给荒凉的土地带来丰收，给无知的心灵带来智慧，在没有思想的大自然播撒知识的种子。大自然对他的传播当然心存感激，但不喜欢用语言表达。庄子认为一切都是他设计的。他相信，是他的智慧使得文明得以延续。他对自己的无私奉献沾沾自喜，全然没有看到还有成千上万只蝴蝶在做同样的事情。更重要的是，他们都是默默无闻地工作。庄子于是将自己置身于大自然之外，他想，他成了大自然的工程师……”

她动了动，轻轻地对他说着什么。他明白那呢喃细语的含义。什么东西撞了一下长椅。那是一个中国人结婚用的老式箱子。还有别的东西，在四周的水上漂浮。那都是从下面的店铺里漂来的“礼物”……长凳，一瓶毕雷矿泉水[①]，姜罐，丝绸屏风，明朝的印花模版，画轴，床架。都沿着这艘世纪末的“快速帆船”湿淋淋的木头墙壁旋转。门厅散发着潮气，在他的注视下，摇晃着，变得弯曲。他四处张望，目光落在黑色的家具上——为那些体态优雅、两腿弯曲、恣意享乐的人们制作的一把把古香古色的椅子。落在漂浮在水面的地毯上。那地毯用神秘的图案、符号、如尼文装饰着，还有蜿蜒曲折的藤蔓、层层叠叠的无花果、芬芳袭人的百合花。落在屋顶的吊扇上。此刻，那吊扇在渐渐变小、呈漏斗状吹来的海风中懒洋洋地旋转着。落在白灰剥落、仿佛布满湿疹的墙壁上。落在和枝形吊灯一起漂过来的毛绒玩具考拉、飞镖和书上。落在舷窗彩色玻璃上画的鹦鹉、朱鹭上。苍白的光透过彩色玻璃，在栗色服务台上洒下一片金辉。一个负责登记的服务员接待了最后一位客人，金光下，有人写下名字……

①毕雷矿泉水：法国南部产的一种冒泡的矿泉水，商标名。

“有一天，庄子飞进一座百合花房。他认为自己是哲学家，立刻开始对百合花解释，它们为什么能够存在于世，他对于它们的存在多么重要。百合花什么也不懂，但是拒绝接受蝴蝶的建议，不肯按照他的说法传宗接代。你瞧，他们是亚马逊百合花。大而美丽，生长得特别茁壮。它们不是按照常规繁衍，而是从打开天辟地，就安安静静地随着河水流淌。年复一年，它们漂浮着，种球分开，到了合适的时间，便被洪水带到下游，在肥沃的泥土中生根开花。它们的生命比许许多多蝴蝶都长久得多。

“百合花的执拗让庄子困惑不解。他给它们讲了几百个充满智慧的故事，希望百合花能懂得这些道理，认识到花房这种人工环境没有什么优势。可是，说什么也没用。他变得越来越华丽俗艳，趴在潮湿的百合花房过热的玻璃上，他的翅膀变得越来越脆弱易碎。渐渐地，翅膀上的色彩消退，陷入自己制造的罗网，变得透明。这种透明和他沉重、忧伤的感觉相悖。最终，他掉到一朵鲜红的百合花花瓣上。她的花心潮湿、温暖。他蜷缩在她的怀抱里，渐渐消失。那是一种疯狂的爱恋。他等待着千禧年的结束，直到他的光辉不复存在。在那个春色浓重的夜晚，在狂热的交媾中，他的心脏停止跳动。最终，被她对于春潮的记忆带走，顺流而下，在天使的合唱声中迎来黎明……他死了之后，她继续生活在百花丛中，呼唤着他，尽管他已经什么也听不到了。”

她觉得很冷。“1936 年，那座水晶宫被烧毁的时候，”他对着她的耳朵轻声说，“铁框架都融化了。这种结构方便运输，灵活、多变，但是高温下会融化。”

他几乎不知道自己在说些什么。只是想在短暂和长久之间求得平衡。他知道，她正向他漂浮过来。他听到两颗心跳动的节律越来越微弱，听到翅膀的扇动、风的啸吟和他缓慢的呼吸。然后，只听到一个人呼吸、一颗心脏的跳动。他知道，他已经陪着她，走完最后一程。

然后，他用一条毯子把她包起来，放在那个精工雕刻的箱子上，在她身上盖满芙蓉花。让她在这艘“花船”上微微闪光、轻轻摇晃，朝现在已然多余的救援者发出信号。

看见他们把她接走，他突然回转身，半是涉水，半是游泳，来到中层楼。他扔掉眼镜，潜到他认为是楼梯井的地方。惨白的光从他设计的结构复杂的玻璃穹顶照射下来。他惊讶地发现，露台旁边的天井前厅没怎么进水，他好像置身于一个气囊之中。他又涉水往前走了几步，打开一个舱口，发现下面是干的。他沿着铁梯爬下去，把头放到另外一个检修孔上，静静地听着。然后像一只雪貂冲过隧道一样，朝一条溢洪道滑了下去。这是他的“大酒店”的“大运河”，现在涨满洪水，一只老鼠尾巴夹在缝隙里，头朝下吊着。前面又是一片黑暗。在一个角落，他找到水泵和阀门。当年，他们说酒店排污系统有问题的时候，他搞了这个水泵，现在看来也解决不了什么问题。他使劲拉门。门吱吱扭扭响着终于打开。一直向上涌动的烂泥旋卷着和他一起流了出去。他摸索着找到龙头，再向上，找到轴心，用尽平生力气旋转，可是那轮子纹丝不动。也许封死了。他知道，水管单位一年来检查一次。检查完就封死。他试着朝另外一个方向转，还是没用。正要放弃，膝盖碰到管道，突然想起那些管子是用铜管帽堵起来的。于是又爬下去，用剩下的一点点力气，慢慢拧开密封的管帽。大楼内部隐隐约约发出汩汩声。渐渐地，那声音越来越大，地面上的泥浆污水，冒着泡慢慢地注满下水道。起初耳边传来隆隆隆的响声，紧接着他觉得一阵碎石和水泥的涡流从十二英寸管径的管子里奔涌而出，他仿佛一下子陷入流沙之中。他想赶快退回去，可是为时已晚。积蓄多时的雨水和污水像潮水一样朝他冲过来，瞬间把他吞没。他觉得自己在水里打转转、翻筋斗，然后被巨流带进永远的黑暗中，下沉，下沉，进入一条管道。穿过挂着海草、排泄物的破损的格栅，穿过防波堤，来到露台下面，突然发现他已经浸泡在海水之中。那水清澈明亮，似乎要带他进入梦乡，随她而去。他手心贴着他的狂想之作——“海底酒吧”——的玻璃墙，想面对自己无视大自然的力量而创造的种种“奇迹”微笑，心里清楚，他就要与她汇合了。向上是天使，向下是鱼。米尔顿风格的诗句让他困惑不解。那是跨越精神和物质的一个节点，对光明、美味、约束的需求，不随波逐流的努力……他觉得自己在下沉，实际上在上浮，在极力弥合水天之间那道裂缝。

第二十九章

都是去年冬天发生的事情。

他偏瘫了，半个身子变得非常沉重，仿佛被一种巨大的惰性和疲惫纠缠着。嗓子眼儿里好像吊着一只冰冷的大鸟。

直到参加她的葬礼，他才知道她是个享有盛誉的作家。为她送葬的人都赞扬她的文学成就，葬礼变成了文学研讨会。他在人群中不声不响地走来走去，尽量避开她的亲戚。塞丽娜微笑着向他跑来。他皱着眉头，朝她打了个手势，示意她不要招来别人好奇的目光。他转身走了出去。人们的谈话着实吓了他一跳。

他在大门外找到一家报刊亭。报刊亭里人也很多，但是置身于旅游指南、钓鱼手册之类的书刊中，感觉要好得多。他拿起一份当地的报纸，人们正在争论酒店是否应该重建。他们说，如果不是有人及时打开排污阀，使得吃水线以下楼层承受的洪水压力保持平衡，整幢大楼就会倾倒在大海里。没有人对他表示什么赞赏或者感谢。但如果身临其境，他还会冒险去做这件事情。

“游先生？”

一个个子不高的女人从后面追了过来。有点离奇的是，她长得和她很像。有一阵儿，他觉得他好几年也没见过这个女人。后来，突然想起，在酒店大堂里见过。她满头白发，脖子上现出一条条皱纹，下巴有点歪。也许是中风的结果。

她是从马路那边跟过来的。眼睛里含满泪水，但是她既不说话，也不抽泣。他面带微笑伸出手。她轻轻地握住，手掌很干，皮肤粗糙。然后她向后退了几步，消失在人群中。一切发生得那么突然。

他随便拿起几本杂志，去交钱。发现只能说上海话。不过现在说什么已经无关紧要了。

这就是为什么这个冬天他来这儿的原因——重建酒店。现在，这活儿差不多快完了。只是一个侧厅还没有完成。

有一点很肯定，他不再害怕。就好像他已经走过一扇门，门那边没有什么可保护的东西了。不再有未来，不再有不得不去理解的东西。所以他可以很从容地回转身接受这个终于造就了的自我，并且由此出发，不断地重塑自己。他不再孤单。这是她的馈赠：把握当下。

他站在玻璃屋顶旁边狭窄的小道上，感觉它散发的热气。他手里拿着她刚刚出版的新书。那是她关于中国故事的遗著，是书店老板特意为他订购的。打开书，他看到扉页上写着：给游。他想起，他给她讲中国故事的时候，她一直不停地记录。现在，他越读越意识到，他是怎样被融入她的作品之中的。这当儿，他们产生的共鸣，载着他顺流而下……他能听见风中那令人心悸的音乐。从那一刻开始，他便明白，他在做什么，明白他要在西边的角楼继续把侧厅盖完。因为只有在那里，他才能找到她。站在热烘烘的玻璃旁边的小道上，他发现，一切都从水泥和玻璃接合的部位开始……清晨，他在四周巡视的时候，打开迄今为止还没有使用的酒店走廊的灯，看到人们已经开始走动，送洗件的小推车发出隆隆隆的响声，盆栽的花草长得正盛，玻璃丁零丁零地响，老子喋喋不休地说。他偶然发现，叙述也有“迷宫曲径”。而那蜿蜒曲折的小路最终能领着他，到一个可以瞥她几眼的地方。那是一条通往沙滩和大海的走廊。目光穿过玻璃屋顶，看见半截彩虹。他问她，要不要给她讲个故事，她一定会点点头……然后，在那一片灿烂下痛饮的时候，他会觉得那又长、又宽、色彩斑斓的河流，那两条无法预料什么时候跃出水面的海豚，给他以慰藉。而世界变化的方式几乎是偷偷地、在令人难以置信的瞬息之间变得那样小……

图书在版编目（C I P）数据

候鸟&萦系中国 / (澳) 布莱恩 · 卡斯特罗著 ; 李尧译. -- 青岛 : 青岛出版社, 2017.11
(李尧译文集)
ISBN 978-7-5552-6371-5

Ⅰ. ①候… Ⅱ. ①布… ②李… Ⅲ. ①长篇小说－小说集－澳大利亚－现代 Ⅳ. ①I611.45

中国版本图书馆CIP数据核字(2017)第290614号

书　　名　候鸟 · 萦系中国
著　　者　（澳）布莱恩 · 卡斯特罗
译　　者　李　尧
出版发行　青岛出版社
社　　址　青岛市海尔路 182 号（266061）
本社网址　http：//www.qdpub.com
邮购电话　13335059110　0532–85814750（传真）0532– 68068026
责任编辑　刘　坤
整体设计　刘　欣
印　　刷　青岛国彩印刷有限公司
出版日期　2018 年 1 月第 1 版　2018 年 1 月第 1 次印刷
开　　本　32 开
印　　张　12
字　　数　200 千
书　　号　ISBN 978–7–5552–6371–5
定　　价　58.00 元

编校印装质量、盗版监督服务电话　4006532017　0532–68068638